黄河下游断面法冲淤量分析与评价

张原锋　张留柱　梁国亭　龙毓骞　等著

黄河水利出版社

内 容 提 要

本书根据黄河下游河道近 50 年的实测资料,利用计算机技术建立了淤积断面资料数据库,编制了进行管理和计算的软件,对断面法冲淤量计算结果的合理性进行了分析和评价,为深入研究黄河下游河道的河床演变奠定了基础。

本书适于从事河道河床演变的科研人员阅读参考。

图书在版编目(CIP)数据

黄河下游断面法冲淤量分析与评价 / 张原锋等著.
郑州:黄河水利出版社,2005.12
ISBN 7-80734-017-7

Ⅰ.黄⋯ Ⅱ.张⋯ Ⅲ.黄河–下游河段–淤积控制–研究 Ⅳ.TV882.1

中国版本图书馆 CIP 数据核字(2005)第 147187 号

出 版 社:黄河水利出版社
　　　　地址:河南省郑州市金水路 11 号　　邮政编码:450003
发行单位:黄河水利出版社
　　　　发行部电话:0371-66026940　　传真:0371-66022620
　　　　E-mail:yrcp@public.zz.ha.cn
承印单位:河南省瑞光印务股份有限公司
开本:787 mm × 1 092 mm　1 / 16
印张:13
字数:300 千字　　　　　　　　　　印数:1—1 000
版次:2005 年 12 月第 1 版　　　　　印次:2005 年 12 月第 1 次印刷

书号:ISBN 7-80734-017-7 / TV · 442　　　　　　定价:40.00 元

本研究课题承担人员

项目负责人   姚传江   龙毓骞

技术总负责   龙毓骞

主要完成人   张原锋   张留柱   梁国亭   龙毓骞   姚传江

    程龙渊   申冠卿   弓增喜   张建中   李　勇

    胡跃斌   苏群生   高文永   张松林   刘继祥

    连惠君   李　静   孟　杰   和瑞莉   杨春杰

    尚　军   张丽娜   张晨霞   原新风   徐从亮

    张彦丽

前　言

本书主要依据水利部重点项目"黄河下游断面法冲淤量分析与评价"(SZ—9854)的研究成果撰写而成。该项目负责人为姚传江，龙毓骞为技术总负责人，主要完成人有张原锋、张留柱、梁国亭、龙毓骞、姚传江、程龙渊、申冠卿、弓增喜、张建中、李勇、胡跃斌、苏群生、高文永、张松林、刘继祥、连惠君、李静、孟杰、和瑞莉、杨春杰、尚军、张丽娜、张晨霞、原新风等。该项目由黄委水科院、黄委水文局及所属山东水文水资源局、黄委河南河务局勘测工程处、黄委设计院等单位协作完成。实测资料的录入工作由上述单位分工承担。对尚未汇编的实测断面资料审查工作由河南局勘测工程处和山东水文水资源局进行。断面位置、基面考证工作，断面滩、槽间距量算工作等由水文局进行。黄委水科院研制开发数据库管理和分析计算的软件，并与水文局共同进行了淤积断面滩、槽位置特征值的摘录及滩、槽冲淤量计算方法的研究。数据库的编制及冲淤量计算由项目组统一进行。本项目提供的成果，要求用统一的计算方法和技术标准；计算汛前、汛后两次各断面间的滩地和主槽冲淤量。除上述成果外，还进行了河南黄河断面统测资料审查情况、河道断面数据库管理、分析系统(RGTOOLS)及其应用、黄河下游河道淤积测验断面间距量算方法及成果分析、黄河下游河道淤积测验断面布设密度分析、弯曲河段淤积断面代表性分析、黄河下游淤积物初期干容重观测与分析、黄河下游输沙量平衡对照与实测断面法冲淤量精度分析、黄河下游宽浅河段典型时段输沙特性分析、黄河下游河道深槽冲淤特性分析、断面测量时期流量不同对计算冲淤量的影响等专题研究。

本项目成果已通过水利部组织验收及河南省科技厅组织的专家鉴定，研究成果总体上被鉴定为达到了国内领先水平，其中的深槽冲淤量计算及所开发的河道断面数据库及分析系统达到了国际先进水平。本书主要包括黄河下游淤积断面数据库及分析系统开发、实测大断面资料考证、断面法冲淤量计算方法、计算成果、断面法冲淤量分析评价、沙量平衡分析等内容。并将冲淤量计算的主要成果列入附表，实测淤积断面资料数据及有关表纳入电子表格。

本书的编写和出版还得到了国家自然科学基金和黄河研究联合基金项目(50439020)的资助。

作　者

2005 年 10 月

目　　录

第1章 概 述

黄河是著名的多泥沙河流，含沙量之高为世界之最。历史上，黄河洪水灾害严重，黄河水患被称为"中华民族的忧患"。黄河水少，多年平均年径流量为 535 亿 m^3，仅为长江的 1/17。黄河洪峰流量也远小于长江，黄河下游实测最大洪峰流量 22 300 m^3/s(花园口站)，约为长江最大实测洪峰流量(大通站，92 600 m^3/s)的 1/4。黄河沙多，黄河年输沙量 16 亿 t，实测最大含沙量 941 kg/ m^3(黄河下游小浪底站)。黄河水少沙多、水沙不协调的水沙特点，形成了黄河下游河道典型的"善淤、善决、善徙"，也是黄河成为世界上最难治理的河流。黄河灾害在水患，黄河水患在泥沙，泥沙问题在淤积，泥沙问题特别是泥沙淤积问题是黄河治理的症结所在。因此，黄河下游河道的冲淤量为黄河下游防洪、中游水库修建等重大举措和重大治黄战略等决策的重要基础数据。长期以来，围绕解决黄河河道的淤积问题，开展了大量的河床演变观测工作。

1.1 黄河下游河道观测简介

黄河自小浪底以下出峡谷、流经华北冲积平原汇入渤海，铁谢—鱼洼河道长约 778 km，其中铁谢—高村河道长 282 km，两岸受大堤约束，有广阔滩地，主槽宽浅游荡。高村—鱼洼河道长 496 km，其中高村—陶城铺河段为游荡向弯曲性河流过渡河段，河道长约 155 km，陶城铺以下河段为弯曲性河段。高村以下河段，两岸受大堤或一岸局部山地约束，滩地较小，主槽相对变为窄深。黄河下游河道宽度沿程变化如图 1-1 所示。

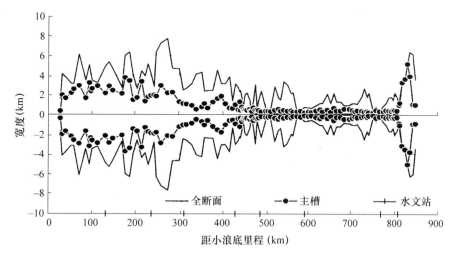

图 1-1 黄河下游河道宽度沿程变化

黄河下游河道地形测量最早始于 1889 年，1919～1946 年间，对黄河下游河道地形共进行了 13 次测量。较为完整的地形测量为新中国成立后的 1958 年、1972～1973 年、

1982~1985年、1993年、2000年。黄河下游河道冲淤变化观测断面(简称淤积断面,下同)测量始于1934年,并在铁谢—利津河段施测51个淤积断面测次。1951年后,连续开展了淤积断面测量,河南河务局测量队、山东黄河河务局测量队、各水文站、部分修防段、济南水文总站河道队等单位用断面法分段统一施测下游河道。

为深入研究黄河不同河段的河床演变规律,1957~1967年,花园口河床队在铁谢—辛寨142 km河段布设了淤积断面,最多时达94个。1959~1964年位山水库实验站在杨集—官庄134 km河段布设了淤积断面,最多时达90个,其他河段布设淤积断面较少。1965和1968年位山实验站和花园口河床队先后被撤消。1965年开始对下游河道淤积断面进行调整并对测量时间进行了统一部署,简称为统测。

黄河下游铁谢—利津河段共布设淤积统测断面92个,其中铁谢—河道河段(河南)为27个;高村—利津河段(山东)为60个;1984年高村—利津段又增设淤积断面5个;利津—河口段自1958年以来先后布设淤积断面34个左右(最多达50个),1965年以后调整为17~21个。上述各年实测淤积断面资料,均已纳入年鉴正式刊印。目前共刊印黄河下游实测淤积断面实测成果年鉴16本,年鉴内均刊印了"淤积断面实测成果表"和各淤积断面相邻测次的"冲淤面积"。除位山水库实测资料曾刊印相邻测次淤积断面间冲淤量外,其他均未计算淤积断面间冲淤量。截至1997年,下游河道共有107个统测断面,其中:铁谢—河道段为27个;高村—利津段65个;利津—河口段15个。1998年以后,为满足小浪底水库运用方式研究的需要,又在铁谢以下河道增设了39个淤积断面,水文局还在小浪底—铁谢区间补设了7个淤积断面。

黄河下游河道断面的平面控制为1954年北京坐标系,高程控制为大沽基面。

黄河下游河道断面测量,1956年前执行《黄河下游大断面测量修正实施办法》,1957年4月黄委会又颁发了《黄河下游河道普遍观测工作暂行办法(初稿)》,1964年10月黄委会又颁发了《黄河下游河道观测技术试行规定》,1978年济南水文总站编印了《黄河下游河道测验补充意见汇编》,1988年修订了《黄河下游河道测验技术补充规定》,1988年3月,黄委会水文局制定了《黄河下游河道观测技术规定补充意见》。1962年以后,依据相关规定或办法,根据水沙情况,按水流传播时间自上而下依次布置测次和时间,限期在7~10天内完成。一般每年统测2~4次,最多一年(1964年)6次,其他测次根据需要施测局部河段。

1.2 黄河下游冲淤量研究现状

由于黄河特殊的水沙变化和剧烈的河床调整,使得黄河下游的淤积断面测量工作非常困难。特别是流路的频繁摆动、主槽的移位,常常引起主槽长度的变化,再加上有些河段断面间距很大,对河道地形的代表性有限,致使黄河下游断面法冲淤量长期没有统一的结果。但是,黄河下游河道冲淤量又是其防洪决策和河床演变研究中不可缺少的重要数据,因而黄委会系统内几个单位曾用淤积断面成果计算了黄河下游断面法冲淤量。黄河水利科学研究院(下简称黄科院)泥沙研究所计算的成果已编印为《黄河下游河床演变基本资料汇编》,简称"绿皮本"(1987年版);原黄委会工务处的计算成果已编印纳入

《黄河流域防汛资料汇编第三册》，简称"黄皮本"(1985年版)；原黄委水文局实验科计算成果，已由三门峡水库运用总结项目组编入《三门峡水库水文泥沙资料数据库》，简称"数据库本"(1993年版)；1995年龙毓骞等曾收集了年鉴中已刊布的黄河下游河道水文观测资料、花园口河床演变资料、位山水库实验资料等系列淤积断面间距及冲淤面积资料以及仅为某一单位采用而未收入年鉴的冲淤面积等资料,对下游河道1990年以前的冲淤量重新进行了计算,并提出了"黄河下游断面法冲淤量计算与分析"报告,简称"白皮本"。这几个版本计算的同时段、同区段的冲淤量均有差异,其差异情况见表1-1。

表1-1　各版本计算断面法冲淤量差异统计

河　段	时　段	冲淤量(亿 m³)				最大偏差
		白皮本	数据库本	绿皮本	黄皮本	(亿 m³)
铁谢—花园口	1964～1973	5.79	6.38	6.19	6.66	0.87
花园口—夹河滩	1962～1964	3.03	−3.03	−2.57	−3.29	0.72
	1964～1973	7.72	7.83	7.93	7.50	0.43
	1973～1979	1.52	1.51	1.27	1.85	0.58
夹河滩—高村	1964～1973	6.63	6.02	5.45	5.39	1.24
	1979～1986	−1.39	−1.46	−1.17	−	0.29
高村—孙口	1962～1964	−3.18	−3.04	−2.30	−2.02	1.16
	1964～1973	3.92	4.15	3.68	4.17	0.49
	1973～1979	2.64	3.25	2.83	3.10	0.61
	1979～1986	1.15	1.58	1.26	−	0.43
孙口—艾山	1962～1964	−0.40	−0.75	−0.45	−0.80	0.40
泺口—利津	1962～1964	−1.54	−2.09	−2.09	−1.72	0.55
	1964～1973	2.67	2.73	2.78	3.12	0.45
	1973～1979	1.42	1.51	1.52	1.22	0.30
	1979～1986	−0.26	−0.26	−0.45	−	0.19

从表1-1可以看出,不同河段、不同时段各版本计算结果的差异不同。其中,1964～1973年黄河下游河道淤积时期,夹河滩—高村河段,黄皮本与白皮本差别最大为1.24亿 m³,二者相差约23%；1962～1964年冲刷时期,高村—孙口河段,黄皮本与白皮本差别仍然最大,为1.16亿 m³,二者相差约57%。如此大的差别,给用户对河道冲淤量的采用带来了很大麻烦。其他时段,各版本的差别也很大。白皮本曾对造成差异的原因进行了初步分析,认为主要原因有：是否采用了花园口河床演变资料和位山水库实验资料；采用的断面间距差异；以及对1965年以前部分未测淤积断面河段,是否采用同流量水位差插补出冲淤面积等,参见文献[4]。

1.3　研究成果

针对已有研究成果中存在的问题,利用黄科院、水文局、河南局、山东局、黄委设计院等单位的技术优势,开展强强联合,集中攻关,取得了以下方面的研究成果。

(1)建成了黄河下游河道1951～2000年实测淤积断面资料数据库,对历年断面资料进行了初步审查(1990年以后)、考证、插补等,数据库资料翔实可靠。

(2)分析已有断面法冲淤量计算方法的适用性，提出了计算冲淤量的空间体积法，并研究了分滩、槽计算冲淤量的方法。

(3)利用三次河道地形图量算了黄河下游淤积断面间距，提取了历年统测断面滩地、主槽、深槽等位置、高程特征。

(4)建立了黄河下游数据库管理及分析计算软件(RGTOOLS)。数据库管理包括检索、插补、套绘、纠错等功能；分析计算包括滩、槽冲淤量计算，断面水力特征计算等。分析计算结果可形成不同格式的数据文件，适合不同的应用软件进一步加工处理。

(5)提供了一套 1951~2000 年黄河下游各年汛期前后测次各断面间的冲淤量、深槽冲淤量，在计算 1998~2000 年各测次间冲淤量时，未采用增设的断面资料。提出了黄河下游近 50 年的冲淤量时空分布及有关数据的推荐成果，并对断面法冲淤量进行了系统评价，研究了断面布设密度与冲淤量测验误差之间的关系，并提出了黄河下游淤积断面合理布设密度。

(6)用沙量平衡法分析了水文站实测输沙量的误差，比较了现行采用的引沙量差异，分析了实测容重资料并提出了推荐用于各河段的容重数字，论证了不能简单地应用上、下游两站输沙量差(考虑沿程引沙)的方法计算大河段的冲淤量。

(7)对断面法冲淤量及输沙量法冲淤量的误差来源、误差传递等进行深入研究，提出了黄河下游断面法、输沙量法冲淤量的适用条件。

目前，本项研究成果已广泛应用于小浪底库区库容及冲淤量计算、黄河调水调沙试验、基于 GIS 的二维水沙模型研制等治黄实践和科学研究中，同时在今后维持黄河下游主槽不萎缩等维持黄河健康关键技术的研究中也将发挥重要作用。

第2章　黄河下游淤积断面数据库的开发与应用

2.1　淤积断面实测成果审查与考证

2.1.1　实测成果审查

已整理刊印的黄河下游河道淤积断面资料有：黄河下游河道水文观测资料(1951～1990年系列，简称河道资料)，花园口河道演变试验资料(1957～1965年系列和1966～1967年系列，简称花园口试验资料)；位山水库试验资料(1960～1964年系列，简称位山试验资料)；河口水文试验资料(1970年以前)。1990年以后的实测资料尚未整理刊印。此次对1990年以前资料通过同一断面的不同测次的套绘进行了合理性检查，对1990年以后的资料由测量单位按复审要求进行了审查。河南各断面资料审查中发现并处理较大问题20个，其中：由于洪水过后一些淤积断面滩地新淤稀泥无法测验、借用断面明显不合理的15个，经本次审查予以改正；水位不合理的断面有2个，因无依据无法改正；其他问题3个，也因修改无实据仍保留原成果❶。山东河段内1991～1997年施测淤积断面资料按复审要求进行了审查，根据1991年5月和1997年7月两次完整淤积断面测量成果，处理了其他测次淤积断面资料借用问题。1998～2000年的断面资料则均系初步成果尚未经复审。

2.1.2　淤积断面位置一览表的编制

此次将下游河道水文观测资料、花园口河床演变观测资料、位山库区水文试验资料和河口水文试验资料四个系列年鉴所列的一览表，综合为统一的自小浪底到河口、自上而下依次排列的全部施测过的淤积断面位置一览表。一览表中列有各断面端点的 X-Y 坐标，可供今后分析河道平面演变时使用。

2.1.3　淤积断面编号

为便于利用计算机进行排序和检索，对各淤积断面进行了统一编号。编号时，在原有断面间预留了编号以备增设断面采用。按水文站划分的河段编号为：小浪底—花园口为0～200，花园口—夹河滩为200～300，夹河滩—高村为300～400，高村—孙口为400～500，孙口—艾山为500～600，艾山—泺口为600～700，泺口—利津为700～800，利津—渔洼为800～820，渔洼以下自821起编号。

2.1.4　淤积断面位置考证

1965年对黄河下游淤积断面进行了全面调整，对部分淤积断面的位置、方向、起点

---

❶ 苏群生.河南黄河断面统测资料审查情况报告.河南黄河勘测工程处，1999

距进行了微量调整或迁移，但仍保留原断面的名称。因此，必须进行淤积断面考证，以便为淤积断面套绘检查、计算冲淤量提供依据。有下列情况者，均视为一个淤积断面处理：①始端点未变，终端点外延者；②淤积断面位置未变，因测量交会方法不同而变动坐标者；③始端点外延小于 50 m 者；④原端点桩丢失，在原处重埋、重测坐标变动小于 50 m 者。

2.1.5 淤积断面高程的基面考证

根据各水位、水文站资料，下游河道观测资料，花园口河道演变观测资料和位山水库坝下实测淤积断面资料，其高程基面均为大沽基面。位山库区壅水区段杨集到坝址曾采用黄海基面，本次均根据年鉴所列的黄海高程与大沽高程的换算关系改正为大沽高程，如表 2-1 所示。

表 2-1　各断面黄海高程与大沽高程的换算关系

淤积断面号	站　名	水准点名	1961 年黄海高程 (m)	大沽高程 (m)	1961～1964 年改正值(m)	1959～1960 年改正值(m)
坝下 4	位　山	BM141	49.798	51.256	1.458	1.258
坝上 8	陶城铺	BM143	45.391	46.934	1.543	1.343
坝上 13	邵　庄	BM148	43.566	45.151	1.585	1.385
坝上 16	十里堡	淤积断面 24	47.021	48.228	1.207	1.107
坝上 18	路那里	BM1	47.883	49.46	1.577	1.497
坝上 21	刘山东	BM2	45.861	47.378	1.517	1.437
坝上 24	孙　口	左断面桩	48.026	49.921	1.895	1.815
坝上 26	龙　弯	BM102	47.261	49.156	1.895	1.815
坝上 29	伟那里	TBM1	47.102	48.649	1.547	1.467
坝上 31	席胡同	TBM1	47.590	49.419	1.829	1.759
坝上 33	杨　集	泺口水文 50	51.371	52.764	1.393	1.323

2.1.6 淤积断面端点桩起始点考证

淤积断面一般以左岸为起始点。但经考证，现已整理的统测资料中，历年均将右岸作为起始点的淤积断面或河段有：河道观测资料中的花园口(基)、八堡、来童寨、辛寨、高村、泺口淤积断面；花园口河床演变资料中的程庄—辛寨河设计 13 个淤积断面(1957～1967 年)。本次均以左岸为起始点予以改正，改正可根据简单关系完成，即将所有测点$(x，z)$中的 x 减去最左边端点的 x 值即可。

2.1.7 不同时段计算冲淤量采用淤积断面数

由于同一河段不同年份实测淤积断面数量不完全相同，因此不同时段冲淤计算采用的断面数不同。各计算时段断面间冲淤量所采用的淤积断面数如表 2-2 所示。

表 2-2　不同时段计算冲淤量采用的淤积断面数统计

河段	河道间距 (km)	各时段淤积断面数(个)			
		1951～1960 年	1960～1965 年	1965～1967 年	1967～1997 年
铁　谢—花园口	106	43	60	67	11
花园口—夹河滩	104	45	45	47	10
夹河滩—高　村	73	7	9	10	7
高　村—孙　口	121	13	20	13	13
孙　口—艾　山	62	39	38	13	16
艾　山—泺　口	100	11	11	13	13
泺　口—利　津	172	11	14	22	22

2.2　实测淤积断面数据录入与处理

2.2.1　录入与审查

实测淤积断面的数据先采取两次独立录入，然后再用计算机程序对比校对。如发现同一组数据不吻合，立即查对年鉴予以处理。使用 RGTOOLS 程序，套绘淤积断面对照套绘图逐断面进行合理性检查，发现有不合理的点据时，再进一步核对并处理，以此保证录入数据的正确性。

2.2.2　完整淤积断面插补

刊印的资料中只有少数测次记录了完整的淤积断面成果，其他测次对未实测部分均采用了在资料中标注借用某某测次的方式。为便于分析计算，此次输入淤积断面实测成果时，均按说明，利用 RGTOOLS 程序插补为完整的淤积断面成果资料。

2.2.3　测次编号

本数据库是以淤积断面为基础建立的，对测次进行了统一编号。编号方法是：
①汛前测次一般均在 5 月至 6 月，编号为×××20。②汛前测次以前其他各次，河南段为×××01，×××03 等；山东段为×××02，×××04 等。③汛后测次一般均在 9 月至 11 月，编号为×××60。④汛前到汛后之间测次河南段为×××21，×××23 等；山东段为×××22，×××24 等。⑤汛后测次以后至年底其他各测次，河南段为×××61，×××63 等；山东段为 ×××62，×××64 等。测次前所加年份×××为四位数，如 1958、2000 等。采用这一方法编号主要是为了区别汛前、汛后测次和加测测次，以利于计算机排序和检索。

2.2.4　录入工作量统计

淤积断面实测成果表均先按年鉴中的测次录入，后按淤积断面重新进行排列。录入量统计如表 2-3 所示。

表 2-3 淤积断面实测成果表录入量统计

按测次 起迄年份	内容	河南段		山东段						全下游	
		文件数	字符数	文件数	字符数	文件数	字符数	文件数	字符数	文件数	字符数
1950~1974	河道资料	41	1 550	41	1 650					82	3 200
1950~1974*	河道资料	24	740	18	582					42	1 322
1975~1980	河道资料	12	553	12	1 040					24	1 593
1981~1985	河道资料	11	967	11	960					22	1 927
1986~1990	河道资料	10	442	10	660					20	1 102
1991~1997	河道资料	14	1 180	14	1 410					28	2 590
1957~1959	花园口实验站	77	2 400							77	2 400
1960~1967	花园口实验站	66	5 270							66	5 270
1959~1964	位山水库（上游）			50	2 150					50	2 150
1959~1962	位山水库（下游）			56	1 860					56	1 860
小计		255	13 102	212	10 312					467	23 414

按断面	内容	河南段		山东段						全下游	
		小浪底—河道		高村—艾山		艾山—利津		利津—渔洼—河口			
1950~1974	河道资料	39	1 510	28	887	36	990	8	196	111	3 583
1950~1974*	河道资料	38	966	26	500	35	643	22	418	121	2 527
1975~1980	河道资料	27	861	25	1 180	35	2 050	29	1470	116	5 561
1981~1985	河道资料	27	980	29	795	35	877	16	432	107	3 084
1986~1990	河道资料	27	785	29	1 070	35	948	17	417	108	3 220
1991~1997	河道资料	27	1 300	29	931	35	936	17	467	108	3 634
1957~1959	花园口实验站	56	2 140							56	2 140
1960~1967	花园口实验站	101	6 760							101	6 760
1959~1964	位山水库（上游）			58	2 030					58	2 030
1959~1962	位山水库（下游）			53	4 420					53	4 420
小计		342	15 302	277	11 813	211	6 444	109	3 400	939	36 959

注：*代表非主要测次；字符数以 kb 计。

2.3 数据库管理及分析系统(RGTOOLS)的研制和开发

2.3.1 环境分析[1]

数据库管理以及分析系统的开发均立足于微型计算机，系统开发选用中文 Windows

---

[1] 梁国亭. 河道断面分析系统及其应用. 黄河水利科学研究院，2000

开发环境，采用 Visual Foxpro 6.0、Visual Basic 6.0、Visual C 6.0 等编程语言。

2.3.2 数据分析

数据库管理及分析系统的应用对象是与河道实测淤积断面资料有关的数据，涉及测验淤积断面位置、测验次数、淤积断面特征值、淤积断面成果表等原始数据和分析数据，具有涉及面广、结构不同、类型复杂、数据量大、相互之间关系复杂等特征。从整体上可划分为以下三大部分：

(1)数据库的表结构。有淤积断面位置表、实测淤积断面原始资料表、淤积断面特征值表。其中，测验淤积断面位置是实测淤积断面资料表和淤积断面资料要素表的主控文件。

(2)分析数据。它是用户通过分析实测淤积断面特征得到的数据，如实测淤积断面特征值数据。

(3)分析计算数据。用 Office 中 Excel 作为输出界面，存放或编辑计算的淤积断面面积、宽度、冲淤面积，河道不同时段、区段的冲淤量及不同高程下的河道容积等数据。

原始数据、分析数据加载方式有两种，一是采用系统定义的数据库格式进行装载；二是将有关数据应用 Office 中 Excel 软件录入，再通过本系统转换为系统格式文件装载。

2.3.3 功能分析

根据对黄河下游实测淤积断面分析和计算的要求，本数据库分析系统的功能主要包括以下几个方面：

(1)套绘实测淤积断面图，并且用 Excel 等 Windows 应用软件，将套绘的淤积断面图直接输出到打印机或绘图仪打印。

(2)同一淤积断面不同测次的淤积断面图可同时显示在屏幕上，用户可以任意划分一个或多个子淤积断面，用鼠标移动或人工输入边界位置坐标，存储到数据库内。

(3)计算不同高程下主槽、深槽、滩地及全断面或用户定义的子断面的面积、宽度、水深、湿周和河床平均高程，以及相邻测次之间的冲淤面积。

(4)快速或慢速显示任意多个相邻测次淤积断面图，用户随时可以检查数据是否有错误，或者测量数据是否合理，并可以直接修改数据。

(5)计算在不同高程下河道任意淤积断面间体积，应用于水库时，可计算分级水库库容。

(6)计算不同测次、不同断面间主槽、深槽、滩地及全断面的冲淤量。

(7)将复杂的实测淤积断面资料概化为阶梯形淤积断面资料，用于河道泥沙数学模型计算。

2.3.4 功能设计

按照结构化和模块化的原则，采用自顶向下、逐层分解的方法，将河道淤积断面分析系统设计成相对独立、功能单一的模块组成系统。

河道淤积断面分析系统的主要功能如下：

(1)输入编辑。对输入数据进行编辑，对借用部分进行插补，主要服务于原始数据和分析数据。

(2)输出文件生成。将系统运行的计算结果自动生成为所需的 Excel 文件，用于输出计算的数据结果。

(3)显示系统。用于浏览系统原始或运行的各种数据及图像。

(4)综合编辑。利用系统或 Excel 软件对文件进行多种操作，例如查询、统计、制表、打印等。

第3章 断面法冲淤量计算方法

3.1 淤积断面分析检查及淤积断面特征值的确定

3.1.1 滩槽定义与划分

黄河下游河道断面为典型的复式断面，由主槽和滩地组成。主槽即中水河槽或中水河床，包括嫩滩及深槽。由于中水较洪水持续的时间长又较枯水的流速大，所以在中水时能维持一个比较明显的深槽。黄河下游高村以上河段，洪水时水面宽度可达数公里乃至 10 km 以上，但实测资料表明，洪水时主槽宽度多在数百米至 1 500 m，主槽通过的流量常常占总流量的 80%左右。滩地系指河道中主槽以外大堤以内的部分，包括二滩和高滩，滩槽定义见图 3-1。

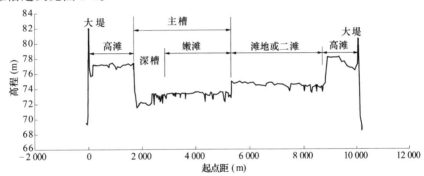

图 3-1 典型实测大断面特征示意图

3.1.2 历年淤积断面合理性检查

历年淤积断面套绘检查，是处理突出不合理问题的重要手段，通过本次资料审查发现并处理了夹心滩未测、借用不合理等问题，多达数十处。应当指出的是，在对历年断面资料套绘时还发现个别断面资料有不合理之处，由于不了解当时情况，未予修正。

3.1.3 河道淤积断面特征值摘录

在选摘某一淤积断面的特征值时，首先利用程序将该断面的历年资料进行套绘，检查有无突出和异常点，如发现有可疑之处，即将原始资料进行检查对照。判定断面资料无误后，根据历年断面套绘图的变化情况，划分高滩、二滩相对稳定的时段，并分别摘录其特征值。一般情况下，如两个测次高滩滩唇和二滩滩唇的起点距变化不超过 50 m、高程变化不超过 10 cm 时，仍采用上个测次的起点距和高程。

由于黄河下游两岸控导工程的影响，有的淤积断面主流紧靠左岸或右岸，靠近主流的一岸无高滩和二滩；有的淤积断面主槽比较集中，一岸或两岸无嫩滩。对于缺少某一特征值的情况，则向两岸方向借用相邻特征值的起点距和高程。一般情况下，每个淤积断面选摘特征值点位有 11 个，即左、右岸大堤或端点桩起点距；左、右岸高滩滩唇起点距和高程；左、右岸生产堤起点距(如两岸不止一道生产堤，摘录时只选取最靠近主槽的生产堤堤顶的起点距)；主槽两岸二滩滩唇的起点距和高程；深槽两岸嫩滩滩唇的起点距和高程；深泓点的高程和起点距。本次共摘录淤积断面 190 个、7 065 个淤积断面测次。

3.1.4 计算滩槽冲淤量选用滩槽位置的界定

在分滩槽计算时，首先要确定用以计算的滩槽边界。因此，在计算前应将滩槽位置表读入数据库管理系统。黄河下游河道游荡摆动，位置多变，就计算两测次间冲淤量而言，必须采用同一的滩槽位置。如滩槽位置有变化，就应从发生变化的测次前后分别用原位置和新位置进行计算。本次在对历年资料分滩地和主槽进行冲淤量计算时，为减少工作量，在河道淤积断面特征值摘录的基础上简化了滩槽位置表，即尽量使选定的主槽范围少作变动。此外，根据历年资料，发生漫溢二滩大洪水的机会是不多的，滩面发生的变化并不完全是由于冲淤引起的。在简化界定滩槽位置以确定计算用淤积断面边界时，充分考虑了这一因素。计算用的断面滩槽位置见附录 2-1。利用摘录的历年河道淤积断面的特征值可了解黄河下游河道深槽、主槽及滩地宽度的沿程变化并绘制纵剖面图，如图 3-2、图 3-3 所示。

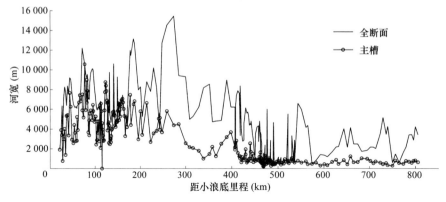

图 3-2　河宽沿程变化图

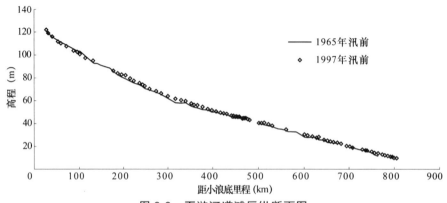

图 3-3　下游河道滩唇纵断面图

3.2 黄河下游河道淤积断面间距量算与采用

3.2.1 年鉴中的淤积断面间距简介

河道断面资料的年鉴中均列有淤积断面间距。由于各时段淤积断面布设密度的差异，年鉴各系列所列的断面间距不完全相同。与地形图对比，原年鉴中的个别淤积断面间距有明显错误。"白皮本"用 1/10 万地形图量算了部分淤积断面间河道主槽的弯曲间距和全部淤积断面的滩地直线间距。为了对比，还反算了"绿皮本"采用的断面间距。断面间距对比见表 3-1。淤积断面间距明显不合理示例见表 3-2。

表 3-1　断面间距对比　　　　　　　　　　　　　　　　　（单位：km）

河 段	实验资料		河道资料	绿皮本	白皮本
	1957～1965 年	1966～1967 年	1951～1990 年		（槽）
铁谢—花园口	100.20	109.57	107.24	103.2	106.47
花园口—夹河滩	99.55	103.70	100.30	100.30	100.15
夹河滩—高村	73.20	73.20	73.20	69.00	76.95
高村—孙口	121.71	125.69	125.69	109.40	123.71
孙口—艾山	61.96	62.19	62.19	62.10	64.38
艾山—泺口	101.01	103.52	103.52	101.00	102.14
泺口—利津	167.80	167.80	167.80	174.00	172.20
小　计	725.43	745.67	739.84	713.60	746.00

表 3-2　淤积断面间距明显不合理示例　　　　　　　　　（单位：km）

河 段	河道资料	绿皮本	白皮本	最大差
伊洛河口—孤柏嘴	12.23	15.30	16.2	3.97
官庄峪—秦厂	13.15	13.32	11.6	1.72
油房寨—马寨	15.60	12.60	15.1	3.00
高村(4)—南小堤	6.00	6.01	7.80	1.80
苏泗庄—营房	20.30	11.27	13.8	9.03
彭楼—大王庄	6.70	6.64	7.40	0.76
伟那里—孙口	15.27	8.00	14.2	7.27
后张庄—霍家溜	5.70	5.71	6.80	1.10
薛王邵—齐冯	5.80	6.15	6.70	0.90

表 3-1 及表 3-2 既说明年鉴系列所列的河道断面间距有差异，又指出不同作者采用的间距不同，一些断面间距差别较大。因此，对河道断面间距重新进行了量算。

3.2.2 淤积断面间距量算

根据滩、槽划分定义，可分别计算滩、槽的冲淤量。根据 1972 年、1994 年实测 1/5

万河道地形图，分别量算了淤积断面的主河槽、滩地和深槽的断面间距[1]。

3.2.2.1 主河槽断面间距量算

参照以下条件划出主槽的左右两条分界线和主槽几何中心线。

(1)以生产堤和险工作为滩槽分界控制线；

(2)主槽内不包括村庄、鱼塘、果园等；

(3)尽量使滩槽分界线顺直平滑，避免过于复杂的岸边形态，使间距失去代表性；

(4)在险工与险工之间无生产堤的情况下，参考主流河势和地形等高线作平滑过渡；

(5)在支流汇口处参照险工和生产堤就近过渡；

(6)对于河道十分宽浅无明显滩槽界线的区段亦尽量使主槽宽度小于 5 km。用线长仪分别量取左、中、右三线长度，按 1:2:1 加权计算主槽间距。

3.2.2.2 滩地断面间距量算

首先采用等效面积法反算滩间距，即用求积仪分别量算河道淤积断面间的总面积及主槽面积，用总面积减去主槽面积得出滩地面积，再用滩区面积除以其上下淤积断面之平均滩宽，求出滩地应用间距。经分析发现，下游部分淤积断面(主要是山东河段)多布设在卡口处，淤积断面的滩地很窄或无滩地，而两淤积断面间滩面积又很大，导致计算的滩地间距比主河槽间距还大几倍或十几倍；有的河段上下淤积断面无滩宽而区间有滩区面积，出现滩间距无限大的现象。经研究认为：由于目前布置的淤积断面太稀，不能控制河道的滩地沿程变化，此法不宜使用。

通过对下游河道淤积断面间的平面几何形状的认真分析，认为可将其概化成长方形、梯形、平行四边形、不规则四边形和其他不规则多边形等。上述五种图形中前三种都是不规则四边形的特殊形式，因此将下游河道淤积断面间的平面几何形状归纳为不规则四边形和不规则多边形两种情形。

河段的淤积量等于该河段平均淤积厚度乘以淤积断面间淤积平面面积，依据现有的实测断面资料能较准确地计算出淤积断面间的平面面积。

首先分析淤积断面间几何形态为不规则四边形时如何求解淤积断面间距。图 3-4 为不规则四边形 *ABDC*，*AB* 和 *CD* 分别为上游淤积断面和下游淤积断面，*O* 为 *AB* 的中点。

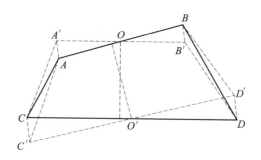

图 3-4 不规则四边形淤积断面

❶ 弓增喜. 黄河下游河道淤积断面间距量算方法及成果分析. 黄委水文局，2000

通过 O 点旋转 AB 使 $A'B' /\!/ CD$，$A'B'=AB$，O 点为 $A'B'$ 的中点，连接 A、A'、B、B'、A'、C、B'、D，由图 3-4 可知 $A'B'DC$ 为梯形。下面比较一下梯形 $A'B'DC$ 和四边形 $ABDC$ 的面积差异。

将不规则四边形 $ABDC$ 概化为梯形 $A'B'DC$，面积减少部分为 $\Delta OB'B+\Delta DB'B$；面积增加部分为 $\Delta OA'A+\Delta CA'A$。又因为 $\Delta OA'A \cong \Delta OB'B$，所以四边形 $ABDC$ 与梯形 $A'B'DC$ 的面积差等于 $\Delta CA'A$ 与 $\Delta DB'B$ 的面积差。由于 $\Delta CA'A$ 与 $\Delta DB'B$ 的面积差很小，我们可以认为梯形 $A'B'DC$ 的面积等于四边形 $ABDC$ 的面积。

用同样的方法，旋转 CD 边亦可得出相似的结论。在实际工作中可以用上述梯形的面积近似地代表不规则四边形的面积。通过图 3-4 的 O 点作 CD 的垂线 L，L 即为梯形的高也是本次工作中需要量取的淤积断面滩地间距。在下游河道淤积断面间距量算工作中，针对淤积断面间不同的几何形态和河势情况，分别采用了以下几种方法量取：

(1)两淤积断面平行，直接量取垂直距离，即为滩间距。

(2)两淤积断面不平行，淤积断面间距不大且河道顺直，淤积断面间几何形态为不规则四边形。量算时首先通过上淤积断面的中点作下淤积断面的垂线，再通过下淤积断面的中点作上淤积断面的垂线，并分别量取两垂线之长度取其均值作为二淤积断面间的滩地间距，我们称此法为"双垂线法"。

(3)淤积断面间有弯道或淤积断面间距较大，直接量取可能带来较大误差时，将该两淤积断面之间内插辅助断面划分为若干个梯形或不规则四边形，分别用双垂线法量取间距，各双垂线法之和，即为该淤积断面间的滩地间距。

(4)对于个别淤积断面间距很小，且淤积断面呈三角形的河段则以上、下游淤积断面作为三角形的腰，量取中位线的长度作为淤积断面滩地间距。

3.2.2.3 深槽断面间距量算

根据地形图的测时水边线，在图上绘出深槽中心线，用电子线长仪(分度值为 1 mm)量出淤积断面间主流线之长度。若遇多股水流，有主次之分时则只量主流间距；若主次不分，分别量取 2 股或 3 股的长度并取其均值，该均值即为深槽间距。

3.2.3 淤积断面间距成果比较分析

为了检验本次量算的淤积断面间距的可信度，将年鉴、"白皮本"以及本次量算的 1972 年、1994 年成果按大区段进行对比，如表 3-3 所示。

从表 3-3 所列的小浪底大坝—渔洼主槽累计间距看，"白皮本"与本次新量的 1994 年和 1972 年成果差为 9.40 km，相对差为 1.18%，1994 年与 1972 年相同方法所量间距差 7.22 km，相对差为 0.9%。突出的是高村—孙口段，年鉴中所列值最大，为 125.69 km，则与 1994 年相差 6.5 km。此差值系苏泗庄到营房断面间距偏大 6.5 km 所致。深槽间距 1994 年最大，为 849.87 km，1986 年量算值次之，为 838.30 km；1972 年最小，为 830.87 km。最大最小差 19.0 km，相对差为 2.3%，是 20 世纪 70 年代以来河道控导工程的修建和河道萎缩导致弯曲率增大所致。滩间距"白皮本"为 728.46 km，本次量得为 720.08 km，差值为 8.38 km，相对差值 1.16%。

表 3-3　淤积断面间距量算成果与年鉴和"白皮本"成果对照　　　（单位：km）

河段	原主槽间距		新量主槽间距		深槽间距			滩间距	
	年鉴	白皮本	1994 年	1972 年	1994 年	1972 年	1986 年	白皮本	1994 年
小浪底—铁谢	25.75	25.75	25.75	25.75	25.75	25.75	25.75	25.75	25.75
铁谢—花园口	103.17	105.60	105.83	106.48	113.99	110.95	111.67	98.92	98.25
花园口—夹河滩	100.30	100.26	104.43	103.83	107.29	105.40	110.91	96.28	96.37
夹河滩—高村	73.20	75.83	72.82	73.07	88.93	78.15	82.06	69.15	68.14
高村—孙口	125.69	122.71	119.20	123.48	129.55	129.00	126.41	99.65	97.36
孙口—艾山	63.87	65.87	61.04	61.95	63.10	63.42	61.88	54.61	53.05
艾山—泺口	101.84	102.14	99.80	100.54	104.17	102.85	102.60	85.75	84.10
泺口—利津	167.80	171.60	171.45	172.57	176.25	174.55	176.20	159.35	157.68
利津—渔洼	40.93	40.93	40.97	40.84	40.84	40.80	40.82	39.00	39.38
合　计	802.55	810.69	801.29	808.51	849.87	830.87	838.30	728.46	720.08

3.2.4　黄河下游河道淤积断面间距采用

黄河下游游荡性河段的淤积断面主槽间距和深槽间距，随主流河势变化而变化。严格地说，一个汛期、一次洪水都可能发生变化。因此，对如何采用淤积断面间距计算河段冲淤量问题，存在不同意见是正常的。

下游河道淤积断面间距的确定宜保持相对稳定，不宜随河势变化而轻易改变，以避免计算的冲淤量可比性降低。河道观测资料 1951 年到 1990 年均用一个不变的系列值。若由于河道控导工程修建或人工裁弯取直等引起河道断面间距发生了大的改变，应根据实测地形图予以重新量算，改用新量的淤积断面间距。

本次重新量算淤积断面间距的原因有三个：一是三个年鉴系列有差异；二是发现年鉴中个别地方有明显差错；三是年鉴中有滩、槽冲淤面积而缺少滩、槽间距。

根据 1972 年、1994 年 1/5 万地形图量算的主槽、滩地、深槽淤积断面间距进行大区段对比，其差异不大。经过多次研究确定采用统一的淤积断面间距，计算 1951~2000 年下游河道淤积断面冲淤量。

主槽间距采用 1972 年和 1994 年的算术平均值；滩地间距采用 1994 年测图量算值。深槽间距采用 1972 年、1986 年、1994 年三年量算值的算术平均值(见表 3-4)。详见附录 2-2。

3.2.5　花园口河道演变和位山水库淤积断面间距的换算

20 世纪 50~60 年代为研究三门峡水库修建后对黄河下游河道的影响，曾分别在白鹤镇—辛寨和杨集—官庄河段布设了密度较大的淤积断面进行河道演变和冲淤观测。本次仅量算了现有统测断面的间距，为避免现有统测断面间距与实验河段淤积断面间距之间的差异，用新量的现有统测断面间距与实验资料采用的对应断面间距之比求出换算系数，用该系数乘以原加密断面的间距，以换算为本次加密断面的量算间距，进行平差后二者完全相等。

表 3-4　黄河下游河道淤积断面间距成果　　　　　　　　　　　　　　（单位：km）

断面编号	断面名称	主槽				深槽					滩地	
		间距			距坝里程	间距				距坝里程	间距	距坝里程
		1994年图	1972年图	平均		1994年图	1972年图	1986年图	平均		(1994年图)	
000	小浪底大坝											
200	花园口	131.58	132.23	131.93	131.93	139.74	136.70	137.42	137.95	137.95	124.00	124.00
300	夹河滩	104.43	103.83	104.16	236.09	107.29	105.40	110.91	107.88	245.83	96.37	220.37
400	高　村	72.82	73.07	72.97	309.06	88.93	78.15	82.06	83.04	328.87	68.14	288.51
500	孙　口	119.20	123.48	121.38	430.44	129.55	129.00	126.41	128.33	457.20	97.36	385.87
602	艾　山	61.04	61.95	61.53	491.97	63.10	63.42	61.88	62.83	520.03	53.05	438.92
700	泺　口	99.80	100.54	100.20	592.17	104.17	102.85	102.60	103.22	623.25	84.10	523.02
800	利　津	171.45	172.57	172.08	764.25	176.25	174.55	176.20	175.66	798.91	157.68	680.70
820	渔　洼	40.97	40.84	40.92	805.17	40.84	40.80	40.82	40.84	839.75	39.38	720.08
880	清　7	42.28			847.45	43.91			43.91	883.66	41.20	761.28

3.3　断面法冲淤量计算模式

3.3.1　断面法冲淤面积计算

相邻测次断面冲淤面积公式为：

$$\Delta S = S_1 - S_2 \tag{3-1}$$

式中　S_1，S_2——分别为相邻测次在某一高程下的面积。

3.3.2　断面间冲淤量计算

相邻断面间河道体积（V）可以用梯形公式或截锥公式计算。

$$V = \frac{S_u + S_d}{2}L \tag{3-2}$$

或

$$V = \frac{S_u + S_d + \sqrt{S_u S_d}}{3}L \tag{3-3}$$

式中　S_u，S_d——分别为上、下游断面面积；

　　　　L——相邻断面间距。

公式(3-2)是平面梯形面积公式的推广，将具有二维性的面积值按一维长度看待，V的三维性也是二维表现。公式(3-3)是几何学中截锥体积公式的推广，V的三维性存在，但原式在空间上有侧面棱线交于一点(锥尖)的基本特征，实际河床断面间的空间一般不满足这一特征。

计算两测次两个断面间冲淤量的方法一般有两种：一是两测次断面面积差法；二是

两测次断面空间体积差法。

3.3.2.1 两测次断面面积差法计算河床冲淤量

面积差法计算两断面间冲淤量 ΔV 公式为：

梯形公式：
$$\Delta V = \frac{\Delta S_u + \Delta S_d}{2} L \qquad (3\text{-}4)$$

截锥公式：
$$\Delta V = \frac{\Delta S_u + \Delta S_d + \sqrt{\Delta S_u \Delta S_d}}{3} L \qquad (3\text{-}5)$$

式中 ΔV ——冲淤量；

ΔS_u，ΔS_d ——分别为相邻上、下游断面的冲淤面积。

从计算的角度看，若 ΔS_u 和 ΔS_d 均为正，ΔV 也为正，表明全河段淤积；若 ΔS_u 和 ΔS_d 均为负，公式(3-4)计算的结果为负，表明全河段冲刷。公式(3-5)中乘积的开方在取算术根的负值时，ΔV 也为负，同样表明全河段冲刷。

如果两个断面的面积差符号相反，其反映的空间体积是两个顶头楔体，须图解出冲淤面积为零处距两淤积断面的间距后，分两个立体选择上述两个公式中的任意一个进行计算。若进行分段计算，直接应用公式(3-4)将会遇到的正负相抵形体不清的矛盾，也无法应用公式(3-5)进行计算。

由此可见，断面面积差法作为计算河床冲淤量的通用公式有其局限性而且使用不便。

3.3.2.2 两测次断面空间体积差法计算河床冲淤量

相邻上下两个淤积断面间的体积：

梯形公式：
$$V_1 = \frac{S_{u1} + S_{d1}}{2} L \qquad (3\text{-}6)$$

$$V_2 = \frac{S_{u2} + S_{d2}}{2} L \qquad (3\text{-}7)$$

截锥公式体积：
$$V_1 = \frac{S_{u1} + S_{d1} + \sqrt{S_{u1}S_{d1}}}{3} L \qquad (3\text{-}8)$$

$$V_2 = \frac{S_{u2} + S_{d2} + \sqrt{S_{u2}S_{d2}}}{3} L \qquad (3\text{-}9)$$

淤积断面间体积之差为淤积断面间冲淤量，即
$$\Delta V = V_1 - V_2 \qquad (3\text{-}10)$$

从几何角度看，同一次施测的上、下淤积断面某一高程下的空间体积是一个整体性明确的几何体；比面积差法计算的冲淤几何体概念清楚。从计算的角度看，S_{u1}、S_{u2} 和 S_{d1}、S_{d2} 不会出现负值，各式可直接使用。上、下断面间两次测量的冲或淤，完全由公式(3-10)的正负决定。

将式(3-1)代入式(3-4)，将式(3-6)、式(3-7)代入式(3-10)，整理后对比可知，将梯形公式用于淤积断面面积法和空间体积差法求得的冲淤量，结构形式是统一的。

将式(3-1)代入式(3-5)，将式(3-8)、式(3-9)代入式(3-10)，整理后对比可知，截锥公式用于空间体积差法和淤积断面面积差法求得冲淤量，两者存在着差别，结构形式不统一，其余项Δr为

$$\Delta r = \frac{1}{3}L\left(\sqrt{S_{u1}\,S_{d1}} - \sqrt{S_{u2}\,S_{d2}}\right) + \frac{1}{3}L\sqrt{(S_{u1}-S_{u2})(S_{d1}-S_{d2})} \tag{3-11}$$

由分析可见，两测次断面空间体积差法较两测次断面面积差法计算的冲淤量合理，在用截锥公式计算断面间冲淤量时，应采用两测次断面空间体积差法。在用两测次断面空间体积差法计算冲淤量时，从表面上看计算冲淤量与计算高程z有关，取不同z值是否会造成计算冲淤量成果之间存在差异呢？为此，对两测次断面空间体积差法公式的影响因素进行如下分析。

由附录3的公式(1)可知，断面面积公式可以简写为

$$S_{\text{面积}} = \alpha z + \beta \tag{3-12}$$

式中，α等于计算断面或子断面左右边界之差，当将断面插补为全断面时，各测次取值均相同：$\beta = -\sum_{i=2}^{n}(y_{i+1}+y_i)(x_{i+1}-x_i)$与断面及测次有关，与计算高程无关。将公式(3-12)应用到公式(3-8)、(3-9)并代入公式(3-10)，经简化整理后，可得如下式：

$$\Delta V = \frac{L}{3}\left[\beta_1^1 - \beta_1^2 + \beta_2^1 - \beta_2^2 + \frac{\alpha_1(\beta_2^1-\beta_2^2)z + \alpha_2(\beta_1^1-\beta_1^2)z + \beta_1^1\beta_2^1 - \beta_1^2\beta_2^2}{\sqrt{2\alpha_1\alpha_2 z^2 + \alpha_1(\beta_2^1+\beta_2^2) + \alpha_2(\beta_1^1\beta_2^1)z + \beta_1^1\beta_2^1 + \beta_1^2\beta_2^2}}\right]$$

$$\tag{3-13}$$

当z趋于无穷大时，上式的极限值为

$$\lim_{z\to\infty}\Delta V = \frac{L}{3}\left[\beta_1^1 - \beta_1^2 + \beta_2^1 - \beta_2^2 + \frac{\alpha_1(\beta_2^1-\beta_2^2)+\alpha_2(\beta_1^1-\beta_1^2)}{\sqrt{2\alpha_1\alpha_2}}\right] \tag{3-14}$$

由上式可以看出：当计算高程趋于无穷大时，计算的断面间冲淤量ΔV与计算高程无关，因此在实际计算中，采用计算高程很高时，计算的断面间冲淤量是正确的。

综上所述，两测次断面空间体积差法在反映河床断面间空间几何体积及计算关系上是比较好的，因此本系统采用两测次断面空间体积差法计算两个淤积断面间冲淤量。

3.3.3 河道或水库库容体积计算

采用截锥公式可计算河道或水库在不同高程下的库容或体积。当计算到某一高程时，计算下游断面面积大于零，而上游断面面积为零时，首先求出断面间平均比降，利用线性插值方法求出此高程与两断面的交接面，然后计算出交接面与下游断面的距离，最后利用截锥公式计算水库库容或河道体积。

3.3.4 本次断面法冲淤量采用的计算方法

以往黄河下游河道冲淤量均采用上下游淤积断面两测次间冲淤面积的平均值乘以间距的方法(简称冲淤面积法)进行计算。本次采用体积法即用某一高程下两淤积断面两

测次间所包围的体积的差值计算冲淤量(本法也可用于水库容积的计算)。1965 年实行统测以后，测次及采用的淤积断面比较稳定，均可用体积法分别计算各时段淤积断面间的滩地和主槽冲淤量，滩地和主槽冲淤量之和即为全断面冲淤量。1960 ~ 1964 年铁谢—高村河段以及孙口—艾山河段也可分时段采用这一方法，但高村—孙口及艾山以下河段由于实测淤积断面资料太少，只能用冲淤面积法计算全断面的冲淤量。

由于黄河下游河道的深槽变动极为频繁，对多年资料一次同时进行主槽及深槽的计算十分烦琐。本次将主槽、滩地、冲淤量同时进行计算，二者之和即为全断面冲淤量。将深槽冲淤量的分析计算列为专题进行研究。

对 1951 ~ 1959 年以及 1960 ~ 1964 年实测淤积断面资料较少的河段，在计算中还采用了同流量水位差估算的冲淤面积，共计 291 断面次，占 14%。又将"绿皮本"中 1952 年 10 月 ~ 1960 年 9 月铁谢—夹河滩河段 43 个淤积断面的冲淤总面积分配到各年的冲淤面积。分配时参考了小浪底—花园口和花园口—夹河滩两个区间的 1952 ~ 1960 年输沙量和区间引沙量数值，计算出这两个区间各年输沙量差值所占比例进行年分配计 212 个断面次；还采用了"绿皮本"的冲淤面积计 146 个断面次(年鉴 5)；二者共 358 个断面次，占 17%。通过补充估算冲淤面积，减少了由于实测淤积断面间距太大而引起的误差，提高了计算冲淤量的准确性。从计算方法而言，1965 年以后计算的冲淤量可靠性较好。1951 ~ 1959 年冲淤量采用冲淤面积法计算，由于淤积断面较少且有部分断面的冲淤面积是插补值，可靠性较低。

本次冲淤量计算的范围主要为小浪底—渔洼。资料齐全时均以汛期前后测次分时段采用体积法计算冲淤量。由于各年测量时间不同，特别是汛后测次的日期差异较大，所计算的冲淤量只能大致代表汛期及非汛期的冲淤情况。汛前测次一般在 5 ~ 6 月，流量较小且较稳定。用本年汛前测次到次年汛前测次所计算的水文年冲淤量能较好地反映一年内的冲淤情况。

第4章 断面法冲淤量成果

4.1 断面法冲淤量计算结果

计算冲淤量的全部成果包括下游实测的淤积断面之间历年汛前、汛后各测次间的全断面和主槽的淤积量(含花园口河道演变资料和位山水库试验资料)。全部成果见附录1-2至附录1-6。

表4-1是冲淤量计算的综合成果,它是将冲淤量全部成果按各水文站位置划分的河段、根据三门峡水库运用方式和下游淤积特征划分的时段进行统计而得出的。时段的划分包括:三门峡建库前的1952～1960年;三门峡水库蓄水运用和改建前的1961～1964年;改建阶段的1965～1973年;蓄清排浑运用初期的1974～1985年;后期的1986～1999年。对1965年以后河口段河道的冲淤量也进行了计算。1964年以前为神仙沟流路(1953.7～1964.1),河口段有一些实测断面资料,因位置及高程问题此次未进行计算。

表4-1 黄河下游河道断面法冲淤量综合成果统计　　(单位：亿 m³)

起迄年份	小浪底—花园口	花园口—夹河滩	夹河滩—高村	高村—孙口	孙口—艾山	艾山—泺口	泺口—利津	利津—渔洼	小浪底—渔洼
河段长度(km)	132	104	73	121	62	100	172	41	805
1952～1960	6.36	3.08	6.48	4.96	1.17	−0.16	0.67	0.09	22.65
1961～1964	−6.46	−5.27	−3.54	−1.86	−0.52	−1.09	−2.88	−0.12	−21.74
1965～1973	5.28	7.97	5.68	4.05	0.94	1.62	3.06	0.54	29.14
1974～1985	−3.17	−0.52	1.63	3.60	0.47	0.21	0.61	0.05	2.88
1986～1999	4.29	7.26	3.84	2.79	0.67	1.22	3.84	0.55	24.46
1952～1999总计	6.30	12.52	14.09	13.54	2.73	1.80	5.30	1.11	57.39

由表4-1可见,1952～1999年黄河下游河道小浪底—渔洼间的淤积量为57.39亿 m³。1965年以后河口段河道(渔洼至罗13或清7)的累计淤积量为5.92亿 m³,如包括1952～1964年在内(淤积量估计将超过8亿 m³),全下游总淤积量将达65.4亿 m³以上。历年冲淤量变化如图4-1所示,图表中均按日历年统计。

附录1-1简要说明了冲淤量计算的有关问题。附录1-2为各大河段的计算成果。按年统计的计算冲淤量则列为附录1-3,分别为按日历年和水文年各水文站位置划分的河段间的全断面和主槽冲淤量。日历年系指前一年汛后测次至当年汛后测次,水文年系指当年汛前测次至次年汛前测次。附录1-4为各河段间的汛前、汛后各测次之间的全断面和主槽的冲淤量。按统测断面统计的各测次间的全断面及主槽的计算成果则分别列入附录1-5-1～1-5-9及附录1-5-10～1-5-17。

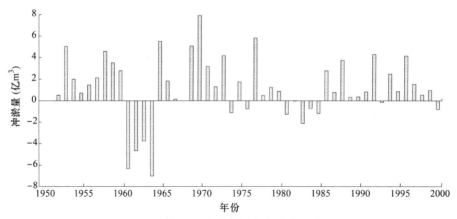

图 4-1 黄河下游冲淤量多年变化过程图

4.2 冲淤变化图形示例

利用数据库中的淤积断面实测成果,可以形成任一断面任意测次的套绘图,见图 4-2。用 RGTOOLS 程序可计算任一淤积断面任一时段深槽、主槽或全断面的冲淤面积。图 4-3 为各大时段各断面全断面的冲淤面积沿程分布;图 4-4 以 20 世纪 90 年代为例,说明了在三门峡水库蓄清排浑运用条件下,下游河道汛期及非汛期各断面冲淤情况,图 4-5 则反映了 1960~1990 年主槽和滩地的淤积分布。

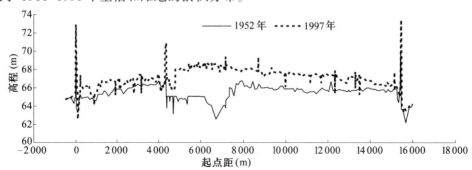

图 4-2 典型断面冲淤情况

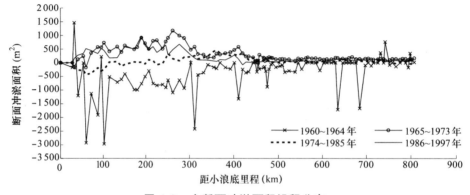

图 4-3 全断面冲淤面积沿程分布

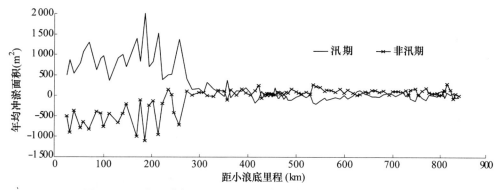

图 4-4 下游河道断面 20 世纪 90 年代年均冲淤面积年内分布

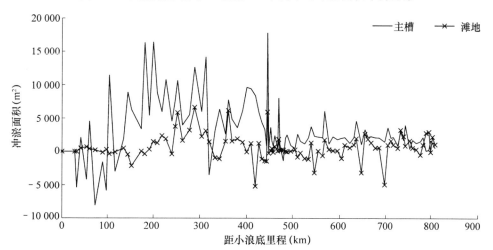

图 4-5 1960~1990 年滩槽冲淤面积沿程分布

在对宽浅河段输沙特性分析专题研究中,利用所建立的数据库及 RGTOOLS 软件对 1960~1964 年及 1981~1985 年期间高村以上宽浅河段的冲淤及输沙特性进行了初步分析,这两个时段的年均冲淤量沿程分布如图 4-6 所示。

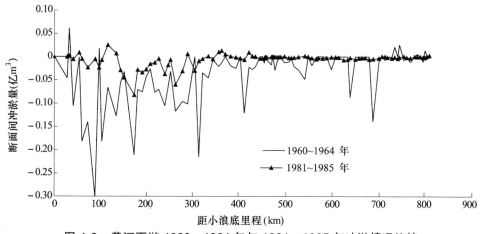

图 4-6 黄河下游 1960~1964 年与 1981~1985 年冲淤情况比较

4.3 深槽冲淤量计算

4.3.1 计算方法

黄河下游河道冲淤调整剧烈，深槽位置变化不定，经专题研究，拟采用"定宽动槽"的面积差法计算深槽冲淤量。所谓定宽动槽是指在计算时每个断面采用的深槽宽度是固定不变的，但每次深槽的位置可左右移动。计算公式同式(3-4)、式(3-5)。

三门峡水库运用可分为三个不同时期：1960～1964年的蓄水拦沙期；1965～1973年的滞洪排沙期及1974年至今的蓄清排浑控制运用期。后一时期由于自然因素及人类活动的共同影响，水沙条件在不同阶段发生了较大的变化。依据下游河道的来沙特点，又将控制运用期划分为三个不同阶段，即1974～1980年、1981～1985年和1986～1997年。各时段的同一高程下的深槽宽度和断面面积见附录1-4。

为计算大河段深槽的平均冲淤厚度，对于黄河下游断面间距的不均匀性及相邻断面宽度的差异，采用距离加权平均的方法计算平均宽度，以反映下游局部河段宽窄相间的实际情况。

采用距离加权法计算河段间深槽平均宽度可用下式：

$$\sum_{j=k+1,n}^{i=k,n-1} \frac{B_i + B_j}{2} L_{ij} = \overline{B} \cdot L_{kn} \tag{4-1}$$

式中 L_{kn}——计算河段 K 断面与断面 N 断面间的距离；

　　　i、j——任意相邻两断面编号；

　　　L_{ij}——相邻两断面间距离；

　　　$\overline{B}$——计算河段平均深槽宽度。

平均冲淤厚度 $\overline{H}$ 可表示为

$$\overline{H} = \frac{V_{kn}}{\overline{B} \cdot L} \tag{4-2}$$

式中 V_{kn}——河段冲淤体积。

4.3.2 计算结果

按梯形法与截锥法计算的不同时期黄河下游各河段深槽冲淤量见表4-2。从计算结果看，两种方法所计算结果相差很小，无论是定性上还是定量上都基本一致。从各时期各河段看，无论是冲刷还是淤积，梯形法所计算的冲淤量稍大于截锥法(约大1%)。

1960年9月至1997年10月，黄河下游经历了冲刷—淤积—冲刷—淤积四个阶段。下游深槽共淤积泥沙15.4亿 m^3，其中三门峡水库拦沙期下游深槽冲刷泥沙约15亿 m^3，高村以上冲刷量约占67%，深槽平均冲刷面积在3 000 m^2 左右。1964～1980年深槽发生了明显回淤。1981～1985年发生冲刷，以后又继续淤积，见表4-2。从1964年11月至

表 4-2　黄河下游各河段各大时段深槽冲淤量

河　段	间距 (km)	平均槽宽 (m)	1960.09～1964.10				1964.11～1973.10			
			冲淤面积 (m²)	冲淤量(亿 m³)		冲淤厚度 (m)	冲淤面积 (m²)	冲淤量(亿 m³)		冲淤厚度 (m)
				梯形法	截锥法			梯形法	截锥法	
铁谢—花园口	111	1 829	−4 009	−4.446	−4.414	−2.19	2 912	3.230	3.207	1.59
花园口—夹河滩	108	2 325	−2 961	−3.194	−3.115	−1.27	4 346	4.688	4.607	1.87
夹河滩—高村	83	2 230	−3 001	−2.492	−2.475	−1.35	4 914	4.081	4.046	2.20
高村—孙口	128	1 039	−1 399	−1.795	−1.773	−1.35	2 349	3.014	2.987	2.26
孙口—艾山	63	735	−8 00	−0.503	−0.497	−1.09	1 588	0.998	0.993	2.16
艾山—泺口	105	533	−714	−0.749	−0.743	−1.34	1 541	1.617	1.608	2.89
泺口—利津	176	461	−1 045	−1.835	−1.820	−2.27	1 333	2.342	2.315	2.89
铁谢—利津	774	1 235	−1 941	−15.013	−14.838	−1.57	2 582	19.970	19.763	2.09
			1973.11～1980.10				1980.10～1985.10			
铁谢—花园口	111	1 829	−167	−0.185	−0.170	−0.09	−1 464	−1.624	−1.596	−0.80
花园口—夹河滩	108	2 325	300	0.324	0.277	0.13	−1 495	−1.612	−1.579	−0.64
夹河滩—高村	83	2 230	379	0.315	0.301	0.17	−1 133	−0.941	−0.925	−0.51
高村—孙口	128	1 039	478	0.614	0.604	0.46	−349	−0.448	−0.436	−0.34
孙口—艾山	63	735	238	0.150	0.146	0.32	−383	−0.240	−0.239	−0.52
艾山—泺口	105	533	180	0.189	0.187	0.34	−446	−0.468	−0.445	−0.84
泺口—利津	176	461	130	0.229	0.225	0.28	−633	−1.113	−1.085	−1.37
铁谢—利津	774	1 235	211	1.634	1.570	0.17	−833	−6.446	−6.305	−0.67
			1985.11～1997.10				1964.11～1997.10			
铁谢—花园口	111	1 829	2 466	2.734	2.702	1.35	3 747	4.155	4.143	2.05
花园口—夹河滩	108	2 325	3 853	4.156	4.116	1.66	7 004	7.556	7.421	3.01
夹河滩—高村	83	2 230	3 149	2.615	2.576	1.41	7 308	6.069	5.998	3.28
高村—孙口	128	1 039	1 474	1.891	1.878	1.42	3 952	5.071	5.033	3.80
孙口—艾山	63	735	1 195	0.751	0.747	1.63	2 657	1.670	1.659	3.62
艾山—泺口	105	533	1 140	1.196	1.169	2.14	2 431	2.550	2.535	4.56
泺口—利津	176	461	1 072	1.883	1.862	2.32	1 902	3.341	3.317	4.12
铁谢—利津	774	1 235	1 968	15.226	15.050	1.59	3 932	30.412	30.107	4.30

1997 年 10 月深槽的淤积厚度看，河床抬升了 2.0～4.5 m，且上段抬升少，下段抬升多，呈上段薄、下段厚沿程递增趋势；从量上看，33 年下游深槽共淤积 30.4 亿 m³，其中孙口以上淤积约为 22.9 亿 m³，占下游深槽总淤积量的 75%，是泥沙的主要堆积区。将本次计算成果与同流量水位(3 000 m³/s)变化及有关成果对比，经分析论证，肯定了本次计算成果的合理性。

4.3.3　冲淤量横向分布

1965～1997 年大断面资料较完整，可用于分析冲淤量横向分布。根据前述冲淤量计算及专题研究所求得的按日历年统计的主槽、深槽、滩地冲淤量，统计冲淤量横向分布情况如表 4-3 所示，可以大致看出各部分所占比例。由于主槽与深槽冲淤量计算是分别进行的，且个别断面采用的深槽宽度大于主槽以及所采用的间距略有差别，艾山—利津段出现深槽冲淤量略大于主槽冲淤量的情况。鉴于该河段主槽与深槽基本上可认为是重合的，本表采用了原计算的主槽冲淤量作为深槽的冲淤量。

表 4-3　1965～1997 年断面法冲淤量横向分布

项目	断面部位	河　段				
		铁谢—利津	铁谢—花园口	花园口—高村	高村—艾山	艾山—利津
1965～1997 年冲淤量（亿 m³）	全断面	52.86	6.24	25.14	12.17	9.31
	主槽	41.27	5.52	21.35	8.79	5.61
	深槽	30.40	4.20	13.60	6.70	5.70
	二滩	11.59	0.72	3.79	3.38	3.70
	嫩滩	10.87	1.32	7.75	2.09	
比例（%）	深槽占主槽	73.70	76.10	63.70	76.20	100.00
	主槽占全断面	78.10	88.50	84.90	72.20	60.30
	深槽占全断面	57.50	67.30	54.10	55.10	61.20

第 5 章　断面法淤积量评价

根据断面测量和淤积量计算方法的特点，将断面法计算淤积量的主要误差来源分为两大类：一类为断面测量误差，即由于测量方法或技术引起的测验误差；另一类为断面代表性误差，这类误差包括淤积断面布设的疏密和淤积断面对河道的转折变化控制不足等原因产生的误差。研究表明，断面法实测淤积量的可靠程度与淤积断面布设密度以及两次测量时段内河段的淤积数量有很大关系，其定量关系如何值得进一步探索研究。黄河下游而言，各河段的断面(统测断面)平均间距为 5.8~10.5 km，断面较少，密度较稀，计算淤积量不可能很准确。断面法"邻次测量"(是指相邻两次淤积断面测量之间计算的淤积量)的随机误差虽较大，但"间次测量"(一次淤积断面测量与其相邻测量之后某次测量之间计算的淤积量)误差相对较小，即断面法实测淤积量累计值的相对误差较小，系统误差不会因累计而增大。较长时段的计算结果能基本反映河道的实际情况，与水位变化的趋势基本一致。断面法与输沙量差法(也有人称输沙率法)计算的淤积量在相同的河段和相同时段，有时差异很大，给使用带来很大不便，本章进一步研究了输沙量差法误差的来源大小等问题，并研究了断面法和输沙量差法的误差特点和使用条件。

5.1　断面测量误差来源

一个完整的测量过程有测量对象、测量手段(包括测量仪器和测量方法)、测量结果、测量单位、测量条件等。人们经过长期的观察和研究已证实测量误差产生有其必然性，即测量结果都具有误差。断面测量误差可理解为在断面测量过程中由于测量使用的仪器(工具)不十分精确、测量者的技术水平和感官、测量条件的变化等而产生的误差。采用断面法测量淤积量，无论使用的仪器方法是否相同，测量的物理量都是测点的起点距、高程和断面间距三个物理量。因此，断面法淤积测量的主要误差有起点距测量误差、高程测量误差和淤积断面间距量算误差。

另外，在断面测量中，断面上的测点多少及是否控制地形变化，也存在着实测的横断面对真实断面的代表性问题。黄河下游断面横向较平坦，且断面上测点较密，测量中横向测点的布设注意控制地形变化，此项误差远小于上述三项误差，因此可以忽略不计。对于断面横向变化剧烈的河段在分析其测量误差时，应考虑此项误差的影响。

根据冲淤量计算公式中淤积量与各观测量之间的关系和误差传播定律，经过较复杂的推导运算，并进行适当地简化，得出由于测量河段淤积量的断面测量误差(相对中误差，以后提到的断面测量误差一般也是指相对中误差)与起点距、断面的平均淤积厚度、断面间距三个直接测量值及其中误差、断面数、断面的上测点数之间的关系如下式：

$$m_V = \sqrt{\sum_{j=1}^{k}\left[B_j^{\,2} H_j^{\,2} m_L^2 + \frac{1}{2} L_j^2 n_j H_j^{\,2} m_B^2 + \frac{1}{4 n_j} L_j^2 B_j^{\,2} m_H^2 \right]} \tag{5-1}$$

式中　m_V——测量河段计算的淤积量中误差，即断面测量误差；

　　　k——测量河段的总断面数；

　　　n_j——第 j 断面上的测点数；

　　　B_j——断面宽度；

　　　H_j——第 j 断面的平均淤积厚度；

　　　L_j——断面间距；

　　　m_B——起点距(宽度)测量中误差；

　　　m_H——高程测量中误差；

　　　m_L——断面间距量算中误差。

由式(5-1)知，影响河段断面量误差的主要因素有，各淤积断面的平均淤积厚度、实测断面宽度、断面上的测点数及起点距、断面间距和测点高程的测量误差。若观测淤积断面已经布设，各断面的宽度、断面间距、断面上的测点数相对较稳定，而断面上测点的起点距、断面间距、高程等观测量的测量误差也相对稳定。这是因为，起点距、断面间距、高程等测量误差与测量方法、测量仪器、观测者的技术水平、采用的技术标准、观测对象情况等测量条件有关，而测量仪器设备及测量人员、测量方式、采用的技术标准一旦确定，不会轻易改变。可见影响测量误差各因素中，变化比较大的是断面的淤积厚度。由于黄河下游具有含沙量大、冲淤变化剧烈的特点，洪水前后同一断面的淤积厚度可达几十厘米至几百厘米，而在平枯水时期，几个月的淤积厚度变化常仅为几厘米到十几厘米。

利用公式(5-1)可计算河段淤积量测量的中误差。经分析计算，河段内平均淤积厚度与淤积量测量误差的关系良好，且河南、山东不同河段的关系基本一致。通过大量的实测资料，可建立黄河下游平均淤积厚度与淤积测量相对误差的关系，如图 5-1 所示。可以看出，河道淤积厚度大，淤积量测量的相对误差小，淤积厚度小相对误差大的特征。断面测量是对同一断面反复测量，根据相临的两次测量计算出河道的淤积变化量，当两次测量历时较近时，淤积量和淤积厚度都较小，淤积量的相对误差大。黄河中下游短时间内河道有冲刷也有淤积，但总的趋势是淤积，对于长时间来讲，两次断面之间的测量间隔越长，河道的淤积量越大，淤积厚度也大，则计算的淤积量相对误差就越小。因此，

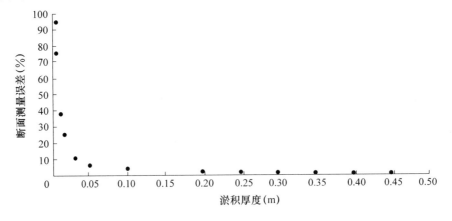

图 5-1　黄河下游淤积厚度与淤积断面测量误差关系

随着两次测量间隔的增长，测得的淤积量精度会提高。大洪水期河道会发生剧烈的淤积变化，其淤积厚度较大，测量误差较小；其他情况下短时间内淤积厚度相对较小，因此其淤积量的相对测量误差也较大。

5.2　淤积断面代表性误差来源

设有两个相互平行且垂直于河道走向的淤积断面，两断面间的横断面面积沿河道走向呈线性变化，则两淤积断面间任意位置的断面面积可表达为

$$S_x = S_d + \frac{S_u - S_d}{L} x \tag{5-2}$$

两淤积断面之间的体积为

$$V = \int_0^L S_x \, \mathrm{d}x$$

将式(5-2)带入并整理得

$$V = \frac{S_u + S_d}{2} L \tag{5-3}$$

式中　S_x——淤积断面间任意位置(x 处)的断面面积。

同一高程下两次实测的体积之差即为该河段的淤积量。从前述对梯形公式的推导可以看出，梯形公式计算河段淤积量的使用条件是：相邻两断面相互平行，且某一高程下两断面间的断面面积沿河长增加或减少呈线性变化。当两淤积断面间的河道情况符合上述条件时，采用梯形公式计算的河段淤积量无计算误差；若两淤积断面间面积变化为非线性时，采用梯形公式计算的淤积量就会产生计算误差，且这个误差与测量情况或误差的大小无关。此计算误差可以认为是采用的计算模型不正确产生的误差，这个误差可称为模型误差、计算误差、模型计算误差或模型代表误差。

天然河道中两淤积断面之间的断面面积变化十分复杂，一般不满足直线变化条件，采用梯形公式计算淤积量必然存在计算误差。解决问题的办法，首先会想到采用其他计算模型。断面代表性误差采用了梯形公式推导分析，实际上由于河道地形的变化十分复杂，且不断变化，想找到一个完全理想的模型几乎是办不到的。任何计算模型总是存在和外业地形的不完全符合，或者说任何计算模型都有各自的适用条件，只有完全满足其使用条件时，其计算误差才会小到可忽略不计。造成断面法淤积量计算误差的表面原因是河道的形态不规则，通过改善计算模型来降低计算性误差十分有限，且十分困难。外业河道地形千差万别，无法找到一个能够适应各种情况的计算模型，因此只要采用模型计算，就有模型代表性误差的存在。

断面法淤积量计算误差也可用实测断面密度来描述，如果计算公式(模型)不变，在实测河段上依次增加实测淤积断面数量，使实测淤积断面之间的间距逐渐减小，如果河段内的断面数达到足够的量，由定积分原理可知，梯形公式的适用条件就会逐渐得到满足，或者说该河段采用梯形公式计算的淤积量误差可忽略。因为，当河段内测量的淤积断面数趋向于无穷多时，断面间距趋向于无穷小，两淤积断面间的淤积量采用梯形公式

进行了积分计算，这种情况下的河段淤积量其代表性误差可忽略不计。实际上，一个河段测量的淤积断面数总是有限的，因此模型误差是必然存在的，从这种意义上讲模型代表误差，也可认为是断面密度大小引起的误差，就平均意义上讲断面密度大误差小，否则误差大。减小模型计算误差的途径是增加淤积断面的密度，因此模型计算误差也可认为是采用有限的淤积断面数计算的淤积量，代表河段真实的淤积量而产生的误差，因此这个误差也称为淤积断面代表性误差，简称代表性误差。

天然河道尽管变化复杂，但对于相对稳定的河段，如果淤积断面位置布设科学合理，断面内不规则的部分面积可以互补，使淤积断面间的断面面积变化接近直线变化，在断面密度相同情况下，其代表性误差会减小。因此，淤积断面对河段的代表性非常重要。

以上分析可知，断面代表性误差的来源可以从不同方面去认识，控制该项误差的措施有选取计算模型、选取合适的断面位置、增加断面密度等，且这些措施之间是相互影响的，通常情况下断面位置和模型改善对误差的减少是有限的。一般情况下，可认为断面代表性误差主要是有测量河段内淤积断面的密度引起的，因此可控制代表性误差大小有效的因素是淤积断面密度。

5.3 合理断面密度探讨

5.3.1 断面代表性误差与断面测量误差的匹配问题

根据测量误差理论及上节的分析，河段内淤积量成果的总误差主要由两部分组成，其一是观测量误差的传播引起的断面测量误差，其二是河段内淤积断面密度不够产生的代表性误差。用公式可表示为

$$m_{总} = \sqrt{m_v^2 + m_i^2} \tag{5-4}$$

式中：$m_总$——河段内淤积量成果的总误差；

m_v——断面测量误差；

m_i——断面代表性误差。

由 5.2 节分析可知，若一个河段内断面数量很多，则断面代表性误差就很小。当断面代表性误差远远小于断面测量误差时，由式(5-4)知，该河段内淤积量计算成果的总误差就会接近测量误差(即 $m_总 \geq m_v$)。同样，通过严格操作、提高测量技术标准、采用高精度测量仪器等措施改善测量条件，就会降低断面测量误差。若断面测量误差减低到很小的程度，则断面代表性误差就逐渐成为淤积量总误差的主要影响因素，随着测量误差的减小，淤积量计算成果的总误差就会逐渐接近断面代表性误差。

5.3.2 合理淤积断面密度(最佳平均断面间距)初步分析

当断面测量误差和断面代表性误差达到最小时，测量精度最高。如果要求两种测量误差同时达到最小(很小的程度)，需要付出高昂的经济代价，实践中一般无法保证使两种误差同时满足最小。一个河段的地形条件、观测仪器、观测人员、观测的技术标准等

测量条件一定情况下，对于每次淤积测量来看，产生的断面测量误差是偶然的，可能会出现正、负或零等各种情况，偶然误差的数值在很大范围内变化，断面测量误差的中误差也会在一定范围内变化。测量条件一定时，其对应的测量误差水平也被确定，断面测量误差的相对误差主要受淤积厚度的影响，人为控制的幅度较小。断面代表性误差可以通过调整断面数量加以控制，要使断面代表性误差很小，就要求测量的断面数量很多，这样断面测量的工作量就很大；相反，若允许断面代表性误差大，则测量的断面数量就较少。当断面代表性误差远大于断面测量误差时，断面测量时各观测量的测量精度尽管很高，仍会导致淤积量计算成果的总误差很大。因此，需要正确评估断面代表性误差的允许范围，从而选取合理的断面密度。

只有当断面代表性误差和断面测量误差两者大体相当时，其对测量精度互不受到损失，两者对河段淤积量总误差的贡献大小相同，故存在着两种误差相匹配的问题。因此，可认为这两种误差匹配时，对应的断面密度为合理断面密度，此时的断面间距为最佳断面间距。从以上分析可知，断面测量误差受测量条件的限制(测量条件与科技水平密切相关)，一旦确定相对稳定。而断面代表性误差完全可由人为控制。为确定合理的断面密度，首先要确定断面代表性误差的合理值，根据误差匹配的概念，要确定断面代表性误差合理值，需先分析断面测量误差的大小。

根据式(5-1)知，测量条件一定后，影响断面测量误差大小的主要因素是淤积厚度，根据 1960~1997 年 38 年的汛前、汛后断面测量资料统计，花园口河段断面淤积厚度平均为 10 cm。用图 5-1 的关系求得断面测量误差为 3.8%，取 $m_i = m_v$，根据图 5-2 的关系，可计算出河南河段合理平均断面间距是 2.6 km，即合理断面密度为河道内平均 2.6 km 布设一个淤积断面。据此推算出黄河河南河段(铁谢—河道河段)283 km 长的河道内，应布设 109 个淤积断面较合理，而实际仅有 28 个基本淤积断面，远小于合理的断面数量。同理统计山东河段多年平均淤积厚度为 8 ~ 10 cm。根据山东河段确定的淤积厚度与断面测量误差经验关系，求得断面测量误差为 5.4%，可计算出该河段平均每 2.3 km 布设一个断面较合理，据此推算出山东河段 548 km(高村—河口)长的河道上，应布设 238 个淤积断面较合理，而实际仅有 81 个，也远小于合理的断面数量，故应结合测量能力的提高增加淤积断面数量。

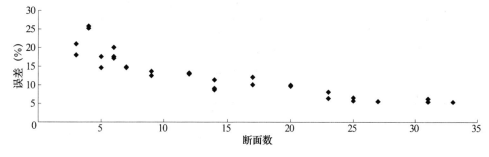

图 5-2 河南河段断面精简误差关系图

上述合理淤积断面密度是对河段平均情况而言的，现场布设淤积断面要结合实际地形情况，使淤积断面更具有代表性，如弯顶附近应加密布设，有利于提高淤积测量的准确度。

5.4 断面法与输沙量差法计算河道冲淤的精度评价

5.4.1 两种方法计算的淤积量出现的矛盾

目前，计算河道淤积量主要采用的有地形法、断面法和输沙量差法。地形法测量精度较高，但测量工作量大，测量历时长，而黄河河道冲淤变化剧烈，要求快速完成冲淤变化测量，因此黄河下游河道冲淤测量一般不采用该法。断面法测量在一定条件下精度有保证，且测量工作量较地形法小，测量历时较短，可获得淤积量的分布情况和河道断面的形态，测量成果便于比较，因此在黄河下游的淤积观测中大量采用。但断面法测量需要一定的外业测量时间，难以准确计算任意时段的淤积量。输沙量差法也有人称为输沙率法，是利用两水文测站实测的输沙量(考虑到区间的加入和引出输沙量)，计算输入沙量和输出沙量的差值，即为河段的淤积量。该法利用水文站实测的输沙量计算河道淤积量，无需进行专门的测量，概念明确，计算简单，且可计算任意时段的淤积量，但河道的断面形态和淤积量的分布情况无法获得。鉴于两种方法的特点，黄河下游同时采用断面法和输沙量差法计算河道的淤积量。许多河流水库在无断面法和地形法测量成果时，多采用输沙量差法计算淤积量。因此，输沙量差法计算淤积量成果的精度或误差大小是我们关心的一个重要问题。另外，黄河下游输沙量差法与断面法计算的淤积量常出现矛盾，因此在分析评价断面法测量精度时，有必要说明输沙量差法的精度和可用条件。

黄河下游已积累了大量的输沙量差和断面淤积量资料，在生产和科学研究应用时人们发现，这些淤积量成果存在着很多矛盾之处。理论上，在相同河段相同的时段内，断面法和输沙量差法计算的淤积量应相等或大致相同，但实际上两种方法的计算成果有时接近，有时差异十分大，甚至性质相反，即一种方法为冲刷，而另一种方法为淤积。两种计算成果与定性的同流量水位法比较，同样存在时对时错的情况，难以说明哪一种方法更精确可靠。除前面章节已提到的两种方法计算差异的事例外，为了进一步说明问题，表 5-1 也给出了两种方法计算结果的差异的一些情况。

表 5-1 黄河下游不同测量方法计算淤积量对照

时段	方法	单位	小花间	花高间	高孙间	孙艾间	艾泺间	泺利间
1952~1960	断面法	亿 t	9.79	14.45	7.29	1.72	−0.23	0.98
	沙平衡法	亿 t	17.26	11.16	6.71	−0.07	4.83	−5.97
	同流量水位法	m	0.89	0.93	1.16	0.29	−0.51	−0.27
1961~1964	断面法	亿 t	−9.95	−13.30	−2.73	−0.76	−1.61	−4.23
	沙平衡法	亿 t	−5.93	−6.75	−2.98	−0.68	0.4	−3.56
	同流量水位法	m	−1.2	−1.06	−0.79	−0.40	−0.35	−0.03
1965~1997	断面法	亿 t	9.52	37.92	14.97	2.95	4.38	9.30
	沙平衡法	亿 t	30.34	28.58	4.71	−10.52	9.39	−8.02
	同流量水位法	m	1.78	2.37	3.56	3.07	3.67	2.56

通过表 5-1 可以看出，6 个河段，3 个时段共 18 组测量成果中，两种方法计算的结果较一致(其相对误差小于 15%)的仅有 3 组，占 16.7%；而出现定性矛盾的有 6 组，占 33.3%，这说明两种方法计算的长时段河道淤积量存在矛盾。

两种方法实测的淤积量出现不一致问题存在于长历时中，短历时中也同样存在。以年淤积量为例，选取了丰水丰沙的 1964 年、枯水丰沙的 1977 年、枯水平沙的 1992 年，用两种方法计算淤积量，其差异情况如表 5-2。

表 5-2　黄河干流小浪底以下部分年份不同测量方法计算淤积量对照

年份	方法	单位	小花间	花夹间	夹高间	高孙间	孙艾间	艾泺间	泺利间
1964	断面法	亿 t	−2.42	−3.28	−1.11	−1.44	−0.12	0.16	−1.95
	输沙量差法	亿 t	−0.68	−0.60	−0.50	−1.80	0	0.50	−1.50
1977	断面法	亿 t	−1.04	4.71	2.75	0.74	0.25	0.33	0.76
	输沙量差法	亿 t	2.61	1.69	1.46	1.03	0.21	−0.32	−0.11
1992	断面法	亿 t	1.30	3.88	0.86	0.09	0.23	0.10	0.003
	输沙量差法	亿 t	1.30	1.73	1.19	−0.02	−0.49	0.86	−0.03

从表 5-2 可以看出，两种方法计算各河段年淤积量差异很大，21 段组的观测中，两种方法计算成果的相对误差小于等于 16% 的仅有 4 组，占 19%；而误差大于 50% 的有 12 组，占 57.1%；性质相反的有 6 组，占 28.6%。

从表 5-1、表 5-2 给出的结果可看出，两种方法计算的淤积量有时较一致，而有些时段却相差很大，甚至出现定性相异。在其他河流上也发现有不同方法计算的淤积量不一致的问题。如长委水文局、武汉大学等单位的学者在对长江部分河道淤积问题的研究中发现，长江螺山—汉口河段 1966～1998 年淤积量的计算中，输沙量差法和地形法计算的结果分别为 14.17 亿 m³ 和 2.34 亿 m³，相差近 6 倍，产生了两种方法孰对孰错的争议，严重地影响了对河段冲淤的认识和评价。

当遇到断面法和输沙量差法计算结果不一致时，常常会提出两种方法何者正确、何者精度高的问题，即应该如何采用的问题。有人提出只能采用断面法计算河道淤积量，认为输沙量差法误差太大，特别是存在系统误差时不能使用；也有人认为断面法和地形法一次测量成果的偶然误差大，应多采用输沙量差法成果。实际上淤积量成果差异的原因是两者都存在误差，前面研究了断面法的误差来源大小等情况，本节进一步研究输沙量差法的误差问题。

5.4.2　输沙量法计算淤积量误差来源

5.4.2.1　输沙量差法计算淤积量的中误差公式推导

输沙量差法计算河段的淤积量，用公式表示为

$$\Delta W_s = W_{su} - W_{sd} + \Sigma W_{si} - \Sigma W_{so} \tag{5-5}$$

式中　ΔW_s——采用输沙量法计算河段的淤积量；

　　　W_{su}——计算河段上游水文站输入沙量；

W_{sd}——计算河段下游水文站输出沙量;

ΣW_{si}——计算河段的区间加入沙量之和;

ΣW_{so}——计算河段的区间引出沙量之和。

方程(5-5)中,根据黄河下游的情况,上游输入、下游输出、区间加入河段的沙量为水文测站实测的输沙量,只有区间引出沙量情况较复杂,主要有工农业用水引出沙量、吸泥淤堤引出沙量、分洪引出沙量、人工挖河固堤引出沙量等四部分。其中,区间用水引出沙量是主要的引出沙量,其他三部分引出沙量只有个别河段、个别时段存在,为讨论方便通称为区间引沙。

由计算河段的淤积量方程(5-5),根据误差的传播关系,可推导出输沙量差法计算淤积量的中误差为

$$m_{\Delta s} = \sqrt{m_{su}^2 + m_{sd}^2 + m_{si}^2 + m_{so}^2} \tag{5-6}$$

式中 $m_{\Delta s}$——输沙量差法计算河段淤积量的中误差;

m_{su}——河段上游水文站实测输沙量中误差;

m_{sd}——河段下游水文站实测输沙量中误差;

m_{si}——河段加入沙量的中误差;

m_{so}——河段引出沙量的中误差。

黄河下游只有部分河段存在区间的加入沙量,区间加入沙量由支流水文站实测得到,因此区间加沙的相对误差与干流水文站测量误差相当,可将区间加沙与河段入口处的输沙量合并,统称为上游输入沙量。由误差理论知,测量误差与测量条件有关,黄河下游各站的测量对象、采用的测量仪器、测量方法、自然环境条件、测量的技术水平等测量条件基本相同,因此可认为黄河下游各水文站实测输沙量的相对误差基本相当。若河段内发生的淤积量与河段来沙量的比称为淤积率,根据质量守恒,则河段上游输入、下游输出的淤积沙量的关系有:

$$W_{sd} = W_{su} - k W_{su} \tag{5-7}$$

式中 k——河段内的冲淤变化率,即称淤积率。

若将水文站区间河道实测的引沙量相对中误差与水文站实测输沙量相对中误差之比称为误差比例系数,区间引沙量与上游来沙量的比称为引沙系数。则有

$$m_{so} = (\lambda W_{su})\beta S_{ud} \tag{5-8}$$

式中 λ——引沙系数;

β——误差比例系数;

S_{ud}——黄河下游水文站实测输沙量的相对误差。

考虑到式(5-6)右边中误差与相对误差和输沙量的关系,并将区间加沙量与河段入口处的输沙量合并处理,将式(5-7)、(5-8)代入式(5-6),进一步整理有

$$m_{\Delta s} = S_{ud} W_{su} \sqrt{1 + (1-k)^2 + \lambda^2 \beta^2} \tag{5-9}$$

从式(5-9)可知,采用输沙量差法计算的河道淤积量中误差,要远大于实测输沙量的测验误差。

5.4.2.2 黄河下游输沙量测验误差分析

输沙量可看做是径流量和含沙量的乘积，输沙量的测量误差可认为由径流量和含沙量的测量误差构成。河川径流量是由水文站通过观测水位、测验流量，建立实测水位流量的相关关系，推求逐时流量，进行日、月、年径流量计算等环节而得到。由于流量测验、水位观测、水位流量相关关系的建立和径流量的计算等各个环节均存在有误差，从而导致各水文站的实测径流量也存在一定误差。根据水位观测误差、流量测验的各种误差和径流量的计算方法等，推求径流量的误差十分复杂和困难。根据对黄河下游各站测验误差分析和采用最小二乘法进行河段水量平差的计算结果，一般情况下，各站的径流量平差值的相对中误差一般为 0.7% ~ 1.5%，区间引水量的测量误差一般为 4% ~ 6%。

含沙量的测验误差有断面含沙量测验误差、单位水样测验误差、单断沙关系引起的误差、含沙量脉动引起的误差等组成。根据大量的试验研究和分析计算结果，黄河下游含沙量测验的相对误差一般情况为 1.5% ~ 2.0%。区间引沙量计算采用的含沙量大部分是利用水文站测验值插补得到，引沙量计算采用含沙量的中误差为水文站实测含沙量误差的 1.5 倍。根据水文要素之间的物理关系和误差的理论，采用以上分析数据，可计算出黄河下游的水文站输沙量测验的相对中误差为 1.7% ~ 2.5%，区间引沙量的相对中误差为 4.6% ~ 6.7%。由此计算可知误差比例系数为 2.7 左右。

由以上分析知，黄河下游水文站实测的输沙量精度较高，在测验人员、测验方法、测验仪器、测验断面等测验条件一定时，输沙量测验的相对误差较稳定。该误差完全能够满足了解河道输沙情况的要求，正是因为输沙量测验误差较小，数值可靠，一般情况下能满足掌握河道输沙量的要求，可能会使人们误认为其计算河道淤积时也可直接采用。不能认为采用输沙量计算得到淤积量的相对误差较小，计算的淤积量就会可靠，并满足掌握河道冲淤变化的需要。

5.4.2.3 输沙量差法计算淤积量的相对误差

对式(5-9)进一步推导，可得输沙量差法计算河道淤积量的相对误差为

$$S_\Delta = \frac{1}{k} s_{ud} \sqrt{1 + (1 - k^2) + \lambda^2 \beta^2} \tag{5-10}$$

由式(5-10)知，影响淤积量的相对误差因素有计算河段内的淤积率、输沙量测验的相对误差、区间引沙系数和误差比例系数等。当水文站输沙量和区间引沙量的测量方法、测验仪器等测量条件和计算方法等基本不变时，输沙量测量的相对误差、误差比例系数保持相对稳定，而淤积率可能会差异很大，因此淤积率是影响河道淤积量相对误差的重要因素。为进一步探讨淤积量相对误差的大小，以输沙量测量的相对误差取 2% 和误差比例系数取 2.7 为例，根据式(5-10)可计算出淤积量的相对误差与淤积率的关系，如图5-3所示。

图5-3中，系列1、系列2、系列3分别代表引沙系数为0、3%、50%，随着引沙系数的增大曲线有上移的趋势，但变化较小。不同的引沙系数，关系曲线的变化趋势并未改变。当河道内的冲刷或淤积量占来沙量的比重较大时，计算的淤积量相对误差很小，计算精度高；而随着河段淤积率的降低，淤积量的相对误差迅速增大，甚至超过100%。此时，采用输沙量差法计算的河道淤积量已无使用价值。因此，输沙量差法计算淤积量精度高低的关键因素是河道淤积率的大小。

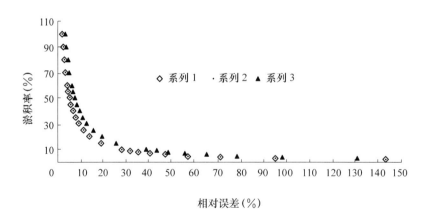

图 5-3　黄河下游淤积量相对误差与河段淤积率关系

5.4.2.4　计算实例

若取河段来沙为 12 亿 t，输沙量测验的相对中误差为 2%，误差比例系数为 2.7，可得如下结果：

(1)当区间未发生冲淤变化，区间引沙为零。输沙量测验的误差为 0.24 亿 t，尽管淤积量为零，但淤积量的中误差为 0.34 亿 t，是输沙量测验误差的 1.4 倍。

(2)若河段的淤积率为 5%，引沙系数为 0.05，则河段淤积量为 0.6 亿 t，淤积量的计算误差为 0.33 亿 t，相对中误差为 55.0%。

(3)若河段的淤积率达 20%，河段淤积量为 2.4 亿 t，则淤积量的计算误差为 0.31 亿 t，相对中误差为 12.9%。

5.4.3　对输沙量差法和断面法适用性的几点认识

5.4.3.1　对输沙量差法及其适用性的认识

输沙量差法的计算精度，主要取决于输沙量的测验精度、河段引沙量的计算精度和河段内淤积率的大小。在测验条件一定情况下，前两个因素变化较小，而后者变化剧烈，对河道淤积量计算成果的精度影响很大。当河段内淤积量较大时，其计算的中误差远远小于河段淤积量，此时，输沙量差法计算的淤积量有较高的精度，计算结果较符合实际。当计算河段淤积量较小时，计算淤积量的中误差可能会大于实际的淤积量。当误差大于被测量值本身，由于误差是正态分布，可正可负，会导致测量结果定性困难。此时该方法已无精度可言，应避免采用该法计算河道淤积量。否则仍使用输沙率差法计算淤积量，不仅会带来较大的误差，甚至导致出现错误。当淤积量的中误差较大，与实际淤积量处于同一数量级或综合误差大于实际淤积量时，则该方法所反映的冲淤变化是虚假的。特别是有些情况下河道未发生冲淤变化，采用该法计算的结果仍会有淤积量，此淤积量完全是误差所致。另一种情况是，河道内发生了淤积，但输沙率法计算的结果是冲刷，这也是河道内淤积量相对于输沙量很小，即淤积率太小导致该法误差大于实际淤积量所致。

由式(5-10)知，输沙量差法计算淤积量相对误差与淤积率成反比例关系，即淤积量的计算精度同该河段淤积量与输沙量之比有关，河段内的淤积量多计算结果的精度不一定高，反之亦然。实际上，若某河段长时段累计的淤积量很大，如达到 2 亿 t，但该河段的输沙量也很大，若达到 100 亿 t，若区间无沙量引出和加入，输沙量测验误差仍按 2% 计，计算的淤积量成果相对误差达到 141%，此时，输沙量差法的计算精度仍然较低。实际上，有时一次特殊洪水过程，区间的淤积量并不大，但由于来沙量也很少，输沙量差法的精度却很高。如黄河下游某年非汛期的一段时间内，由于水库下泄清水，河道发生冲刷，尽管河道内冲刷量很小，甚至只有几百万吨，这种情况下输沙量差法计算"淤积"量(为负)的精度却很高，其中误差与下游站实测输沙量相同，计算结果可靠。实际上由图 5-3 可以看出，当淤积率小于 3.3% 时，该法计算的淤积量相对误差将超过 100%，此时，该方法计算的结果已无任何使用价值。若要求淤积量计算的误差小于 50%，则河道的淤积率要大于 5.5%。若要求淤积量计算的误差小于 20%，则河道的淤积率要大于 14.2%。

因来沙量和淤积量本身是无法控制的，要提高淤积量的计算精度，只能是改善输沙量和引沙量的测验条件，减少其测验误差。水文站泥沙测验的主要目的是求得通过断面的输沙数量。输沙量的测验误差影响因素较多，输沙量测验的相对中误差要大于径流量和含沙量的相对误差。本节中采用输沙量测验误差的相对中误差为 2%，这在实际工作中已很难达到，因此，目前的技术水平，再进一步降低输沙量的测验误差已十分有限。由于淤积量一般情况下要远远小于输沙量，而计算淤积量的误差又远大于输沙量的测验误差，因此淤积量的相对误差要远大于输沙量的测验误差。以上分析说明，当淤积率较小时，不能再采用输沙量差法计算淤积量。

5.4.3.2 对断面法适用性的认识

前面较详细地分析了断面法测量的误差来源，断面法计算河道冲淤的误差主要有四个方面：直接观测量本身存在误差导致的断面测量误差，断面上测点不足导致的横断面上产生的代表性误差，河段内淤积断面不足导致的淤积断面代表性误差，断面测量时流量不同产生的误差等。四个误差的河段内淤积量计算成果的总误差关系用公式可表示为

$$m_{总} = \sqrt{m_v^2 + m_i^2 + m_c^2 + m_q^2} \qquad (5-11)$$

式中　m_c——横向代表性误差；

　　　m_q——断面测量时流量不同对断面法淤积量产生的误差。

实际上，断面测量时流量不同对断面法淤积量产生的误差也应属于淤积断面代表性误差，只是黄河下游实际测量的淤积断面密度较小，有时这一误差反映较突出，当断面密度很高时，该项误差可以不再考虑。断面上测点不足导致的横断面上产生的代表性误差可简称为横向代表性误差，断面代表性误差也可称为纵向代表性误差。横向代表性误差与纵向代表性误差有相同的特性，即横断面上测点愈多，其值愈小，否则将增大；两次测量之间横断面面积的变化越小，实测值的相对中误差越大，否则将减小。根据实际资料分析，当断面密度较小时，横向代表性误差相对与纵向代表性误差较小，当淤积断面密度较高时此误差不可忽略。

目前黄河下游河南段断面平均间距为 10.1 km，根据已建立的经验关系，一般情况下断面代表性误差约为 12.6%，如果两次断面测量时流量差异很大，断面代表性误差可

能会更大。

由式(5-1)知，断面测量误差与断面宽度、断面上平均淤积厚度、断面间距三个直接测量值及其测量中误差、河段内断面数、断面的上测点数之间有关。为进一步说明断面测量误差的大小，取测量河段长 100 km 上布设 10 个淤积断面，平均断面宽 3 km，每断面上平均实测 50 个测点，起点距测量误差和断面间距误差均按 1/500 计，高程测量误差按 0.10 m 计，采用式(5-1)计算后表明，当河段内平均淤积厚度分别为 0.003、0.005、0.01、0.05、0.1、0.3、0.4 m 时，相对误差分别是 126%、75.6%、37.8%、6.3%、3.8%、1.0%。可见当河段内平均淤积厚度小于 0.01 m 时，由测量引起的相对误差已大于 37.8%，而当河段内平均淤积厚度大于 0.4 m 时，由测量引起的相对误差可小于 1%，与断面代表性误差相比可以忽略不计。当淤积厚度很小或河段内没有发生淤积变化，每次测量每百公里河段仍可引起绝对误差 84 万 m^3。可见，在淤积量很小的情况下断面法不能使用，特别是在断面密度较小的情况下。采用断面法测量时还要注意，前后两次施测时的流量应尽可能的接近。

5.4.3.3 结论

当河道内淤积量较小时，断面法施测可能会引起较大的测量误差，因此断面法适用于淤积量较大的情况，特别是断面密度较高，河段内淤积量又较大的情况下，断面法的精度较高。对于相邻两次测量，由于河道内淤积量较少，断面法的测量误差可能较大；然而，长时段累计淤积量较大时，断面法计算的淤积量误差减小，因此采用断面法累计计算长时段淤积量时，精度会明显提高。

输沙量差法计算的淤积量误差与河段内的淤积率有关，当淤积率较大时，采用输沙量差法计算淤积量精度较高。在某些时段，如一次洪水过程发生了强烈淤积或强烈冲刷，河道的淤积率可能很大，但淤积量的绝对值不一定大，此时采用输沙量差法较断面法更好。对于黄河下游较长的时段，随着时间的增加淤积量也增加，同时进入河道的输沙量也增加，有时淤积量很大，但淤积率却很小，这种情况下只能采用断面法，而不能采用输沙量差法。即断面法适用于淤积量较大的情况，输沙量差法适用于淤积率较大的情况。

第6章 沙量平衡分析

6.1 沙量平衡方程

利用河道沙量平衡方程可以分析河段内沙量进出情况及主要平衡因子的误差，也可对不易量测的因子进行估算。沙量平衡方程可表达为

$$S_1 - S_2 + S_3 - S_4 - S_5 - S_6 \cdot \gamma_1 = V \tag{6-1}$$

式中　S_1、S_2——进出河段水文站实测输沙量，亿 t；

　　　S_3——区间支流加入沙量，亿 t；

　　　S_4——区间用水引沙量，亿 t；

　　　S_5——区间分洪引沙量，亿 t；

　　　S_6——区间吸泥淤堤量，亿 m^3；

　　　γ_1——区间吸泥淤堤量换算为重量计采用的干容重，t / m^3；

　　　V——沙量平衡法冲淤量，亿 t。

由于各因素均存在误差，引入综合误差 ΔE 值，并与实测断面法冲淤量进行比较：

$$V + \Delta E = D \cdot \gamma_2 \tag{6-2}$$

式中　ΔE——各因素综合误差，亿 t；

　　　D——实测断面法冲淤量，亿 m^3；

　　　γ_2——断面法冲淤量干容重，t / m^3。

可以看出，用沙量平衡法计算的冲淤量 V 中，包含了各因素的综合误差 ΔE，当河段冲淤量为零或很小时，输沙量平衡法计算的冲淤量完全或主要反映的是综合误差 ΔE。

位于坝下的三门峡水文站断面稳定，受大坝泄流影响，含沙量垂直梯度变化小，横向分布较为均匀。输沙率测验多用积点法，准确度较高；单沙取样方法均经过论证，单断沙关系较好。实测输沙量无偏大因素，基本上可代表包括推移质在内的全沙输沙量。如以三门峡站实测输沙量为准，并采用实测断面法冲淤量，则可分析下游各站可能存在的系统偏差。

以三门峡为准计算各站系统偏差 δ 的方程为

$$S_三 - S_出 + \Sigma S_3 - \Sigma S_4 - \Sigma S_5 - \Sigma S_6 \cdot \gamma_1 - \Sigma D \cdot \gamma_2 = \delta \tag{6-3}$$

式中　$S_三$、$S_出$——三门峡和出口站实测输沙量，亿 t；

　　　δ——各站系统偏差，亿 t；

　　　Σ——代表三门峡和出口站区间各因子累计值。

6.2 沙量平衡主要因素分析

6.2.1 黄河下游各站实测悬移质输沙量准确度分析

水文站泥沙测验的目的是求得能够满足规范要求准确度的逐日输沙量。下游各站未

测推移质输沙量，按推悬比为 0.5% ~ 1.0%计，年输沙量为 16 亿 t 时，则年推移质输沙量为 0.08 亿 ~ 0.16 亿 t。推移质占全沙的比例虽很小，但多年累计数值仍是一个不能忽略的数字。就悬移质测验而言，由于悬移质含沙量沿断面的纵横向分布的复杂性和取样仪器、测验方法、水样处理等的局限性，综合测验误差远较流量测验误差为大。现行的悬移质泥沙规范，对各项测验误差按水文站等级规定的控制指标见表 6-1。

表 6-1　悬移质泥沙测验误差控制指标

	项目	随机不准确度(%)		系统误差(%)	
		一类站	二类站	一类站	二类站
悬移质输沙率	取样仪器	10.0	16.0	1.0	1.5
	水样处理	4.2	4.2	−2.0	−3.0
	泥沙脉动	3.3	3.3		
	垂线上测点数	12.0	16.0	1.0	1.5
	垂线数量	4.0	6.0	1.0	1.5
	综合误差	17.0	24.0	2.6	4.0
流量综合误差(%)		5.0	6.0	1.5	2.0
输沙量综合误差(%)		17.7	24.7	3.0	4.5

表 6-1 说明，一类站输沙率成果的允许随机不确定度可达 17.7%；允许系统误差可达 3%。按年输沙量为 16 亿 t 计，系统误差量可达 0.48 亿 t。相邻两站系统中误差为 4.2%，允许的系统误差量可达 0.67 亿 t。

对黄河历年水文基本资料审查评价认为，目前大多数水文站悬移质测验的准确度满足了规范规定的推求逐日输沙量的准确度要求。用相邻两站的悬移质输沙量平衡对照，检查水文站泥沙测验是否存在较大系统误差，以改进测验方法、提高测验质量是水文部门常用的工作方法，但新老规范从未提出可以用相邻两站输沙量平衡法计算河段冲淤量。从以上分析可见，相邻站输沙量平衡差中包括了测验误差，当河段稳定、冲淤量很小时，沙量平衡法计算的冲淤量则主要是测验误差造成的。

就测验方法而言，曾对三门峡水库下泄清水时期各站悬沙测验方法进行分析，认为该时段下游各站实测悬移质输沙量存在偏小问题[1]。黄河下游为冲积性河流，水库下泄清水就会造成沿程冲刷，而冲刷阶段的底层含沙量所占比重就会增大。若不用多点选点法或积深法实测悬沙，就可能导致所测悬沙系统偏小。各站 1961 ~ 1964 年单沙测验方法多为主流边一线 2:1:1 定比混合法，输沙率测验采用此方法的测次均占 70% ~ 83%。由于绝大多数断沙测次与单沙的测验均未实测相对水深 0.8 以下的含沙量，就会造成实测单断沙关系的失真情况，导致所推算的悬沙量偏小。

在历年资料审查时水文局曾用沙量平衡计算对各站实测输沙量的准确性进行评估[2]。三门峡站所测输沙量可代表全沙输沙量。与三门峡站比较，下游各站实测的悬移质年输沙量均有程度不等的系统偏小现象，系统偏小值可达年输沙量的 4% ~ 9%。有许多学者

---

[1] 程龙渊. 黄河下游输沙量平衡对照与断面法和沙量平衡法冲淤量精度分析. 黄委水文局，2000

[2] 1950~1990 年黄河水文基本资料审查评价及天然径流量计算. 黄委水文局，1997

对此进行了研究。钱宁曾根据河流泥沙运动理论来分析现行泥沙测验方法可能出现的系统误差；有的研究成果利用修正爱因斯坦程序在实测悬沙资料基础上计算全沙输沙量，并提出了改正日输沙量的方法，用改正后的各站输沙量计算的冲淤量与断面法实测冲淤量的过程及数量都较一致(林斌文，梁国亭，1990；李松恒，龙毓骞，1994)。如不对各站实测悬移质输沙量进行修正，并尽可能减少其他因子的误差，将满足不了用悬移质输沙量平衡法推求具有一定准确度的冲淤量的要求。

6.2.2 黄河下游引沙量分析

6.2.2.1 有关单位采用的引沙量系列

黄委水文局历年资料审查采用 1955～1990 年系列，系用引水口上下游干流水文站平均含沙量乘以引水量估算引沙量(以下简称引1)；黄委设计院 1960～1996 年按四大区段计算系列，此次按各水文站网区间分列见附录 2-4(以下简称引2)，采用水文站平均含沙量的 70%计算引沙量；"白皮本"1957～1990 年系列系黄委水文局修改前系列；黄河水利科学研究院("绿皮本")的 1958～1984 年系列，花园口以上河段引沙量的计算是以引水量乘以花园口站的含沙量，花园口以下各河段引沙量是用引水量乘以相邻上下站的平均含沙量。各家采用的引沙量对照见表 6-2。

表 6-2　黄河下游引水引沙量比较

区段	时段	引水量(亿 m³)		引沙量(亿 t)				引水含沙量(kg/m³)				进出站平均 C_S (kg/m³)
		水文局	设计院	水文局	白皮本	设计院	黄科院	水文局	白皮本	设计院	黄科院	
铁谢—花园口	1960～1969	146.8	148.9	2.39	2.39	1.87	2.44	16.3	16.3	12.6	16.4	22.0
	1970～1979	102.3	76.2	2.40	2.40	1.32	1.65	23.4	23.4	17.3	21.2	32.4
	1980～1990	124.1	120.6	2.28	2.28	1.35	2.07	18.4	18.4	11.2	17.2	19.8
花园口—高村	1960～1969	97.5	88.6	2.51	2.48	1.50	1.88	25.7	25.3	16.9	21.1	22.3
	1970～1979	239.8	237.2	7.87	8.24	5.62	6.95	32.8	32.4	23.7	29.3	31.3
	1980～1990	229.2	229.7	4.47	5.61	3.56	3.88	19.5	23.8	15.5	16.8	18.5
高村—艾山	1960～1969	74.3	90.4	2.01	1.84	0.89	1.79	27.1	25.4	9.9	19.8	22.1
	1970～1979	193.1	190.3	5.74	4.34	3.71	4.16	29.7	21.8	19.5	21.9	29.0
	1980～1990	310.8	305.8	6.02	4.07	3.64	4.03	19.4	12.6	11.9	13.2	19.2
艾山—利津	1960～1969	63.8	55.3	1.72	1.09	0.81	1.06	27.0	17.1	14.7	19.2	21.6
	1970～1979	274.2	261.5	8.04	5.45	3.88	4.95	29.3	19.9	14.8	18.9	28.5
	1980～1990	524.6	496.2	10.56	6.14	4.53	5.71	20.1	11.7	9.1	11.5	20.5
铁谢—利津	1960～1969	382.4	383.5	8.63	7.80	5.07	7.17	22.6	20.5	13.2	18.7	
	1970～1979	809.4	765.2	24.05	20.43	14.53	17.71	29.7	24.2	19.0	23.1	
	1980～1990	1 188.7	1 152.3	23.33	18.10	13.08	15.69	19.6	14.4	11.4	13.6	
	1960～1990	2 380.5	2 301.0	56.01	46.33	32.68	40.57					

可以看出，就可比时段 1960～1990 年的引沙量来说，黄委水文局采用的系列引沙量为 56.01 亿 t 最大，黄委设计院系列 32.68 亿 t 最小，"白皮本"、"绿皮本"居中为 46.33 亿 t 及 40.57 亿 t。与黄委设计院采用数据相比，黄委水文局系列偏大，相对差为

71.3%；黄河水利科学研究院系列偏大 7.89 亿 t，相对差为 24.1%。

本次在沙量平衡计算中采用了黄委水文局和黄委设计院这两个系列，即引 1 及引 2，以显示引沙量大小对计算结果的影响。黄委水文局引水量较黄委设计院引水量大 79.5 亿 m³，占引水总量 2 380 亿 m³ 的 3.3%，影响引沙量 1.85 亿 t，数值很小可不予考虑。在引沙量计算中，黄委设计院系按四大区段计算的引沙量，为了适应七个区段沙量平衡分析的要求，用水文局采用的各区段引水量比例将花园口—高村、高村—艾山、艾山—利津三大段的 1960～1996 年引沙量分配到花园口—夹河滩、夹河滩—高村、高村—孙口、孙口—艾山、艾山—泺口、泺口—利津六个区段，见附录 2-3。黄委水文局系列所缺 1991～1997 年引沙量采用黄河水利科学研究院提供的成果。黄委设计院所缺 50 年代引沙量，则借用黄委水文局系列成果。

6.2.2.2 引沙量差异分析

统计黄委设计院和黄委水文局两个引沙系列的 1952～1997 年引沙量特征见表 6-3。

表 6-3　黄河下游引沙量系列差异　　　　　　（单位：亿 t）

项目		小浪底—花园口	花园口—夹河滩	夹河滩—高村	高村—孙口	孙口—艾山	艾山—泺口	泺口—利津	小浪底—利津
设计院引沙总量		8.75	9.12	7.33	5.68	4.98	5.19	8.74	49.79
水文局引沙总量		11.42	12.23	8.66	8.71	7.68	9.96	16.18	74.84
引沙总量差		2.67	3.11	1.33	3.003	2.70	4.77	7.44	25.05
占设计院系列(%)		30.5	34.1	18.1	53.3	54.2	91.9	85.1	50.3
年最大差异	设计院系列	0.102	0.405	0.306	0.187	0.117	0.177	0.192	
	水文局系列	0.666	0.897	0.665	0.597	0.554	0.902	1.087	
	年量差	0.564	0.492	0.359	0.410	0.437	0.735	0.895	
	占设计院(%)	553	121	117	219	374	415	466	
	年份	1986	1977	1960	1988	1988	1988	1988	
差异>0.1 亿 t 年数		10	7	4	14	13	17	26	
差异>0.2 亿 t 年数		2	4	2	6	4	6	14	
差异>0.3 亿 t 年数		1	3	1	2	2	6	8	

从表 6-3 中可以看出，两个系列引沙量差异是很大的。1955～1997 年小浪底—利津两个系列引沙总量相对差为 50.3%；各大河段中，夹河滩—高村段引沙量差异最小，为 1.33 亿 t，相对差为 18.1%；泺口—利津段引沙量差异最大，为 7.44 亿 t，相对差为 85.1%。在小浪底—花园口河段引沙量差异最大的年份为 1986 年，黄委设计院引沙量 0.102 亿 t，黄委水文局为 0.666 亿 t，二者相差 0.564 亿 t，相对差为 553%。在泺口—利津段为 1988 年，黄委设计院为 0.192 亿 t，黄委水文局为 1.087 亿 t，二者相差 0.895 亿 t，相对差为 466%。其他河段相对差也都很大。年引沙量差异大于 0.1 亿 t 的河段年数统计，泺口—利津段为 26 年，艾山—泺口段为 17 年，最少为夹河滩—高村段为 4 年。

以上分析说明，引沙量的年平均数值较大，不同系列差异也很大，因此不确定性很大，它也是沙量平衡计算冲淤量中引起误差的重要因素之一。

6.2.3 区间沙量及吸泥淤堤量

三门峡以下各水文站和伊、洛、沁河把口站资料，区间支流加入量和分洪引出量均采用历年资料审查计算值。吸泥淤堤量系根据黄委河务局 1974～1997 年资料统计，河南段吸泥淤堤总量为 0.993 8 亿 m³，山东段吸泥淤堤总量为 3.200 3 亿 m³，两者合计吸泥淤堤量为 4.194 亿 m³，折合 6.29 亿 t。按各水文站之间的大堤长度分配计算，花园口以上占 17%，花夹段占 49%，夹高段占 34%，高孙段占 31%，孙艾段占 13%，艾泺段占 15%，泺利段占 41%。分配计算成果见附录 2-4。表中以体积计的吸泥淤堤量均采用干容重 1.5 t/m³ 换算为以亿吨计。

6.2.4 黄河下游淤积物干容重分析

淤积物或床沙的干容重，是研究河道或水库冲淤变化，进行水量、沙量平衡计算的一项不可缺少的资料。在河口和位山水库实验资料年鉴中的床沙淤积物级配干容重的资料有：黄河神仙沟口的沙嘴处 1958～1959 年实测淤积物或床沙干容重 91 个，位山到杨集河段 1960 年实测淤积物或床沙干容重 200 个，东平湖实测淤积物干容重 64 个，共 355 个。此外还收集到熊贵枢等在铁谢—高村区段 1982 年实测滩地床沙干容重 105 个[1]，山东河段 1983 年汛前实测滩地床沙干容重 128 个，牛占等在花园口 1991 年进行闸门摩阻试验实测沙样干容重 12 个，计 245 个。总计沙样 600 个。

黄河下游河道淤积测量工作中未进行系统的床沙干容重观测，各家采用的干容重互不一致。这里根据黄河下游实测的床沙资料，对利用泥沙颗粒级配建立的计算干容重经验公式进行检验，以期能用实测床沙级配资料较为系统地计算下游河道冲积物或床沙的干容重。

6.2.4.1 床沙干容重经验公式及对公式的检验

1)美国垦务局经验公式[2]

根据 1 300 个沙样建立的用于河道及水库冲积物质干容重经验公式为

$$\gamma_0 = a_c P_c + a_m P_m + a_s P_S \tag{6-4}$$

式中　γ_0——冲积物初期干容重；

P_c——泥沙粒径小于 0.004 mm 的含量比；

P_m——泥沙粒径为 0.004～0.062 mm 的含量比；

P_S——泥沙粒径大于 0.062 mm 的含量比；

a_c、a_m、a_s——上述三种泥沙粒径组的干容重，随水库运用情况不同而取值不同。

黄河下游淤积均属自然河道状态，则公式为

$$\gamma_0 = 0.961 P_c + 1.17 P_m + 1.55 P_s \tag{6-5}$$

2)韩其为经验公式

韩其为认为，非均匀沙平均干容重的倒数为各组均匀沙干容重的倒数按级配加权的

---

[1] 黄河水利科学研究院泥沙所. 黄河下游河床演变基本资料汇编. 黄河水利科学研究院，1987

[2] 美国垦务局. 小坝设计. 第 3 版. 美国垦务局，1987

平均值。对均匀沙各粒径组试验求得的干容重见表6-4。

表6-4　粒径组试验平均干容重

粒径级配 (mm)	<0.003	0.003 ~ 0.005	0.005 ~ 0.010	0.010 ~ 0.025	0.025 ~ 0.05	0.05 ~ 0.10	0.10 ~ 1.0	>1.0
粒径级配比	P_C	P_D	P_E	P_F	P_G	P_H	P_I	P_J
干容重(t/m³)	0.299	0.538	0.776	1.06	1.26	1.38	1.41	1.61

3)三门峡水库经验公式

根据三门峡水库实测501个干容重和颗粒级配资料，参照式(6-5)模式建立的三门峡水库潼关以上河段的淤积物或床沙干容重经验公式，泥沙粒径级为小于 0.005 mm、0.005 ~ 0.05 mm 和大于 0.05 mm：

$$\gamma_0 = 0.961P_c + 1.22P_m + 1.70P_s \tag{6-6}$$

用600个沙样的实测资料检验上述经验公式在黄河下游的适用性。用公式(6-4)计算床沙干容重时，用直线内插法将原级配换算为以 0.004 mm 和 0.062 mm 划分的级配百分数，再计算淤积物干容重。检验结果说明美国垦务局公式计算的干容重系统偏小，而用式(6-6)计算的床沙干容重比实测干容重平均偏小 7.25%。

6.2.4.2　黄河下游床沙干容重计算与分析

1)计算主槽床沙干容重

根据每年汛前、汛末各断面的实测床沙(冲积物)颗粒级配成果(粒径计法成果已改正)，均用公式(6-6)计算 1957 ~ 1997 年共 1 750 个断面次的床沙干容重。按照铁谢—清 7 断面以水文站划分的八个区段，求出各区段、各年的汛前、汛末平均主槽床沙的干容重。

2)实测与计算床沙干容重误差分析

床沙干容重的代表性取决于每年实测两次床沙是否能代表汛期、非汛期时段床沙的平均级配。河南河段仅有水文站断面在输沙率测验时所取床沙资料，不能反映区间淤积断面床沙的变化。实测滩地冲积物粒径偏细、干容重偏小，主槽床沙则粒径偏粗、干容重偏大。断面平均床沙干容重的代表性与断面上的取样数及取样点位置有关。根据1982、1991 年实测滩地淤积物干容重和对应测取主槽床沙计算的干容重对比见表6-5。

77 点次实测滩地的加权平均干容重为 1.39 t/m³，而用公式(6-6)计算平均滩地干容重为 1.30 t/m³，偏小 6.5%。采用实测 600 点干容重与公式(6-6)计算干容重进行回归分析平均偏小 7.25%。说明采用公式(6-6)计算的主槽床沙干容重略有偏小，而使用主槽床沙质计算的干容重代表断面平均又系统偏大。因此，在计算全断面平均床沙干容重时，应按滩槽淤积比加权计算。按表 4-3 所列铁谢—利津段平均主槽和深槽淤积量占全断面淤积量的百分比为 78.1% 和 57.5%，根据表 6-5 采用公式(6-6)计算的深槽床沙干容重 1.55 t/m³ 及滩地实测平均干容重 1.39 t/m³ 进行估算。设滩槽淤积比为 2:8，加权断面平均干容重为 1.52 t/m³，则公式(6-6)计算的主河槽干容重 1.55 t/m³，偏大 2%，其 K 值为 0.98；设滩槽淤积比为 4:6，加权断面平均干容重为 1.49 t/m³，公式(6-6)计算的河槽干容重偏大 4%，其 K 值为 0.96；设滩槽比为 5:5，断面平均干容重为 1.47 t/m³，公式(6-6)计算的深槽干容重偏大 5.4%，其 K 值为 0.95。

表 6-5　黄河下游实测滩地干容重与河槽床沙质计算干容重对比　　（单位：t/m³）

观测时间	取样断面	取样点次	滩地干容重		深槽床沙干容重 (公式(6-6)计算)
			实测	公式(6-6)计算	
1982 年汛末	花园口	12	1.52	1.24	1.62
1991 年汛末	花园口	12	1.40	1.37	1.52
1983 年汛前	高村	4	1.42	1.42	1.57
1983 年汛前	苏泗庄	4	1.37	1.35	1.38
1983 年汛前	彭楼	4	1.36	1.33	1.52
1983 年汛前	杨集	3	1.40	1.36	1.50
1983 年汛前	孙口	4	1.44	1.26	1.51
1983 年汛前	十里堡	4	1.33	1.41	1.42
1983 年汛前	陶城铺	4	1.37	1.15	1.51
1983 年汛前	水牛赵	4	1.34	1.23	1.61
1983 年汛前	泺口	4	1.31	1.25	1.56
1983 年汛前	刘家园	5	1.33	1.22	1.56
1983 年汛前	杨房	5	1.26	1.38	1.67
1983 年汛前	道旭	4	1.34	1.23	1.47
1983 年汛前	一号坝	4	1.35	1.26	1.61
合计		77	20.56	19.51	23.03
加权平均			1.39	1.30	1.55

由上分析可见，应用实测资料分析或用公式(6-6)计算干容重时都应考虑取样点位置的代表性或滩槽冲淤量的比例。熊贵枢提出的应用于下游艾山以下河段的干容重数值为 1.35。从表 6-5 可见，这一数值仅能代表滩地淤积物的平均干容重。

3)对采用床沙或冲积物干容重的意见

根据三门峡水库运用方式和影响黄河下游河道冲淤变化的条件，分为四大时段(1958~1964 年，1965~1973 年，1974~1986 年及 1987~1997 年)进行统计。根据公式(6-6)计算的四个时段的各大区段汛前、汛末平均主槽床沙干容重见表 6-6，四个时段的各区段平均汛前、汛末干容重差异很小，最大的 1965~1973 年夹河滩高村段汛前 1.56、汛末 1.49，因此可采用汛前、汛末平均值。四个时段的各区段平均床沙干容重变化如图

6-1 所示。

表 6-6　黄河下游各区段各时段深槽床沙平均干容重　　（单位：t/m³）

站名	距坝 (km)	1958~1964 年			1965~1973 年			1974~1986 年			1987~1997 年		
		汛前	汛末	平均	汛前	汛末	平均	汛前	汛末	平均	汛前	汛末	平均
小浪底	—												
花园口	132	1.64	1.66	1.65									
夹河滩	236	1.62	1.64	1.63	1.60	1.54	1.57	1.63	1.58	1.61	1.61	1.61	1.61
高村	310	1.62	1.64	1.63	1.56	1.49	1.53	1.62	1.58	1.60	1.56	1.58	1.57
孙口	431	1.51	1.50	1.51	1.51	1.52	1.52	1.57	1.59	1.58	1.51	1.52	1.52
艾山	494	1.51	1.51	1.51	1.59	1.57	1.58	1.55	1.59	1.57	1.53	1.53	1.53
泺口	594	1.59	1.60	1.60	1.53	1.55	1.54	1.58	1.59	1.59	1.54	1.53	1.54
利津	766	1.60	1.62	1.61	1.48	1.53	1.51	1.58	1.58	1.58	1.49	1.49	1.49
清 7	850				1.49	1.48	1.49	1.58	1.57	1.58	1.43	1.41	1.42

　　图 6-1 显示，不同时段及不同库段干容重均有所不同。1965~1973 年下游普遍回淤，干容重明显变小；1974~1986 年干容重较大；1987~1997 年干容重较小，艾山以下河段干容重为历年的最小值。

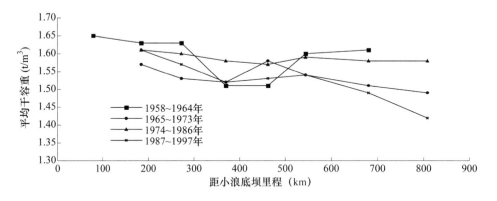

图 6-1　黄河下游各区段平均床沙干容重沿程变化

　　淤积断面床沙的取样，一般均在深槽进行，滩地冲积物样品较少，深槽床沙级配较粗，计算的干容重偏大。按滩槽淤积比 2∶8、4∶6、5∶5 和按小浪底—花园口、花园口—高村、高村—艾山、艾山—利津、利津以下五个区段、四个时段计算的平均干容重和多年平均干容重见表 6-7。由于深槽淤积量占全断面淤积量的 57.5%，经研究决定本次采用滩槽比 5∶5 的平均值，即小浪底—花园口段干容重采用 1.54 t/m³，花园口—高村段干容重采用 1.51 t/m³，高村—利津段干容重采用 1.47 t/m³，利津以下干容重采用 1.43 t/m³。

表 6-7　黄河下游淤积物干容重推荐方案比较　　　　（单位：t/m³）

方案	时段 （年）	小浪底—花园口	花园口—高村	高村—艾山	艾山—利津	利津—以下
公式(6-6) 计算深槽 床沙	1958～1964	1.65	1.63	1.51	1.60	(1.50)
	1965～1973	(1.59)	1.55	1.55	1.52	1.49
	1974～1986	(1.63)	1.60	1.58	1.58	1.58
	1987～1997	(1.61)	1.59	1.53	1.51	1.42
	加权平均	1.62	1.59	1.55	1.55	1.51
滩槽比 2：8 K_1=0.98	1958～1964	1.62	1.60	1.48	1.57	1.47
	1965～1973	1.56	1.52	1.52	1.49	1.46
	1974～1986	1.60	1.57	1.55	1.55	1.55
	1987～1997	1.58	1.56	1.50	1.48	1.39
	加权平均	1.59	1.56	1.52	1.52	1.47
滩槽比 4：6 K_2=0.96	1958～1964	1.58	1.56	1.45	1.54	1.44
	1965～1973	1.53	1.49	1.49	1.46	1.43
	1974～1986	1.56	1.54	1.52	1.52	1.52
	1987～1997	1.55	1.53	1.47	1.45	1.36
	加权平均	1.55	1.53	1.49	1.49	1.44
滩槽比 5：5 K_3=0.95	1958～1964	1.57	1.55	1.43	1.52	1.43
	1965～1973	1.51	1.47	1.47	1.44	1.42
	1974～1986	1.55	1.52	1.50	1.50	1.50
	1987～1997	1.53	1.51	1.45	1.43	1.35
	加权平均	1.54	1.51	1.47	1.47	1.43

6.3　沙量平衡对照分析

6.3.1　各大时段各站系统偏差分析

按方程式(6-3)可计算各大时段各站系统偏差 δ 见表 6-8。各站各年系统偏差见附录 2-5-1～2-5-8。

(1)引沙量差异对系统偏差的影响：三门峡—利津 1960～1964 年影响量为 2.44 亿 t，相对差为 5%。1965～1997 年影响量为 22.64 亿 t，相对差为 9.2%。1965～1997 年艾山、利津如采用引 1 资料将偏大 1.94 亿 t 和 14.24 亿 t，如用引 2 资料将偏小 8.88 亿 t 和 8.39 亿 t，反映了引沙量的影响程度。

表 6-8　黄河下游各站实测悬沙量较三门峡系统偏差统计

项目	时段 (年)	年数	引沙量系列	小浪底	花园口	夹河滩	高村	孙口	艾山	泺口	利津
偏差量 (亿 t)	1950～1960	9	引 1	−2.01	−9.48	−7.13	−6.19	−5.60	−3.81	−8.87	−1.93
			引 2		−9.67	−7.70	−7.12	−6.79	−5.38	−10.44	−3.80
	1961～1964	4	引 1	0.03	−4.00	−8.81	−10.55	−10.30	−10.38	−12.39	−13.05
			引 2		−4.17	−9.06	−10.83	−10.64	−10.85	−12.85	−13.61
	1965～1997	33	引 1	−10.33	−31.15	−23.46	−21.79	−11.52	1.94	−3.07	14.24
			引 2		−33.47	−28.42	−27.71	−20.15	−8.88	−18.67	−8.39
	合计	46	引 1	−12.31	−44.63	−39.39	−38.53	−27.43	−12.26	−24.34	−0.74
			引 2		−47.31	−45.19	−45.66	−37.58	−25.11	−41.96	−25.80
相对偏差 (%)	1952～1960	9	引 1	−1.28	−6.74	−5.27	−4.98	−4.79	−3.38	−8.22	−1.73
			引 2		−6.88	−5.69	−5.73	−5.80	−4.77	−9.68	−3.40
	1961～1964	4	引 1	0.1	−11.88	−24.04	−26.24	−23.90	−23.81	−28.69	−27.99
			引 2		−12.38	−24.72	−26.94	−24.69	−24.89	−28.75	−29.19
	1965～1997	33	引 1	−2.83	−9.41	−7.64	−7.62	−4.24	0.71	−1.20	5.77
			引 2		−10.11	−9.25	−9.59	−7.42	−3.23	−7.32	−3.40
	合计	46	引 1	−2.24	−8.84	−8.22	−8.56	−6.35	−2.84	−5.99	−0.18
			引 2		−9.37	−9.43	−10.14	−8.71	−5.82	−10.33	−6.36

(2)1961～1964 年，系三门峡水库下泄清水或含沙量较小的水流，下游河道普遍冲刷。该时段引沙量三门峡—小浪底基本平衡，花园口站较三门峡偏小 4.00 亿 t，相对差为 −11.9%(引 1)，夹河滩—利津六站均偏小 23.81%～28.69%(引 1)。造成这一现象的原因有二：一是该时段除铁谢—辛寨 143 km 和杨集—官庄 129 km，河段淤积断面分布很密，断面法冲淤量准确度较高外，其他河段淤积断面较少，准确度较低；二是各站悬沙测验方法存在偏小问题，已如前述。

(3)1965～1997 年系统偏差均不超过±10%，其中花园口、夹河滩、高村偏小 9.4%～7.6%；孙口、泺口偏小 4.2%～1.2%；艾山、利津偏大 0.7%～5.77%(引 1)。

6.3.2　不同文献中计算的各站沙量系统偏差对照

表 6-9 对不同文献中计算的水文站悬沙量较三门峡系统偏差 δ 进行了比较。

各文献采用时段虽有差异，但分析的各站系统偏差较为接近。花园口、夹河滩、高村系统偏小达 40 亿 t 左右，相对差为−7%～−9%；艾山、利津偏小 15 亿 t 左右，相对差为−2%～−5%。

6.3.3　实测断面法冲淤量与沙量平衡法计算冲淤量对比分析

根据方程式(6-1)及式(6-2)可计算黄河下游各站区间河段的沙量平衡法冲淤量和综合误差 ΔE，与实测断面法冲淤量对比见表 6-10。为了检查大时段冲淤量的合理性，将同流量水位计算的各水文站之间平均冲淤厚度列入比较(详见附录 2-6-1～2-6-7)。

表 6-9　不同文献中计算的水文站悬沙量较三门峡系统偏差对照

文献	时段(年)	单位	小浪底	花园口	夹河滩	高村	孙口	艾山	泺口	利津
历年资料审查	1952~1990	亿 t	−11.05	−41.86	−38.84	−35.65	−30.39	−17.98	−31.95	−18.93
白皮本	1952~1990	亿 t	−7.71	−40.29	−37.77	−32.1	−26.27	−15.02	−25.80	−7.86
本次计算(引 1)	1952~1997	亿 t	−12.31	−44.63	−39.39	−38.53	−27.43	−12.26	−24.34	−0.74
本次计算(引 2)	1952~1997	亿 t	−12.31	−47.31	−45.19	−45.66	−37.58	−25.11	−41.96	−25.80
历年资料审查	1952~1990	%	−2.2	−8.4	−8.2	−7.9	−7.1	−4.4	−7.8	−4.8
白皮本	1952~1990	%	−1.5	−8.1	−7.6	−6.4	−5.3	−3.0	−5.2	−1.6
熊贵枢	1961~1980	%	−2.0	−8.4	−8.2	−6.8	−6.2	−5.2	−5.7	−3.6
本次计算(引 1)	1952~1997	%	−2.2	−8.8	−8.2	−8.6	−6.4	−2.8	−6.0	−0.2
本次计算(引 2)	1952~1997	%	−2.2	−9.4	−9.4	−10.1	−8.7	−5.8	−10.3	−6.4

表 6-10　实测断面法冲淤量与沙平衡法冲淤量对比　　　　(单位:亿 t)

时段(年)	冲淤量	三门峡—小浪底	小浪底—花园口	花园口—夹河滩	夹河滩—高村	高村—孙口	孙口—艾山	艾山—泺口	泺口—利津	三门峡—利津
1952~1960	断面法	0	9.79	4.66	9.79	7.29	1.72	−0.23	0.98	34.00
	沙平衡法(引 1)	2.01	17.26	2.31	8.85	6.71	−0.07	4.83	−5.97	35.93
	沙平衡法(引 2)	2.01	17.45	2.69	9.21	6.96	0.32	4.83	−5.66	37.81
	$\triangle E_1$(引 1)	−2.01	−7.47	2.35	0.94	0.59	1.79	−5.06	6.95	−1.92
	$\triangle E_2$(引 2)	−2.01	−7.66	1.96	0.58	0.34	1.41	−5.06	6.63	−3.81
	同流量水位差(m)	0.08	0.89	0.80	1.07	1.16	0.29	−0.51	−0.27	
1961~1964	断面法	0	−9.95	−7.96	−5.34	−2.73	−0.76	−1.61	−4.23	−32.58
	沙平衡法(引 1)	−0.03	−5.93	−3.16	−3.59	−2.98	−0.68	0.40	−3.56	−19.53
	沙平衡法(引 2)	−0.03	−5.75	−3.08	−3.57	−2.92	−0.56	0.40	−3.47	−18.98
	$\triangle E_1$(引 1)	0.03	−4.03	−4.81	−1.75	0.25	−0.08	−2.01	−0.66	−13.06
	$\triangle E_2$(引 2)	0.03	−4.20	−4.89	−1.77	0.19	−0.20	−2.01	−0.76	−13.61
	同流量水位差(m)	−0.08	−1.20	−1.26	−0.87	−0.79	−0.40	−0.35	−0.03	
1965~1997	断面法	0	9.52	21.53	16.39	14.97	2.95	4.38	9.30	79.04
	沙平衡法(引 1)	10.33	30.34	13.84	14.74	4.71	−10.52	9.39	−8.02	64.81
	沙平衡法(引 2)	10.33	32.66	16.49	15.69	7.41	−8.31	14.15	−0.96	87.46
	$\triangle E_1$(引 1)	−10.33	−20.82	7.70	1.66	10.26	13.47	−5.01	17.31	14.24
	$\triangle E_2$(引 2)	−10.33	−23.14	5.05	0.71	7.55	11.26	−9.78	10.28	−8.40
	同流量水位差(m)	0.38	1.78	2.44	2.29	3.56	3.07	3.67	2.56	
合计	断面法	0	9.35	18.23	20.85	19.53	3.91	2.54	6.06	80.47
	沙平衡法(引 1)	12.31	41.67	12.99	19.99	8.42	−11.26	14.62	−17.54	81.20
	沙平衡法(引 2)	12.31	44.35	16.10	21.32	11.45	−8.56	19.39	−10.09	106.27
	$\triangle E_1$(引 1)	−12.31	−32.32	5.24	0.86	11.10	15.17	−12.08	23.60	−0.74
	$\triangle E_2$(引 2)	−12.31	−35.00	2.13	−0.47	8.08	12.47	−16.85	16.15	−25.80
	同流量水位差(m)	0.38	1.47	1.98	2.49	3.93	2.96	2.81	2.26	

(1)1952～1960 年小浪底—花园口河段断面法淤积量为 9.79 亿 t，而沙量平衡法淤积量达 17.26 亿 t(引 1)、17.45 亿 t(引 2)，同流量水位升高 0.89 m，是花园口站实测沙量偏小所致。泺口—利津段断面法淤积量 0.98 亿 t，而同流量水位法则冲刷-0.27 m；虽呈定性矛盾，其量很小，而沙量平衡法冲刷量达-5.97 亿 t(引 1)，折合-4.07 亿 m³。按 500 m 冲刷宽，则平均冲刷深可达-4.73 m，显然也是不合理的。孙口—艾山、艾山—泺口段断面法冲淤量和同流量水位冲淤情况相似，但沙量平衡法计算的冲淤量与之呈方向性矛盾。误差△E 值均大于沙量平衡法冲淤量，反映了沙量平衡法冲淤量失真现象。

(2)1961～1964 年花园口河床实验站和位山水库实测淤积断面很密，艾山以上各河段的断面法准确度较高。艾山以下实测断面很少，准确度较低，但断面法冲淤量与同流量水位变化方向完全一致。艾山—泺口段沙量平衡法冲淤量呈方向性矛盾。小浪底—花园口、花园口—夹河滩，实测断面法冲淤量精度较高，而沙量平衡计算的冲刷量较断面法小 4.03 亿 t、4.80 亿 t(引 1)，仅为断面法冲刷量的 50%左右。这与该时段花园口和夹河滩站实测输沙量较小浪底偏小 11.88%和 24.52%有关。高村、孙口、艾山三站较三门峡偏小值基本一致，所以夹河滩—艾山三区段断面法冲淤量与沙平衡法计算冲淤量差异较小。

(3)1965～1997 年，河道淤积断面布设基本完善，实测断面法冲淤量准确度较高。小浪底至花园口断面法淤积量为 9.52 亿 t，而沙平衡法则淤积 30.34 亿 t(引 1)和 32.66 亿 t(引 2)，同流量水位差升高 1.78 m。孙口—艾山间断面法淤积 2.95 亿 t，同流量水位升高 3.07 m，定性一致；沙量平衡法冲刷-8.31 亿～-10.52 亿 t，呈定性矛盾。泺口—利津段断面法淤积 9.30 亿 t，同流量水位升高 2.56 m，定性一致；而沙量平衡法冲刷-0.96 亿～-8.02 亿 t，不符合实际。三门峡—小浪底基本不冲不淤，沙平衡法则淤积了 10.33 亿 t，按河宽 300 m 干容重 1.5 t/m³ 计则段平均淤积厚可达 17.8 m，这完全是各因素综合误差造成的。花园口—夹河滩、夹河滩—高村段由于三站较三门峡偏小数量较为接近，所以综合误差较小。

综上所述，沙平衡量法冲淤量突出失真河段有三门峡—小浪底、小浪底—花园口、孙口—艾山、艾山—泺口、泺口—利津共计五个区段。

6.4　黄河下游典型年沙量平衡对照

选择丰水丰沙的 1964 年、枯水丰沙的 1977 年、枯水平沙的 1992 年，进行上下游沙量平衡对照(见表 6-11)。

(1)1964 年三门峡入库水沙量为 699 亿 m³ 和 30.5 亿 t，出库沙量为 14.8 亿 t，与小浪底平衡差仅为 0.13 亿 t，可以认为出库沙量是可信的。该年黄河下游沿程冲刷剧烈，而夹河滩—利津各站较三门峡偏小量均达 4 亿～5 亿 t，相对差达 25%左右。

花园口—利津各站实测单沙均用 2∶1∶1 定比混合法，而断面输沙率测验用 2∶1∶1 定比混合法的测次占 80%左右。夹河滩站多点法的单断沙关系较 45°线偏右 10%左右，而全部测次点绘的单断沙关系接近 45°线，这说明多点法的单断沙关系较全部测次的单断沙关系大 10%左右。反映了冲刷时段底沙较大，单沙与断沙均 2∶1∶1 定比混合法，漏测底沙的情况大体一致，造成所定单断沙关系虽接近 45°线，但不能反映冲刷时段的真实单断沙关系。

(2)1977 年三门峡站水、沙量为 327 亿 m³ 和 20.8 亿 t，属枯水丰沙年。该年实测断面法冲淤变化是花园口以上冲刷 1.04 亿 t，花园口以下沿程淤积。花园口较三门峡偏小 4.34 亿 t(引 1)，较小浪底偏小 3.65 亿 t，较夹河滩偏小 3.03 亿 t。该年花园口、夹河滩站单沙测次较少，漏测沙峰机遇较多。

(3)1992 年三门峡水、沙量为 264 亿 m³ 和 11.2 亿 t，属枯水平沙年。全下游引沙量为 2.15 亿 t(引 1)和 1.69 亿 t(引 2)，二者相差值 0.46 亿 t。实测断面法全下游淤积 7.14 亿 t，其中高村以上淤积 6.69 亿 t，占 94%。小浪底站、花园口站较三门峡偏大 1.1% 和 1.3%，平衡较好。夹河滩、高村、孙口站较三门峡大 30% 左右，艾山、泺口、利津站较三门峡大 40% 左右。该年与上述各年相比是反常的，原因尚需进一步分析研究。

表 6-11　典型年沙量平衡对照　　　　　　　　　（沙量单位：亿 t）

年份	项目	三门峡	小浪底	花园口	夹河滩	高村	孙口	艾山	泺口	利津
1964	年沙量	14.8	15.1	16.4	17.0	17.5	19.3	19.3	18.8	20.3
	邻站间加沙		0.17	0.62		0	0	0	0	0
	邻站间引沙 1		0	0	0	0	0	0	0	0
	断面法冲淤量			−2.42	−3.28	−1.11	−1.44	−0.12	0.16	−1.95
	沙平衡冲淤量 1		−0.13	−0.68	−0.60	−0.50	−1.80	0	0.50	−1.5
	综合误差 ΔE_1			−1.74	−2.68	−0.61	0.36	−0.12	−0.34	−0.45
	较三门峡偏差 δ_1		0.13	−1.61	−4.29	−4.90	−4.54	−4.66	−5.00	−5.45
	相对偏差(%)		0.9	−9.8	−25.2	−28.0	−23.5	−24.1	−26.6	−26.8
1977	年沙量	20.8	20.2	17.5	14.9	12.9	11.3	10.7	10.3	9.49
	邻站间加沙		0.09	0.09	0	0.01	0	0		
	邻站间引沙 1			−0.19	−0.91	−0.55	−0.57	−0.39	−0.72	−0.92
	断面法冲淤量			−1.04	4.71	2.75	0.74	0.25	0.33	0.76
	沙平衡冲淤量 1			2.61	1.69	1.46	1.03	0.21	−0.32	−0.11
	综合误差 $\triangle E_1$			−3.65	3.03	1.29	−0.29	0.04	0.64	0.87
	较三门峡偏差 δ_1		−0.69	−4.34	−1.31	−0.02	−0.31	−0.27	0.37	1.24
	相对偏差(%)		−3.4	−24.8	−8.8	−0.2	−2.7	−2.5	3.6	13.1
1992	年沙量	11.2	11.4	9.93	7.95	6.38	6.39	6.56	5.28	4.72
	邻站间加沙		0.07	0.01		0				
	邻站间引沙 1			−0.18	−0.25	−0.18	−0.21	−0.32	−0.42	−0.59
	断面法冲淤量			1.30	3.88	0.86	0.09	0.23	0.10	0.03
	沙平衡冲淤量 1			1.30	1.73	1.19	−0.02	−0.49	0.86	−0.03
	综合误差 $\triangle E_1$			0.0	2.15	−0.33	0.12	0.72	−0.77	0.06
	较三门峡偏差 δ_1		0.13	0.13	2.28	1.95	2.07	2.79	2.02	2.08
	相对偏差(%)		1.1	1.3	28.7	29.6	32.4	42.5	38.3	44.1

6.5　几点认识

(1)水文站泥沙测验的主要目的是求得通过断面的输沙数量。沙量平衡法计算的冲淤量包括了各平衡因素综合误差ΔE，当综合误差ΔE很大、与实际冲淤量处于同一数量级时，则所反映的冲淤变化是虚假的。

(2)通过沙量平衡，对三门峡以下各水文站的悬沙测验准确度进行了检验。以三门峡为准，按水文局引沙系列(引1)计算，小浪底、艾山、利津系统误差较小，其值为-0.74亿~-12.3亿t；花园口、夹河滩、高村系统误差最大，其值为-38.5亿~-44.6亿t；孙口、泺口偏小值为23.3亿~27.4亿t，因此就造成了用沙量平衡法计算的小浪底和花园口区间的淤积量特大或冲刷的假象。

(3)两个系列的引沙总量差达25.1亿t，占实测断面法冲淤量74.84亿t的33%，反映了引沙量误差对沙量平衡计算冲淤量的影响也是很大的。当然，沙量平衡法计算的冲淤量，除与引沙量差异有关外，还和计算采用的起始及终了站的测验误差有关。

(4)黄河下游原布置的淤积断面较少，断面法单次测量的区段冲淤量准确度可达70%左右，冲淤量很小时，也会出现方向性矛盾。淤积断面测量误差随着测次增多而减小，因此较长时段冲淤变化量较大时则准确度可达85%~90%，能够较为真实地反映冲淤数量和分布。

(5)用同流量水位法计算的各站之间主槽的冲淤厚度，参加平衡对照，证明了1952~1964年断面法冲淤量定性上合理，也说明了小浪底、花园口区间用沙量平衡计算的冲淤量的失真情况。

第7章 结 语

黄河下游冲淤量无论对黄河治理开发的重大决策，还是对于河床演变、泥沙输移规律等方面的研究，均具有极其重要的作用。课题组研究人员共26人，通过2年的艰苦努力，围绕黄河下游断面法冲淤量提出了大量有价值的成果。在研究过程中，得到了黄委会国科局、黄科院、水文局、河南局、山东局、黄委设计院等单位的关心、支持，同时，科技人员之间的相互配合、不计功利的合作精神，也始终贯穿其中。特别值得一提的是本项目技术负责人龙毓骞教授，身为黄委会前总工程师，H.A 爱因斯坦的学生，无论其行政地位还是在学术领域，都享有很高的声望。在开展项目工作之际，龙总已年近八十，但他不顾花甲高龄，全身心投入课题的研究。他一方面要把握课题的研究思路，协调各单位科技人员的共同攻关；另一方面也亲自参与基本数据的考证、整理、冲淤量的计算等具体工作。他从不计名利的得失，事事关心别人，尤其他对研究项目一丝不苟的精神及注重培养、关心年轻科技人员的科研能力培养的品德，令人由衷的敬佩。课题组成员在研究经费严重不足的情况下，能够齐心团结，兢兢业业，使得项目能够顺利完成，与龙总这种高尚的人格魅力是分不开的。因此，借本书成稿之际，向龙毓骞教授表示由衷的感谢和崇高的敬意。

鉴于黄河河床演变、河道边界条件的复杂性，再加上黄河下游断面间距较大，布设的断面有时难以完全反映河道的地形条件，结合近几年项目研究成果的应用情况，对本项目的研究成果有以下基本认识，供使用时参考。

(1)编制的历年断面数据库资料，经过了翔实的考证，严格的录入校对；断面间距量算方法科学，间距成果合理，可作为河床演变研究、冲淤量计算等方面的基础数据。

(2)开发的黄河下游河道淤积断面资料数据库管理及分析系统(RGTOOLS)，既可用于数据库管理又是计算和分析的工具，功能强大，使用方便。该软件的编制适应了黄河下游河道游荡多变的情况，可用于系统深入地对黄河下游河道冲淤及河床演变进行分析研究，不仅在生产上可以为总结防洪经验、研究小浪底水库运用方式提供依据，而且为全面研究黄河下游河道的平面演变打下了基础，对河流地貌学的发展有重要的意义。

(3)采用体积法计算历年各测次两断面间的冲淤量，方法正确，成果合理。

(4)断面布设密度是控制计算冲淤量准确度的重要因素，但准确度还与实际冲淤量有关，冲淤量很小时计算相对误差较大。在正常情况下黄河下游实测断面法计算的较长时段冲淤量的准确度可达85%以上。单次冲淤量达 0.50 亿 m^3 以上时，其准确度可达70%以上。断面法累积误差小，累积冲淤量增加，则相对误差还会逐渐减小。因此，对于冲淤量较大的河段和时段，断面法冲淤最接近真实的河道冲淤量。

(5)黄河下游的沙量平衡分析说明，一些主要的沙量平衡因子存在很大的不确定性。水文站泥沙测验存在的系统误差，区间引沙量的不确定性和缺少实测的床沙级配及干容重等都将影响沙量平衡计算的可靠性。

(6)断面法及输沙量法计算河道冲淤均有一定的适用性。断面法适用于淤积量较大的情况，特别是断面密度较高，河段内淤积量又较大的情况下，断面法的精度较高。对于长时段累计淤积量较大时，断面法计算的淤积量误差减小。因此，采用断面法累计计算长时段淤积量时，精度会明显提高。在测验条件一定的情况下(断面密度、引沙等)，输沙量差法计算的淤积量误差与河段内的淤积率有关，当淤积率较大时，采用输沙量差法计算淤积量精度较高。即断面法适用于淤积量较大的情况，输沙量差法适用于淤积率较大的情况。

(7)本书中在沙量平衡研究中提出的冲积物或床沙干容重成果、水文站泥沙测验中可能存在的系统误差等成果仅是初步的，但这些问题对研究下游河道防洪及河床演变、水资源利用都很重要。建议在改进黄河下游泥沙测验、灌溉引沙量监测以及干容重等方面另设专题进行研究。

附录 1

附录 1-1 黄河下游断面法冲淤量计算说明

1 RGTOOLS 程序

项目采用的 RGTOOLS 程序既是数据库管理系统又是计算和分析程序。作为管理系统，它具备一般数据管理的功能；作为计算和分析程序，它与目前通用的 Excel 软件的直接结合，为用户提供了极大的便利。这一程序的编制适应了黄河河道测量的实际情况又有一定的通用性。它具有对录入的资料进行纠错、对借用部分进行插补等功能，有套绘断面及计算任一断面的断面要素和任意断面及任意测次间冲淤面积、冲淤量等功能(见附录3)。数据库中输入的资料除实测大断面数据外还有有关资料，如间距表、滩槽位置表、实有断面表、测次日期对照表等。其中，后两表系为计算时参考使用的。

2 分滩槽计算

本次计算分滩槽进行。此处主槽为包括嫩滩及深槽在内的河槽，过流量在 5 000 ~ 6 000 m³/s。滩系指主槽以外的滩地，即二滩以上的滩地。

在分滩槽计算时要确定计算用的滩槽边界，因此在计算前应将滩槽位置表读入数据库管理系统。黄河下游河道的行水河槽游荡摆动，其位置多变，就计算两测次间冲淤量而言，必须采用同一的滩槽位置。如滩槽位置有变化，就应从有变化的测次开始用新的位置重新进行计算。本次对多年资料分滩地和主槽进行计算时，为减少工作量，在河道大断面特征值摘录的基础上简化了滩槽位置表，即尽量使选定的主槽范围少作变动。此外，历年资料中，发生漫溢二滩的大洪水的机会是不多的。滩面发生的变化并不完全是水流冲淤引起的。在简化滩槽位置表以确定计算用的全断面边界时，还可以考虑这一因素。

3 断面间距

计算采用的断面间距系重新自 1972 年及 1994 年的 1/5 万河道地形图上量取的，滩槽分别采用了不同间距，累计距离均自小浪底坝址起算。

4 计算方法

以往计算黄河下游河道冲淤量均采用上下游断面两测次间冲淤面积的平均值乘以间距的方法(简称冲淤面积法)。经研究，本次采用了体积法(或称容积法)，即用某一高程下两断面两测次间所包围的体积的差值计算冲淤量。本法也可用于水库容积的计算。1965 年实行统测以后，测次及采用的断面较稳定，均可用体积法计算各时段的滩槽冲淤量。1960 ~ 1964 年，铁谢—高村河段以及杨集—孙口、孙口—艾山河段还可分时段用这一方法，但高村—杨集及艾山以下河段由于实测断面资料太少，只能用冲淤面积法计算全断面的冲淤量。用体积法计算各时段断面间冲淤量时，滩槽分别采用了不同间距，全断面冲淤量是计算的主槽冲淤量与滩地冲淤量之和。

1951 ~ 1959 年以及 1960 ~ 1964 年实测断面资料较少的河段，在计算中还采用了一些水文水位站的同流量水位差估算的冲淤面积。以及将黄河水利科学研究院泥沙所"1987 黄河下游河床演变基本资料汇编"中 1952 年 10 月 ~ 1960 年 9 月铁谢—夹河滩河段 43

个断面的冲淤总面积分配到各年。分配时参考了小浪底—花园口、花园口—夹河滩两个区间的 1952~1960 年输沙量和区间引沙量数值,计算这两个区间各年输沙量差值所占比例或其他方法得出的冲淤面积。经补充估算的冲淤面积后,减少了由于实测断面间距太大而引起的误差,提高了计算冲淤量的准确性。从计算方法而言,1965 年以后计算的冲淤量可靠性较好。1951~1959 年的计算结果,由于借用的冲淤面积较多,可靠性较差。

本次下游河道冲淤量计算的范围为小浪底—渔洼。渔洼以下属河口三角洲,1964~2000 年计算结果另行列表,1964 年以前资料不全未计算。采用体积法时均以汛期前后测次分时段计算冲淤量。由于测量时间各年不同,特别是汛后测次的日期差异较大,只能大致代表汛期及非汛期的冲淤情况。汛期前测次一般在 5~6 月,流量较小且较稳定。用本年汛前到次年汛前时段接近水文年时段,即本年汛前~本年汛末+本年汛末~次年汛前冲淤量接近水文年的本年冲淤量;用本年汛末到次年汛末时段接近日历年时段,即本年汛末~次年汛前+次年汛前~次年汛末冲淤量接近次年日历年的年冲淤量,以较好地反映一年内的冲淤情况。

5 计算冲淤量

全黄河下游河道 1952~1999 年的冲淤量计算结果约为 63.8 亿 m³,即 90 亿 t 以上。冲淤量的详细计算结果列入附表。其中,20 世纪 50 年代及 60 年代初期有实验资料时,计算采用的断面很多,表中均按现有统测断面进行统计。对测次进行了编号:汛期前测次为×××20,汛期后测次为×××60(×××年份)。

附录 1-2 黄河下游各区段各时段日历年、全断面冲淤量统计

(单位：亿 m³)

时段（处）	三门峡水库运用情况	小浪底—花园口	花园口—夹河滩	夹河滩—高村	高村—孙口	孙口—艾山	艾山—泺口	泺口—利津	利津—渔洼	小浪底—渔洼
1952～1960	自然河道	6.357	3.084	6.482	4.961	1.171	-0.158	0.666	0.093	22.656
1961～1964	三门峡蓄水及滞洪运用	-6.460	-5.274	-3.536	-1.862	-0.519	-1.092	-2.875	-0.120	-21.739
1965～1973	三门峡滞洪运用及改建	5.280	7.919	5.678	4.052	0.939	1.622	3.058	0.540	29.089
1974～1985	三门峡蓄清排浑运用-1	-3.169	-0.521	1.631	3.599	0.474	0.208	0.614	0.045	2.881
1986～1999	三门峡蓄清排浑运用-2	4.288	7.258	3.836	2.788	0.672	1.216	2.843	0.548	23.450
合　计		6.297	12.465	14.091	13.538	2.738	1.796	4.306	1.107	56.338

时段（年）	三门峡水库运用情况	小浪底—花园口	花园口—高村	高村—艾山	艾山—利津	小浪底—利津
1952～1960	自然河道	6.357	9.566	6.132	0.508	22.563
1961～1964	三门峡蓄水及滞洪运用	-6.460	-8.810	-2.381	-3.968	-21.619
1965～1973	三门峡滞洪运用及改建	5.280	13.597	4.992	4.680	28.549
1974～1985	三门峡蓄清排浑运用-1	-3.169	1.110	4.073	0.822	2.836
1986～1999	三门峡蓄清排浑运用-2	4.288	11.094	3.460	4.059	22.902
合　计		6.30	26.56	16.28	6.10	55.23

附录 1-3-1　黄河下游分河段日历年、全断面冲淤量统计　　（单位：亿 m³）

年份	小浪底—花园口	花园口—夹河滩	夹河滩—高村	高村—孙口	孙口—艾山	艾山—泺口	泺口—利津	利津—渔洼	小浪底—渔洼
1952	0.309	0.121	−0.124	−0.018	0.062	−0.106	0.179	0.095	0.517
1953	1.404	1.041	0.303	1.848	0.258	0.005	0.144	0.025	5.028
1954	0.864	0.149	−0.213	1.236	0.257	0.064	−0.212	−0.162	1.982
1955	0.068	0.207	0.751	0.165	−0.036	−0.155	−0.292	−0.005	0.704
1956	0.963	−0.134	0.597	−0.068	−0.022	0.105	−0.038	0.044	1.449
1957	0.517	0.724	1.009	0.275	0.012	−0.248	−0.193	0.023	2.120
1958	0.698	0.598	2.521	0.435	0.234	−0.104	0.117	0.071	4.570
1959	1.376	−0.289	0.925	0.598	0.143	0.127	0.509	0.120	3.509
1960	0.157	0.666	0.712	0.490	0.264	0.154	0.452	−0.118	2.777
1961	−2.839	−2.063	−1.194	0.391	−0.260	−0.375	0.035	−0.019	−6.323
1962	−1.000	−0.846	−1.041	−0.575	0.054	−0.292	−1.009	0.053	−4.657
1963	−1.049	−0.193	−0.563	−0.696	−0.232	−0.537	−0.574	0.091	−3.754
1964	−1.572	−2.172	−0.738	−0.982	−0.081	0.111	−1.326	−0.244	−7.005
1965	1.173	1.628	0.544	0.315	0.008	0.441	1.241	0.156	5.505
1966	−0.070	0.652	0.356	0.534	−0.017	0.060	0.224	0.086	1.826
1967	−0.652	0.140	0.090	0.498	0.162	−0.020	−0.084	0.015	0.149
1968	−0.170	0.099	0.208	−0.061	0.150	0.037	−0.175	−0.091	−0.002
1969	1.752	1.572	0.194	0.170	0.112	0.362	0.735	0.163	5.060
1970	1.934	2.275	1.886	0.999	0.277	0.176	0.223	0.132	7.901
1971	1.287	0.645	0.190	0.449	0.090	0.208	0.300	0.017	3.186
1972	−0.314	−0.110	0.416	0.433	0.117	0.218	0.515	0.017	1.291
1973	0.340	1.018	1.793	0.716	0.040	0.141	0.079	0.046	4.173
1974	−0.467	−0.393	−0.232	−0.109	−0.068	−0.003	0.096	0.043	−1.133
1975	−1.226	−0.402	1.161	1.382	0.175	−0.069	0.447	0.268	1.736
1976	−1.081	−0.846	−0.154	0.814	0.077	0.269	0.327	−0.165	−0.757
1977	−0.674	3.122	1.820	0.500	0.171	0.221	0.517	0.149	5.826
1978	0.130	−0.029	0.217	0.020	0.016	0.056	0.017	0.058	0.486

时段	小浪底— 花园口	花园口— 夹河滩	夹河滩— 高村	高村— 孙口	孙口— 艾山	艾山— 泺口	泺口— 利津	利津— 渔洼	小浪底— 渔洼
1979	1.106	0.121	−0.248	0.118	0.021	0.037	0.065	0.018	1.237
1980	0.290	−0.315	0.234	0.109	0.140	0.146	0.280	−0.016	0.870
1981	−0.926	−0.093	−0.637	0.912	0.023	−0.078	−0.305	−0.175	−1.278
1982	0.081	−0.190	−0.117	0.527	−0.021	−0.046	−0.222	−0.054	−0.041
1983	−0.140	−1.052	0.069	−0.500	−0.059	−0.156	−0.197	−0.097	−2.132
1984	−0.034	−0.163	−0.578	0.033	0.024	0.012	−0.052	0.021	−0.736
1985	−0.229	−0.282	0.095	−0.208	−0.025	−0.182	−0.360	−0.006	−1.197
1986	0.493	0.286	0.186	0.411	0.125	0.356	0.780	0.135	2.772
1987	0.110	0.267	0.073	−0.013	0.069	0.091	0.109	0.061	0.767
1988	1.558	1.233	0.835	0.409	−0.030	−0.147	−0.067	−0.037	3.754
1989	−0.562	0.291	−0.153	0.146	0.080	0.226	0.265	0.041	0.333
1990	−0.117	0.227	0.244	−0.310	0.007	0.109	0.166	0.035	0.360
1991	0.171	0.172	−0.021	0.042	0.069	0.114	0.179	0.087	0.814
1992	0.905	2.572	0.570	0.067	0.160	0.067	0.023	−0.074	4.289
1993	−0.239	−0.710	−0.016	0.270	−0.045	0.107	0.305	0.181	−0.146
1994	0.679	1.359	0.134	−0.078	0.032	0.083	0.245	0.021	2.475
1995	0.339	0.109	−0.119	0.304	0.072	0.095	0.062	−0.007	0.856
1996	0.862	1.036	1.292	0.903	−0.071	−0.195	0.310	0.008	4.144
1997	−0.073	0.036	0.524	0.367	0.116	0.238	0.290	0.046	1.543
1998	−0.022	0.154	0.196	0.185	0.020	−0.046	0.034	0.008	0.529
1999	0.185	0.225	0.092	0.086	0.068	0.117	0.143	0.045	0.960
1952~1960	6.357	3.084	6.482	4.961	1.171	−0.158	0.666	0.093	22.656
1961~1964	−6.460	−5.274	−3.536	−1.862	−0.519	−1.092	−2.875	−0.120	−21.739
1965~1973	5.280	7.919	5.678	4.052	0.939	1.622	3.058	0.540	29.089
1974~1985	−3.169	−0.521	1.631	3.599	0.474	0.208	0.614	0.045	2.881
1986~1999	4.288	7.258	3.836	2.788	0.672	1.216	2.843	0.548	23.450
总计	6.297	12.465	14.091	13.538	2.738	1.796	4.306	1.107	56.338

附录 1-3-2　黄河下游分河段**水文年、全断面**冲淤量统计　　　（单位：亿 m³）

年份	小浪底—花园口	花园口—夹河滩	夹河滩—高村	高村—孙口	孙口—艾山	艾山—泺口	泺口—利津	利津—渔洼	小浪底—渔洼
1952	0.309	0.121	−0.124	−0.018	0.062	−0.106	0.179	0.095	0.517
1953	1.404	1.041	0.303	1.848	0.258	0.005	0.144	0.025	5.028
1954	0.864	0.149	−0.213	1.236	0.257	0.064	−0.212	−0.162	1.982
1955	0.068	0.207	0.751	0.165	−0.036	−0.155	−0.292	−0.005	0.704
1956	0.963	−0.134	0.597	−0.068	−0.022	0.105	−0.038	0.044	1.449
1957	0.517	0.724	1.009	0.275	0.012	−0.248	−0.193	0.023	2.120
1958	0.314	0.018	2.888	0.109	0.185	−0.183	0.012	0.030	3.372
1959	1.536	0.861	1.589	0.830	0.202	0.259	0.531	0.070	5.878
1960	−0.722	−0.135	0.512	0.509	0.247	−0.026	0.545	−0.034	0.897
1961	−2.623	−1.987	−2.122	−0.006	−0.163	−0.244	−0.526	−0.071	−7.743
1962	−0.416	−0.490	−0.756	−0.584	−0.156	−0.201	−0.535	0.069	−3.069
1963	−1.551	−0.696	−0.233	−0.554	−0.135	−0.291	0.291	0.176	−2.994
1964	−0.172	−0.522	−0.510	−0.597	−0.084	0.052	−1.105	−0.223	−3.162
1965	0.499	0.152	0.452	0.176	0.034	0.190	0.361	0.082	1.945
1966	−0.164	0.665	0.448	0.743	−0.015	0.072	0.255	0.085	2.090
1967	−0.269	0.113	0.071	0.126	0.174	0.125	−0.002	0.059	0.397
1968	−0.536	0.735	0.115	0.167	0.097	0.089	0.082	−0.049	0.700
1969	1.198	1.471	0.974	0.227	0.177	0.206	0.351	0.078	4.684
1970	1.595	1.541	0.916	0.967	0.236	0.167	0.351	0.091	5.864
1971	1.149	0.832	0.464	0.695	0.145	0.247	0.379	0.052	3.962
1972	0.221	0.195	0.306	0.149	0.105	0.180	0.289	0.052	1.497
1973	−0.176	0.455	1.713	0.274	−0.062	0.100	0.069	0.004	2.376
1974	−0.396	0.134	−0.293	0.088	0.071	0.067	0.183	0.104	−0.041
1975	−1.460	−1.088	0.951	1.472	0.132	−0.060	0.642	0.241	0.830
1976	−0.702	−0.273	0.229	0.901	0.134	0.167	0.163	−0.175	0.443

年份	小浪底—花园口	花园口—夹河滩	夹河滩—高村	高村—孙口	孙口—艾山	艾山—泺口	泺口—利津	利津—渔洼	小浪底—渔洼
1977	−0.052	3.005	1.667	0.546	0.084	0.192	0.333	0.092	5.866
1978	−0.124	−0.289	0.336	0.175	0.101	0.138	0.217	0.110	0.663
1979	0.738	0.019	0.060	0.233	0.101	0.095	0.122	−0.043	1.326
1980	0.373	0.220	0.132	0.154	0.066	0.045	0.061	−0.006	1.044
1981	−0.422	0.076	−0.363	0.669	0.009	0.043	−0.107	−0.154	−0.250
1982	−0.203	−0.519	−1.206	0.286	−0.040	−0.152	0.170	−0.027	−2.031
1983	−0.227	−1.467	0.248	−0.243	−0.004	−0.070	−0.152	−0.046	−1.961
1984	0.005	0.025	−0.188	−0.202	−0.059	−0.038	−0.101	0.013	−0.543
1985	0.055	0.182	0.036	0.078	0.016	−0.016	−0.022	−0.006	0.323
1986	0.241	0.262	0.364	0.157	0.017	0.081	0.162	0.064	1.348
1987	0.263	0.166	0.078	0.025	0.077	0.092	0.051	0.080	0.831
1988	1.024	0.962	0.614	0.410	0.098	0.106	0.122	−0.044	3.293
1989	−0.630	0.137	0.005	−0.030	0.020	0.051	0.151	0.078	−0.217
1990	0.170	0.454	0.045	−0.232	−0.028	0.185	0.148	0.045	0.787
1991	0.318	0.223	0.253	0.187	0.069	0.015	0.135	0.041	1.241
1992	0.537	1.449	0.402	0.159	0.124	0.142	0.331	0.082	3.226
1993	0.175	0.031	−0.120	−0.104	−0.063	0.008	0.140	0.033	0.100
1994	0.450	1.271	0.360	0.434	0.115	0.140	0.144	0.012	2.925
1995	0.192	0.202	−0.564	0.211	0.018	0.051	0.086	−0.013	0.183
1996	1.008	1.217	2.033	0.701	−0.133	−0.112	0.427	0.000	5.142
1997	0.018	0.157	0.150	0.336	0.151	0.114	0.125	0.045	1.096
1998	−0.039	0.305	0.316	0.228	0.070	0.048	0.094	0.006	1.028
1999	−0.188	0.064	0.099	0.110	0.005	0.070	0.126	0.051	0.336
总计	5.132	12.241	14.794	13.415	2.669	1.810	4.347	1.074	55.483

附录 1-4-1　黄河下游分河段汛前汛末测次间**全断面**冲淤量统计　　（单位：亿 m³）

时段		小浪底—花园口	花园口—夹河滩	夹河滩—高村	高村—孙口	孙口—艾山	艾山—泺口	泺口—利津	利津—渔洼	小浪底—渔洼
195160	195260	0.309	0.121	−0.124	−0.018	0.062	−0.106	0.179	0.095	0.517
195260	195360	1.404	1.041	0.303	1.848	0.258	0.005	0.144	0.025	5.028
195360	195460	0.864	0.149	−0.213	1.236	0.257	0.064	−0.212	−0.162	1.982
195460	195560	0.068	0.207	0.751	0.165	−0.036	−0.155	−0.292	−0.005	0.704
195560	195660	0.963	−0.134	0.597	−0.068	−0.022	0.105	−0.038	0.044	1.449
195660	195760	0.517	0.724	1.009	0.275	0.012	−0.248	−0.193	0.023	2.120
195760	195820	0.219	−0.053	−0.669	0.221	0.055	0.088	0.089	0.036	−0.013
195820	195860	0.479	0.652	3.189	0.214	0.179	−0.192	0.028	0.034	4.583
195860	195920	−0.165	−0.634	−0.302	−0.105	0.006	0.009	−0.017	−0.005	−1.211
195920	195960	1.541	0.345	1.227	0.703	0.137	0.117	0.525	0.124	4.719
195960	196020	−0.004	0.517	0.362	0.127	0.065	0.141	0.005	−0.054	1.159
196020	196060	0.161	0.150	0.350	0.363	0.199	0.013	0.447	−0.064	1.618
196060	196120	−0.883	−0.285	0.162	0.146	0.048	−0.039	0.098	0.030	−0.722
196120	196160	−1.956	−1.778	−1.355	0.245	−0.308	−0.335	−0.064	−0.050	−5.601
196160	196220	−0.667	−0.209	−0.766	−0.252	0.145	0.091	−0.462	−0.022	−2.142
196220	196260	−0.333	−0.638	−0.275	−0.324	−0.091	−0.383	−0.547	0.075	−2.515
196260	196320	−0.084	0.148	−0.481	−0.260	−0.065	0.183	0.012	−0.006	−0.554
196320	196360	−0.966	−0.341	−0.083	−0.436	−0.167	−0.720	−0.586	0.097	−3.200
196360	196420	−0.586	−0.355	−0.150	−0.118	0.032	0.429	0.877	0.079	0.206
196420	196460	−0.986	−1.817	−0.588	−0.864	−0.113	−0.318	−2.203	−0.323	−7.211
196460	196520	0.814	1.295	0.077	0.266	0.029	0.370	1.098	0.100	4.049
196520	196560	0.359	0.333	0.467	0.049	−0.021	0.071	0.143	0.055	1.456
196560	196620	0.140	−0.181	−0.015	0.127	0.054	0.119	0.218	0.027	0.489
196620	196660	−0.209	0.833	0.372	0.408	−0.072	−0.059	0.006	0.058	1.337
196660	196720	0.045	−0.168	0.076	0.336	0.057	0.131	0.249	0.027	0.753
196720	196760	−0.697	0.308	0.014	0.162	0.105	−0.151	−0.333	−0.013	−0.604
196760	196820	0.428	−0.195	0.056	−0.036	0.069	0.276	0.331	0.072	1.001
196820	196860	−0.598	0.294	0.152	−0.025	0.081	−0.239	−0.506	−0.163	−1.003
196860	196920	0.062	0.441	−0.037	0.192	0.017	0.328	0.588	0.113	1.703
196920	196960	1.690	1.131	0.232	−0.022	0.095	0.034	0.147	0.049	3.357
196960	197020	−0.492	0.340	0.742	0.249	0.082	0.172	0.204	0.029	1.327
197020	197060	2.425	1.935	1.143	0.750	0.195	0.004	0.019	0.103	6.574
197060	197120	−0.830	−0.394	−0.227	0.217	0.041	0.163	0.332	−0.012	−0.710
197120	197160	2.117	1.038	0.417	0.233	0.049	0.045	−0.032	0.029	3.897

时段		小浪底—花园口	花园口—夹河滩	夹河滩—高村	高村—孙口	孙口—艾山	艾山—泺口	泺口—利津	利津—渔洼	小浪底—渔洼
197160	197220	−0.967	−0.206	0.047	0.462	0.095	0.202	0.410	0.022	0.066
197220	197260	0.654	0.096	0.369	−0.029	0.022	0.015	0.104	−0.006	1.225
197260	197320	−0.433	0.098	−0.063	0.179	0.084	0.165	0.185	0.057	0.272
197320	197360	0.773	0.920	1.856	0.537	−0.043	−0.024	−0.106	−0.011	3.900
197360	197420	−0.949	−0.464	−0.143	−0.263	−0.019	0.123	0.175	0.015	−1.524
197420	197460	0.482	0.072	−0.089	0.154	−0.049	−0.126	−0.079	0.027	0.391
197460	197520	−0.877	0.063	−0.203	−0.066	0.120	0.193	0.262	0.077	−0.432
197520	197560	0.349	−0.464	1.365	1.448	0.055	−0.263	0.185	0.191	2.168
197560	197620	−1.111	−0.624	−0.414	0.024	0.076	0.203	0.457	0.050	−1.339
197620	197660	0.030	−0.222	0.260	0.790	0.001	0.067	−0.130	−0.215	0.582
197660	197720	−0.732	−0.052	−0.031	0.110	0.133	0.100	0.293	0.039	−0.138
197720	197760	0.058	3.174	1.852	0.389	0.037	0.121	0.224	0.109	5.964
197760	197820	−0.111	−0.168	−0.185	0.156	0.047	0.071	0.109	−0.017	−0.098
197820	197860	0.240	0.139	0.402	−0.136	−0.031	−0.016	−0.091	0.076	0.583
197860	197920	−0.365	−0.428	−0.067	0.311	0.132	0.153	0.308	0.034	0.079
197920	197960	1.471	0.548	−0.182	−0.194	−0.111	−0.116	−0.243	−0.016	1.158
197960	198020	−0.733	−0.529	0.242	0.427	0.211	0.211	0.366	−0.027	0.168
198020	198060	1.023	0.214	−0.007	−0.318	−0.071	−0.065	−0.085	0.011	0.702
198060	198120	−0.650	0.006	0.139	0.471	0.137	0.110	0.147	−0.017	0.343
198120	198160	−0.276	−0.098	−0.776	0.441	−0.114	−0.188	−0.452	−0.158	−1.621
198160	198220	−0.146	0.174	0.413	0.227	0.123	0.230	0.345	0.004	1.371
198220	198260	0.227	−0.364	−0.530	0.300	−0.144	−0.277	−0.566	−0.058	−1.412
198260	198320	−0.430	−0.155	−0.676	−0.014	0.103	0.125	0.397	0.031	−0.619
198320	198360	0.291	−0.898	0.745	−0.486	−0.163	−0.281	−0.594	−0.128	−1.513
198360	198420	−0.518	−0.570	−0.497	0.242	0.158	0.211	0.442	0.082	−0.449
198420	198460	0.485	0.407	−0.081	−0.209	−0.135	−0.199	−0.494	−0.061	−0.287
198460	198520	−0.479	−0.382	−0.108	0.008	0.076	0.161	0.393	0.074	−0.256
198520	198560	0.251	0.100	0.203	−0.216	−0.101	−0.343	−0.753	−0.081	−0.940
198560	198620	−0.195	0.082	−0.167	0.294	0.117	0.327	0.731	0.075	1.263
198620	198660	0.688	0.204	0.353	0.117	0.008	0.029	0.049	0.061	1.509
198660	198720	−0.447	0.057	0.012	0.040	0.009	0.052	0.113	0.003	−0.161
198720	198760	0.557	0.210	0.061	−0.052	0.060	0.039	−0.005	0.058	0.929
198760	198820	−0.294	−0.045	0.017	0.078	0.017	0.053	0.055	0.021	−0.097
198820	198860	1.852	1.278	0.818	0.331	−0.047	−0.200	−0.123	−0.058	3.851

续表

时段		小浪底—花园口	花园口—夹河滩	夹河滩—高村	高村—孙口	孙口—艾山	艾山—泺口	泺口—利津	利津—渔洼	小浪底—渔洼
198860	198920	−0.828	−0.316	−0.204	0.079	0.145	0.307	0.244	0.015	−0.558
198920	198960	0.266	0.607	0.051	0.067	−0.066	−0.080	0.020	0.026	0.891
198960	199020	−0.896	−0.470	−0.046	−0.097	0.086	0.131	0.131	0.052	−1.109
199020	199060	0.779	0.698	0.290	−0.213	−0.080	−0.022	0.035	−0.017	1.469
199060	199120	−0.609	−0.244	−0.245	−0.019	0.051	0.207	0.113	0.062	−0.682
199120	199160	0.780	0.416	0.224	0.060	0.018	−0.092	0.066	0.025	1.496
199160	199220	−0.462	−0.193	0.030	0.127	0.052	0.108	0.069	0.016	−0.254
199220	199260	1.367	2.765	0.540	−0.060	0.108	−0.041	−0.046	−0.090	4.544
199260	199320	−0.830	−1.316	−0.138	0.219	0.016	0.183	0.377	0.172	−1.317
199320	199360	0.591	0.606	0.122	0.051	−0.061	−0.076	−0.072	0.009	1.171
199360	199420	−0.416	−0.575	−0.242	−0.155	−0.002	0.084	0.212	0.023	−1.072
199420	199460	1.095	1.933	0.377	0.077	0.034	−0.001	0.034	−0.003	3.546
199460	199520	−0.645	−0.663	−0.016	0.357	0.081	0.141	0.110	0.015	−0.621
199520	199560	0.984	0.772	−0.103	−0.053	−0.008	−0.046	−0.049	−0.022	1.477
199560	199620	−0.792	−0.570	−0.461	0.263	0.027	0.096	0.135	0.008	−1.294
199620	199660	1.654	1.606	1.752	0.640	−0.097	−0.292	0.175	−0.001	5.438
199660	199720	−0.646	−0.389	0.281	0.061	−0.036	0.180	0.252	0.001	−0.296
199720	199760	0.572	0.425	0.243	0.305	0.152	0.058	0.039	0.045	1.839
199760	199820	−0.555	−0.268	−0.093	0.031	−0.001	0.056	0.086	0.000	−0.743
199820	199860	0.533	0.422	0.289	0.155	0.021	−0.102	−0.053	0.008	1.272
199860	199920	−0.572	−0.117	0.027	0.074	0.049	0.150	0.147	−0.002	−0.244
199920	199960	0.757	0.341	0.065	0.012	0.019	−0.033	−0.005	0.047	1.203
199960	200020	−0.946	−0.277	0.034	0.098	−0.014	0.102	0.130	0.004	−0.868
		5.351	12.188	14.125	13.636	2.724	1.898	4.436	1.110	55.470
195160	196060	6.357	3.084	6.482	4.961	1.171	−0.158	0.666	0.093	22.656
196060	196460	−6.460	−5.274	−3.536	−1.862	−0.519	−1.092	−2.875	−0.120	−21.739
196460	197360	5.280	7.919	5.678	4.052	0.939	1.622	3.058	0.540	29.089
197360	198560	−3.169	−0.521	1.631	3.599	0.474	0.208	0.614	0.045	2.881
198560	199960	4.288	7.258	3.836	2.788	0.672	1.216	2.843	0.548	23.450
195160	199960	6.297	12.465	14.091	13.538	2.738	1.796	4.306	1.107	56.338

附录 1-4-2　黄河下游分河段汛前主槽冲淤量统计

时段		小浪底—花园口	花园口—夹河滩	夹河滩—高村	高村—孙口	孙口—艾山	艾山—泺口	泺口—利津	利津—渔洼	小浪底—渔洼
195160	195260	—	—	—	—	—	—	—	—	—
195260	195360	—	—	—	—	—	—	—	—	—
195360	195460	—	—	—	—	—	—	—	—	—
195460	195560	—	—	—	—	—	—	—	—	—
195560	195660	—	—	—	—	—	—	—	—	—
195660	195760	—	—	—	—	—	—	—	—	—
195760	195820	—	—	—	—	—	—	—	—	—
195820	195860	—	—	—	—	—	—	—	—	—
195860	195920	—	—	—	—	—	—	—	—	—
195920	195960	—	—	—	—	—	—	—	—	—
195960	196020	—	—	—	—	—	—	—	—	—
196020	196060	0.188	0.150	0.358	—	0.176	—	—	—	—
196060	196120	−0.881	−0.285	0.154	—	0.018	—	—	—	—
196120	196160	−1.906	−1.621	−1.355	—	−0.318	—	—	—	—
196160	196220	−0.566	−0.191	−0.639	—	0.052	—	—	—	—
196220	196260	−0.331	−0.637	−0.275	—	−0.096	—	—	—	—
196260	196320	−0.128	0.143	−0.479	—	−0.021	—	—	—	—
196320	196360	−0.937	−0.344	−0.083	—	−0.168	—	—	—	—
196360	196420	−0.557	−0.353	−0.150	—	0.035	—	—	—	—
196420	196460	−0.941	−1.814	−0.592	—	−0.114	—	—	—	—
196460	196520	0.785	1.314	0.181	—	0.069	—	—	0.102	—
196520	196560	0.348	0.316	0.494	0.047	0.010	0.070	0.146	0.051	1.483
196560	196620	0.174	−0.169	−0.069	0.157	0.060	0.115	0.223	0.022	0.513
196620	196660	−0.292	0.827	0.286	0.396	0.122	−0.059	−0.009	0.038	1.309
196660	196720	0.057	−0.166	0.075	0.218	0.066	0.111	0.235	0.023	0.619
196720	196760	−0.577	0.346	0.005	0.196	0.152	−0.150	−0.337	−0.077	−0.443
196760	196820	0.195	−0.506	0.104	−0.028	−0.032	0.276	0.351	0.050	0.412
196820	196860	−0.608	0.288	0.118	−0.087	0.068	−0.239	−0.495	−0.151	−1.105
196860	196920	0.062	0.432	−0.049	0.250	0.015	0.324	0.585	0.104	1.724
196920	196960	1.685	1.112	0.232	−0.058	0.067	0.033	0.144	0.050	3.266
196960	197020	−0.487	0.248	0.615	0.228	0.088	0.203	0.201	0.046	1.141

时段		小浪底—花园口	花园口—夹河滩	夹河滩—高村	高村—孙口	孙口—艾山	艾山—泺口	泺口—利津	利津—渔洼	小浪底—渔洼
197020	197060	2.392	1.931	1.099	0.750	0.134	0.003	0.018	0.033	6.360
197060	197120	−0.834	−0.397	−0.213	0.182	0.050	0.161	0.320	0.048	−0.683
197120	197160	2.105	1.036	0.417	0.209	0.034	0.045	−0.030	0.028	3.843
197160	197220	−0.951	−0.201	0.061	0.467	0.087	0.203	0.411	0.022	0.098
197220	197260	0.644	0.096	0.373	−0.016	0.023	0.015	0.102	−0.006	1.231
197260	197320	−0.435	0.097	−0.010	0.150	0.074	0.165	0.185	0.064	0.289
197320	197360	0.749	0.914	1.672	0.560	−0.053	−0.029	−0.106	−0.015	3.691
197360	197420	−0.947	−0.456	−0.283	−0.061	0.016	0.141	0.206	0.010	−1.374
197420	197460	0.483	0.069	−0.100	0.114	−0.053	−0.124	−0.079	0.028	0.338
197460	197520	−0.886	0.062	−0.171	−0.123	0.114	0.191	0.259	0.061	−0.493
197520	197560	−0.352	−0.464	0.544	0.478	−0.025	−0.311	−0.578	−0.121	−0.829
197560	197620	−1.107	−0.624	−0.409	0.034	0.080	0.205	0.455	0.056	−1.309
197620	197660	0.029	−0.228	0.154	0.198	−0.175	−0.294	−0.653	−0.225	−1.195
197660	197720	−0.733	−0.026	0.009	0.167	0.132	0.107	0.281	0.046	−0.017
197720	197760	0.062	2.773	1.019	0.339	0.042	0.123	0.224	0.111	4.694
197760	197820	−0.108	−0.167	−0.227	0.081	0.029	0.069	0.109	−0.019	−0.233
197820	197860	0.232	0.133	0.374	−0.133	−0.032	−0.016	−0.091	0.078	0.546
197860	197920	−0.365	−0.413	−0.068	0.294	0.143	0.153	0.309	0.036	0.088
197920	197960	1.425	0.545	−0.114	−0.181	−0.113	−0.116	−0.242	−0.016	1.188
197960	198020	−0.736	−0.528	0.175	0.394	0.165	0.211	0.364	−0.028	0.017
198020	198060	1.023	0.214	−0.030	−0.270	−0.072	−0.065	−0.086	0.011	0.725
198060	198120	−0.616	−0.013	0.132	0.432	0.138	0.104	0.105	−0.016	0.265
198120	198160	−0.320	−0.154	−0.730	0.055	−0.163	−0.211	−0.529	−0.152	−2.202
198160	198220	−0.128	0.158	0.350	0.198	0.122	0.230	0.345	0.005	1.279
198220	198260	0.141	−0.362	−0.402	−0.143	−0.191	−0.215	−0.564	−0.054	−1.791
198260	198320	−0.430	−0.225	−0.676	−0.041	0.130	0.131	0.398	0.017	−0.696
198320	198360	0.291	−0.916	0.754	−0.421	−0.168	−0.285	−0.596	−0.131	−1.471
198360	198420	−0.608	−0.580	−0.493	0.191	0.156	0.210	0.442	0.078	−0.603
198420	198460	0.486	0.402	−0.087	−0.174	−0.136	−0.207	−0.494	−0.060	−0.271
198460	198520	−0.479	−0.382	−0.103	−0.018	0.077	0.159	0.395	0.075	−0.276
198520	198560	0.250	0.067	0.191	−0.201	−0.101	−0.343	−0.753	−0.088	−0.978
198560	198620	−0.198	0.080	−0.173	0.242	0.117	0.327	0.730	0.073	1.197
198620	198660	0.688	0.204	0.359	0.155	0.008	0.029	0.049	0.062	1.554
198660	198720	−0.447	0.063	0.012	0.028	0.009	0.052	0.111	0.001	−0.171

时段		小浪底—花园口	花园口—夹河滩	夹河滩—高村	高村—孙口	孙口—艾山	艾山—泺口	泺口—利津	利津—渔洼	小浪底—渔洼
198720	198760	0.557	0.208	0.061	−0.030	0.060	0.039	−0.003	0.059	0.952
198760	198820	−0.294	−0.045	0.017	0.043	0.016	0.053	0.054	0.020	−0.136
198820	198860	1.850	1.275	0.818	0.345	−0.047	−0.200	−0.124	−0.059	3.859
198860	198920	−0.828	−0.342	−0.216	0.077	0.146	0.306	0.293	0.046	−0.518
198920	198960	0.266	0.606	0.051	0.088	−0.066	−0.080	0.021	0.024	0.910
198960	199020	−0.896	−0.457	−0.040	−0.118	0.086	0.131	0.131	0.053	−1.110
199020	199060	0.779	0.714	0.298	0.134	−0.009	−0.068	−0.014	−0.017	1.818
199060	199120	−0.601	−0.280	−0.250	−0.018	0.051	0.187	0.111	0.063	−0.738
199120	199160	0.780	0.416	0.224	0.054	0.018	−0.093	0.066	0.025	1.489
199160	199220	−0.462	−0.193	0.030	0.080	0.052	0.108	0.068	0.016	−0.302
199220	199260	1.389	2.616	0.540	0.023	0.110	−0.041	−0.046	−0.090	4.501
199260	199320	−0.830	−1.373	−0.146	0.091	0.014	0.183	0.377	0.171	−1.513
199320	199360	0.592	0.606	0.122	0.110	−0.062	−0.076	−0.071	0.009	1.231
199360	199420	−0.616	−0.580	−0.277	−0.128	−0.002	0.085	0.211	0.023	−1.284
199420	199460	1.095	1.931	0.378	0.037	0.036	−0.001	0.034	−0.003	3.505
199460	199520	−0.645	−0.663	−0.016	0.269	0.080	0.141	0.111	0.015	−0.708
199520	199560	0.984	0.776	−0.103	−0.001	−0.009	−0.046	−0.049	−0.022	1.531
199560	199620	−0.791	−0.572	−0.461	0.237	0.027	0.096	0.135	0.008	−1.320
199620	199660	1.605	1.651	1.441	0.142	−0.011	−0.212	−0.282	−0.048	4.287
199660	199720	−0.643	−0.473	0.239	0.038	−0.034	0.180	0.253	0.002	−0.437
199720	199760	0.574	0.426	0.246	0.165	0.155	0.063	0.010	0.027	1.666
199760	199820	−0.549	−0.264	−0.022	0.109	−0.002	0.056	0.069	0.000	−0.603
199820	199860	0.548	0.416	0.288	0.082	0.020	−0.102	−0.080	0.008	1.180
199860	199920	−0.572	−0.118	0.025	0.047	0.050	0.150	0.175	−0.002	−0.245
199920	199960	0.757	0.345	0.062	0.090	0.019	−0.037	−0.008	0.046	1.274
199960	200020	−0.945	−0.271	0.035	0.044	−0.013	0.102	0.131	0.003	−0.915
195160	196060	—	—	—	—	—	—	—	—	—
196060	196460	−6.246	−5.102	−3.419	—	−0.612	—	—	—	—
196460	197360	5.011	7.520	5.391	—	1.034	—	—	—	—
197360	198560	−3.395	−1.114	−0.192	1.209	0.117	−0.151	−0.774	−0.299	−4.599
198560	199960	4.090	6.974	3.507	2.390	0.834	1.231	2.332	0.511	21.869
197360	199960	0.695	5.859	3.316	3.600	0.951	1.079	1.558	0.212	17.270

附录 1-5-1　黄河下游各淤积断面测次间**全断面**冲淤量成果

(1951 年 10 月 ~ 1960 年 5 月)　　　　　　　　　　　(单位：亿 m³)

断面名称	195160 195260	195260 195360	195360 195460	195460 195560	195560 195660	195660 195760	195760 195820	195820 195860	195860 195920	195920 195960	195960 196020
小浪底											
铁　谢	0.018 3	0.163 8	0.089 7	0.010 7	0.117 4	0.055 6		0.081 8		0.179 3	0.011 1
下古街		0.054 3	0.029 7	0.003 5	0.038 9	0.018 4		0.027 1		0.059 5	0.003 5
小　集		0.052 9	0.029 0	0.003 5	0.038 0	0.018 0		0.026 5		0.058 0	0.003 3
花园镇		0.028 7	0.015 7	0.001 9	0.020 6	0.009 7		0.014 3		0.031 5	0.002 2
扣　马		0.026 7	0.014 6	0.001 7	0.019 2	0.009 0		0.013 3		0.029 3	0.002 3
塌坡村		0.068 6	0.037 6	0.004 5	0.049 2	0.023 3		0.034 3		0.075 1	0.005 0
于　沟		0.047 3	0.025 9	0.003 1	0.033 9	0.016 0		0.023 6		0.051 8	0.003 5
裴峪(旧)		0.046 9	0.025 7	0.003 1	0.033 6	0.015 9		0.029 3	−0.048 1	0.042 7	−0.013 6
东寺湾		0.051 3	0.028 1	0.003 3	0.036 7	0.017 4		0.032 0		0.046 8	−0.014 6
神　堤		0.054 4	0.029 8	0.003 5	0.039 0	0.018 4		0.027 2		0.059 6	0.004 2
伊洛河口(旧)		0.030 8	0.016 8	0.002 0	0.022 1	0.010 4		0.048 8	−0.076 0	0.044 2	
英　峪		0.072 0	0.039 4	0.004 7	0.051 7	0.024 4		0.093 6		0.097 7	0.010 5
汜水口东		0.121 6	0.066 6	0.007 9	0.087 2	0.041 2		0.060 9		0.133 3	0.009 4
孤柏嘴(旧)		0.068 9	0.037 8	0.004 5	0.049 4	0.023 4		0.010 2	−0.090 6	0.054 4	
石　槽		0.102 8	0.056 3	0.006 7	0.073 7	0.034 8		−0.012 1		0.057 3	0.011 8
枣树沟		−0.002 6	−0.001 4	−0.000 2	−0.001 9	−0.000 9		0.000 1	0.026 2	0.008 3	
官庄峪东		0.023 7	0.013 0	0.001 5	0.017 0	0.008 0		0.013 9	0.021 4	0.050 4	−0.000 8
刘　沟									−0.001 8	0.038 9	
刘沟东									−0.002 9	0.015 0	0.006 2
陈　沟		0.061 0	0.033 5	0.004 0	0.043 7	0.020 7		0.030 5	−0.007 9	0.016 8	0.005 2
寨子峪		0.042 9	0.023 6	0.002 8	0.030 8	0.014 5		0.021 5	−0.021 5	0.017 3	−0.001 2
王　沟		0.030 4	0.016 6	0.002 0	0.021 8	0.010 3		0.015 2	−0.009 5	0.034 3	−0.013 5
张沟西		0.014 0	0.007 7	0.000 9	0.010 0	0.004 7		0.007 0	−0.000 1	0.030 4	−0.005 8
张　沟									0.007 4	0.010 9	
秦厂 2	0.289 9	0.007 0	0.064 7	−0.010 5	−0.009 4	0.007 7	0.228 2	−0.017 4	0.013 6	0.008 5	−0.002 0
薛　沟		0.005 8	0.045 2	−0.007 2	−0.005 8	0.005 7		−0.011 6	−0.002 4	0.030 7	−0.008 7
黄门村										0.030 0	−0.016 5
京广老桥									−0.013 8	0.013 1	−0.000 9
邵　庄		0.072 7	0.039 8	0.004 7	0.052 2	0.006 4	−0.015 5	−0.004 5	0.013 7	0.004 7	0.016 4

续表

断面名称	195160 195260	195260 195360	195360 195460	195460 195560	195560 195660	195660 195760	195760 195820	195820 195860	195860 195920	195920 195960	195960 196020
程　庄		0.032 2	0.017 6	0.002 1	0.023 1	0.005 6		0.004 1		0.003 6	0.004 5
保合寨		0.020 1	0.011 0	0.001 3	0.014 9	0.006 7	-0.001 5	-0.004 1	0.010 0	0.015 2	0.000 9
保合寨东						0.007 4	0.011 6	-0.028 3	0.003 3	0.023 1	-0.001 7
白　庙						0.000 7	0.011 1	-0.030 7	0.008 4	0.028 8	-0.012 3
西牛庄西						0.007 7	-0.003 7	-0.015 5	0.009 6	0.027 7	-0.012 7
小刘庄		0.053 9	0.029 5	0.003 5	0.040 9	0.023 1	-0.004 3	-0.009 0	0.000 6	0.022 4	-0.002 8
后刘西											-0.000 5
东风渠口						0.017 4	0.000 8	-0.005 3	-0.001 9	0.023 0	0.000 3
(9)						0.008 7	0.000 2	-0.004 0	-0.000 4	0.017 1	
李西河西						0.005 1	-0.002 7	0.002 0	-0.001 4	0.022 5	
李西河		0.011 1	0.006 1	0.000 7	0.008 0	-0.000 8		0.003 3	0.000 1	0.007 1	0.001 7
冯　庄						0.002 9	-0.003 5		-0.001 5	0.006 7	-0.000 3
花园口	0.000 7	0.040 8	0.014 6	-0.001 8	0.007 2	0.019 4	-0.001 1	0.000 5	0.001 1	0.014 6	0.001 2
核桃园西						0.009 6	0.002 1	-0.006 6	0.003 4	0.002 0	0.003 1
核桃园东						0.005 3	0.007 8	-0.006 4	-0.004 6	0.001 0	0.006 8
八卦亭						-0.002 7	0.007 1	0.001 8	-0.005 2	0.003 0	0.002 3
东大坝						-0.005 1	0.005 2	0.000 4	0.002 1	0.000 2	-0.000 8
南北堤						-0.003 2	0.002 4	0.000 7	0.003 0	0.001 8	-0.001 9
张兰庄						-0.002 4	0.001 1	0.002 3	-0.000 7	0.009 6	-0.000 4
吴　厂		0.086 5	0.026 2	-0.007 5	0.002 0	0.004 4	-0.005 6	0.006 3	-0.002 8	0.010 4	0.001 1
东六堡						0.002 0	-0.001 4	0.005 5	0.003 6	0.009 2	-0.002 8
七堡东						-0.005 2	0.008 6	-0.002 0	0.006 9	0.003 4	0.002 4
八　堡						-0.003 4	0.007 6	-0.004 1	0.002 1	0.005 1	0.002 2
于庄西						-0.002 1	0.006 1	-0.005 4	0.000 7	0.005 9	-0.000 6
申　庄						0.000 4	0.007 5	-0.006 7	-0.000 4	0.003 3	-0.000 1
石桥西		-0.050 8	-0.019 1	-0.003 5	-0.008 7	0.000 8	0.004 3	-0.008 6	0.003 4	0.007 1	-0.005 0
石桥(豫)						0.003 3	0.000 4	-0.003 8	0.003 2	0.001 6	-0.001 9
刘　窑						0.002 6	0.000 6	0.011 4	-0.004 3	-0.010 9	0.009 2
马　渡						-0.000 4	0.005 1	0.012 4	-0.002 6	-0.011 7	0.008 9
马渡东						-0.003 7	0.007 2	0.004 8	0.003 3	-0.007 9	0.007 0
来童寨		-0.055 7	-0.021 0	-0.003 8	-0.009 6	-0.004 7	0.002 5	0.003 3	0.001 9	-0.001 6	0.003 0
来童寨东										-0.001 2	0.004 8
三坝村										0.010 9	0.003 7
杨桥西										0.006 4	0.004 2
杨桥东										0.021 2	0.003 9

断面名称	195160 195260	195260 195360	195360 195460	195460 195560	195560 195660	195660 195760	195760 195820	195820 195860	195860 195920	195920 195960	195960 196020
永定庄										0.040 9	0.000 2
孙　庄		-0.037 0	-0.014 0	-0.002 6	-0.006 4	-0.044 9		0.038 9		0.026 0	-0.002 7
孙庄东										0.031 3	0.000 2
黄练集										0.036 4	0.003 3
万滩西										0.031 8	0.000 5
万　滩										0.037 4	0.002 9
三刘寨西										0.039 6	0.006 4
三刘寨		-0.044 7	-0.016 9	-0.003 1	-0.007 6	-0.002 1		-0.000 8		0.027 5	0.010 2
刘　庄										0.018 2	0.010 7
六　堡		-0.012 9	-0.004 9	-0.000 9	-0.002 2	-0.000 6		-0.000 2		0.026 0	0.007 8
毛　庵										0.044 1	-0.000 7
辛　庄	-0.065 2	0.006 1	-0.007 1	0.001 2	0.004 7	-0.002 8					
辛　寨		0.025 8	-0.057 0	0.028 7	0.015 4	-0.017 9	0.018 8	0.010 3	0.000 0	0.029 8	0.012 1
黑石(旧)		0.102 6	-0.034 2	0.061 1	0.012 3	-0.012 7		0.002 0	0.183 0		0.096 9
韦城(旧)		0.385 7	0.146 1	0.026 6	0.066 2	0.017 5		-0.010 7	0.000 0		
黑岗口	0.133 9										
柳园口(旧)	0.013 9	0.647 7	0.393 8	-0.019 4	0.000 0	0.023 9	-0.076 7	0.273 7	-0.460 7	-0.131 0	
曹　岗			-0.052 8	0.050 4	-0.127 4	0.478 9	-0.006 2	0.281 2	-0.446 7	-0.039 1	0.276 0
夹河滩	0.038 3	-0.012 4	-0.190 3	0.080 0	-0.072 2	0.289 6	-0.057 6	0.052 0	0.077 6	0.057 3	0.043 6
东坝头(旧)			-0.034 7	-0.071 4	0.124 9	0.076 3				0.000 0	0.060 8
马　寨	-0.022 3	-0.004 7	-0.512 2	0.623 6	0.186 5	0.548 8	-0.753 3	2.006 9	-0.243 7	0.613 8	0.170 6
石头庄2		0.003 0	-0.020 5	0.102 0	0.003 9	0.020 1	-0.050 4	0.149 4	-0.031 2	0.085 6	-0.001 1
杨小寨						0.026 1	0.017 8	0.166 8	-0.023 3	0.000 0	0.025 2
高　村	-0.101 9	0.304 6	0.354 5	0.097 0	0.282 3	0.337 6	0.117 3	0.866 3	-0.003 3	0.527 5	0.106 9
刘庄(水)	0.003 0	0.135 7	0.099 9	0.036 8	0.027 3	0.170 1	0.064 6	0.000 0	-0.000 6	0.082 2	0.041 1
苏泗庄	0.012 8	-0.002 0	0.055 6	0.007 7	-0.004 7	0.003 1	0.005 1	0.407 3	-0.007 5	0.017 3	0.015 5
邢庙(水)					-0.089 3	0.050 0	0.030 2	-0.204 0	-0.000 2	0.271 5	0.006 8
杨　集				0.094 4	-0.061 2	0.039 6	0.072 4	-0.089 3	-0.050 2	0.195 9	0.031 2
孙　口	-0.034 2	1.714 3	1.080 5	0.026 2	0.060 0	0.012 7	0.048 8	0.099 9	-0.046 2	0.135 7	0.032 3
路那里	-0.009 7	0.254 9	0.160 5	-0.001 5	0.043 2	0.020 7			0.006 4	0.052 5	
陶城铺	0.046 3	-0.020 5	0.047 4	-0.016 9	-0.017 5	0.023 6	0.031 2	0.143 8	0.004 5	0.031 4	
位 1											0.055 1
位 2											0.000 3

断面名称	195160 195260	195260 195360	195360 195460	195460 195560	195560 195660	195660 195760	195760 195820	195820 195860	195860 195920	195920 195960	195960 196020
位 3											0.000 3
位 山											0.000 3
位 9											−0.000 1
位 10											−0.000 4
西八里河									−0.004 4	0.023 3	−0.003 2
范坡险工 14									−0.002 6	0.000 5	0.003 6
范坡险工 15									−0.003 5	0.000 7	0.002 9
范坡险工 16									−0.001 7	0.001 2	0.000 2
范坡险工 17									0.000 2	0.000 8	−0.001 3
王 坡									0.001 2	0.000 4	−0.001 1
位 19									0.003 0	0.000 9	−0.001 1
庞 口									0.000 8	0.000 4	0.000 7
南 桥	0.028 3	0.005 4	0.037 3	−0.015 6	−0.033 9	−0.010 0	0.017 2	0.028 7	−0.000 1	0.004 7	0.001 7
北南桥									0.000 8	0.001 1	
于 楼									0.002 2	0.000 5	
前殷庄									0.002 0	0.002 9	0.001 5
殷 庄									0.000 9	0.004 3	0.001 2
铁 杨									0.001 8	0.000 5	
旧 城									−0.000 3	0.000 4	0.000 5
苏 桥									−0.001 7	0.002 3	0.002 3
小桃园									−0.000 1	0.001 7	0.000 5
桃 园									0.000 2	0.001 5	−0.000 7
丁 口									−0.000 1	0.000 9	−0.000 8
汝道口									−0.001 1	0.001 1	0.000 7
艾 山	−0.003 1	0.018 1	0.011 5	−0.002 2	−0.013 7	−0.022 2	0.006 8	0.006 8	−0.000 8	0.000 6	0.000 6
井 圈									0.001 1	0.000 7	
李 坡									0.001 3	0.000 9	
大义屯 1									0.009 3	−0.003 9	

断面名称	195160 / 195260	195260 / 195360	195360 / 195460	195460 / 195560	195560 / 195660	195660 / 195760	195760 / 195820	195820 / 195860	195860 / 195920	195920 / 195960	195960 / 196020
生邓(水)	-0.015 1	0.001 0	-0.002 6							0.000 6	0.000 0
朱 圈 1										0.016 4	0.006 3
潘 庄 1										0.022 7	0.014 8
官 庄	-0.050 7	-0.029 4	0.030 0	-0.060 8	0.007 1	-0.129 1	0.049 6	-0.053 5	-0.049 0	0.028 9	0.019 2
水牛赵				-0.061 7	0.075 3	-0.086 3					
北店子(水)	-0.026 2	0.008 2	0.060 4	-0.019 8	0.019 3	-0.021 4	0.023 8	-0.101 7	0.012 4	0.040 2	0.068 5
泺口(三)	-0.013 5	0.025 0	-0.024 0	-0.012 4	0.003 5	-0.011 6	0.014 5	-0.037 3	0.046 0	-0.002 0	0.035 6
霍家溜	-0.017 2	0.015 7	-0.058 9								
王家梨行				-0.009 5	0.001 4	-0.025 0	0.023 0				
胡家岸(水)	-0.040 0	0.027 3	-0.013 7								
刘家园	-0.018 4	0.013 3	0.010 3	-0.017 7	-0.004 5	-0.013 1	-0.012 4	-0.041 3	0.067 9	0.088 5	0.052 4
马扎子	0.041 7	0.063 2	-0.015 4	-0.091 5	-0.031 7	-0.067 1					
杨 房	0.007 2	0.016 4	-0.004 7	-0.033 4		-0.020 6	-0.002 5	0.121 6	-0.098 1	0.345 3	-0.042 5
清河镇(水)	0.031 1	-0.010 3	-0.005 1		-0.025 4	-0.016 1	0.003 3	0.010 3	-0.011 1	0.034 6	-0.002 4
刘春家(水)	0.092 7	-0.005 4	-0.015 0	-0.120 1	-0.018 4	-0.017 6		-0.019 9	0.001 2	0.027 2	-0.008 9
张肖堂(水)	0.006 9	0.007 8	-0.004 6	-0.012 5	-0.004 2	-0.003 4	0.013 4				
道 旭	0.014 6	0.004 1	-0.010 6	-0.011 5			0.015 4	-0.003 3	-0.014 4	0.017 4	-0.004 7
麻湾(水)	0.019 2	0.003 5	-0.024 8		0.019 2	-0.022 3	0.030 6	-0.020 4	0.005 8	0.000 0	0.008 1
利津(三)	0.040 7	0.008 5	-0.069 9	0.004 7	0.025 9	-0.007 4	0.018 0	-0.018 8	0.032 2	0.012 6	0.003 2
前 左	0.089 3	0.020 3	-0.148 9		0.037 9	0.018 6	0.039 2	0.017 5	0.002 2	0.098 2	-0.035 1
朱家屋子							0.000 4	0.009 4	-0.005 4	0.015 9	-0.010 5
渔 洼	0.005 9	0.004 9	-0.013 4	-0.004 9	0.006 5	0.004 8	-0.003 4	0.007 4	-0.001 4	0.010 1	-0.008 5

附录 1-5-2　黄河下游各淤积断面测次间全断面冲淤量成果

(1960 年 5 月～1965 年 5 月)　　　　　　　　　　　　　　　　　(单位：亿 m³)

断面名称	196020 196060	196060 196120	196120 196160	196160 196220	196220 196260	196260 196320	196320 196360	196360 196420	196420 196460	196460 196520
小浪底										
铁　谢										
下古街	−0.024 4	−0.067 5	−0.116 9	−0.020 9	0.017 5	−0.000 3	−0.040 5	0.015 9	−0.033 9	−0.006 1
花园镇	−0.023 5	−0.124 2	−0.206 4	−0.069 9	−0.026 6	0.003 4	−0.048 4	0.021 3	−0.060 3	0.026 4
马峪沟	0.067 5	−0.206 4	−0.237 8	−0.084 4	−0.02	0.012 2	−0.112 9	0.030 3	−0.212	0.153 1
裴　峪	0.013 5	−0.040 9	−0.152 6	−0.024 2	−0.009 3	0.007 5	−0.084 6	0.013 7	0.019 8	0.030 4
伊洛河口	0.009 5	−0.090 6	−0.269 4	−0.155 9	−0.076 3	0.034 9	−0.062 4	−0.091 8	−0.100 7	0.104 2
孤柏嘴	−0.049 8	−0.241 4	−0.413 5	−0.173 9	−0.082 1	−0.009 8	−0.291 0	−0.089 8	−0.169 1	0.078 0
罗村坡									0.160 3	0.015 0
官庄峪	−0.034 9	−0.106 5	−0.214 0	0.008 3	−0.111 9	−0.085 0	0.005 5	−0.369 7	−0.138 2	0.117 8
秦　厂	0.034 6	−0.037 8	−0.187 7	0.028 3	−0.035 6	0.037 9	−0.111 3	−0.039 6	−0.222 8	0.159 7
花园口	0.168 8	0.032 4	−0.157 8	−0.174 4	0.011 4	−0.084 0	−0.219 9	−0.076 2	−0.229 4	0.135 2
八　堡	0.023 3	−0.112 3	−0.133 5	0.048 7	−0.076 9	0.083 0	−0.144 6	0.016 8	−0.079 6	0.098 7
来童寨	0.073 7	−0.082 5	−0.137 2	0.014 6	−0.063 4	0.000 7	−0.015 9	0.044 4	−0.079 1	0.083 2
辛　寨	0.014 6	−0.063 1	−0.413 9	−0.103 0	−0.076 5	−0.012 3	−0.128 4	−0.028 2	−0.414 8	0.170 5
黑　石	−0.002 3	0.019 7	−0.149 8	−0.071 4	0.000 0	−0.002 2	−0.050 9	−0.066 3	−0.053 2	0.023 2
韦　城	0.034 9	−0.012 8	−0.112 3	−0.123 0	−0.032 6	0.000 5	0.034 4	−0.058 9	−0.368 0	0.258 7
黑岗口	0.089 5	−0.042 2	−0.096 4	−0.089 0	−0.053 0	0.000 9	0.070 0	−0.038 3	−0.396 1	0.339 1
柳园口	−0.007 5	0.013 7	−0.153 6	0.053 3	−0.085 2	0.017 9	0.021 5	−0.065 5	0.010 1	0.064 7
古　城	−0.078 2	0.017 8	−0.204 3	0.070 7	−0.170 9	0.071 8	−0.045 6	−0.095 4	−0.026 9	0.078 3
曹　岗	−0.033 2	−0.008 5	−0.156 1	0.000 0	−0.059 8	0.021 5	−0.060 7	−0.043 2	−0.075 4	0.065 6
夹河滩	0.035 0	−0.014 5	−0.221 2	−0.009 4	−0.019 4	−0.033 4	−0.020 5	−0.020 5	−0.333 9	0.112 5
东坝头	−0.000 5	0.016 0	−0.077 0	−0.005 2	−0.033 6	−0.151 0	0.034 3	−0.048 3	−0.124 2	0.068 3
禅　房								−0.002 3	−0.126 9	−0.028 6
油房寨	0.163 7	0.048 7	−0.335 8	−0.056 8	−0.090 4	−0.237 0	−0.006 4	−0.019 2	−0.112 2	0.060 9
马　寨	0.206 0	−0.011 9	−0.390 8	−0.132 5	−0.058 7	0.130 8	−0.079 0	−0.084 7	−0.151 1	0.112 3
杨小寨	0.028 5	0.016 0	−0.229 1	−0.226 5	−0.026 1	−0.025 3	0.012 9	−0.017 7	−0.030 8	−0.010 2
河　道										
高　村	−0.047 8	0.092 9	−0.322 7	−0.345 3	−0.066 0	−0.198 4	−0.044 4	0.021 9	−0.042 3	−0.125 5
南小堤					−0.047 4	−0.049 3	−0.028 3	0.031 2	−0.054 0	−0.026 6
双合岭	−0.046 8	0.044 0	−0.062 9	−0.021 0	−0.049 7	−0.073 3	−0.001 3	0.021 7	−0.042 7	0.003 1

断面名称	196020 196060	196060 196120	196120 196160	196160 196220	196220 196260	196260 196320	196320 196360	196360 196420	196420 196460	196460 196520
苏泗庄	−0.011 3	0.026 3	0.004 8	−0.010 1	0.004 6	−0.045 9	−0.032 0	0.056 3	−0.115 9	0.087 1
营 房						0.000 0	−0.103 9	0.094 4	−0.180 0	0.084 4
彭 楼					−0.003 0	−0.000 9	−0.027 0	0.001 5	−0.054 0	0.020 3
大王庄								−0.014 3	−0.028 9	0.013 7
史 楼	0.035 9	−0.014 4	0.206 8	−0.105 5	−0.047 0	−0.028 2	−0.035 3	−0.030 9	−0.021 7	0.004 9
徐码头					−0.054 2	−0.018 3		−0.062 6	−0.083 9	0.094 1
于 庄								−0.063 6	−0.018 9	0.017 8
杨 集	0.242 0	0.016 6	0.044 5	−0.087 3	−0.118 7	−0.056 6	−0.164 4	−0.040 2	−0.009 5	−0.047 6
伟那里	0.088 5	0.006 7	−0.013 0	0.002 4	0.037 1	0.007 0	−0.031 2	−0.098 8	−0.061 1	−0.007 6
龙 湾	0.025 5	0.059 0	0.052 8	−0.042 6	−0.012 6	0.016 2	−0.005 4	−0.006 0	−0.111 2	0.023 5
孙 口	0.029 2	0.007 9	0.012 2	0.012 6	−0.032 9	−0.011 1	−0.007 0	−0.006 9	−0.081 6	−0.000 9
梁 集	0.024 8	0.009 8	−0.001 1	0.014 7	−0.010 4	−0.015 7	0.001 6	0.000 0	0.000 0	0.000 0
大田楼	0.036 1	0.003 0	−0.020 7	0.030 8	−0.018 7	−0.016 5	−0.036 9	0.003 1	0.026 3	−0.005 2
雷 口	0.009 2	−0.002 1	−0.001 7	0.006 1	−0.002 8	−0.003 4	−0.025 4			
路那里	0.015 0	−0.008 1	−0.001 7	0.011 9	−0.000 8	−0.006 7	0.000 1	−0.013 4	−0.016 5	0.040 4
十里堡	0.011 0	−0.012 0	−0.016 0	0.006 6	−0.000 7	−0.004 2	−0.006 3	−0.025 0	−0.038 4	0.000 0
白 铺	0.012 5	0.002 7	−0.003 2	−0.008 6	0.000 1	−0.000 3	0.003 7			
邵 庄	0.038 0	0.014 3	−0.016 7	−0.023 6	−0.003 1	−0.002 5	0.006 7	0.026 6	−0.027 0	−0.006 5
李 坝										
陶成铺	0.112 9	0.016 7	−0.085 8	0.029 9	−0.008 7	−0.015 3	−0.015 6	0.029 2	−0.055 6	0.000 0
黄 庄	0.009 2	−0.015 2	−0.011 4	0.007 9	−0.000 5	0.000 0	0.000 0	0.000 0	0.000 0	−0.048 0
位 山	0.000 9	−0.001 1	−0.003 8	0.001 6	−0.001 6	−0.005 5	−0.009 4	0.000 0	0.000 0	0.000 0
阴柳科	−0.026 4	0.009 9	−0.051 5	0.025 9	−0.005 5	0.000 0	0.000 0	−0.021 9	−0.017 1	0.016 0
王 坡	−0.017 1	0.004 8	−0.028 9	0.016 2	−0.014 0	−0.007 1	−0.034 8	0.011 8	0.004 3	0.000 0
南 桥	−0.008 7	0.011 4	−0.008 2	−0.001 4	−0.001 1	0.000 0	0.000 0	0.000 0	0.000 0	0.000 0
殷 庄	−0.007 8	0.009 6	−0.024 5	0.013 3	−0.007 9	0.000 0	0.000 0	0.000 0	0.000 0	0.000 0
艾 山	−0.010 8	0.004 9	−0.032 8	0.013 6	−0.015 0	0.011 9	−0.050 7	0.021 4	0.011 2	0.032 1
大义屯	−0.005 3	0.003 7	−0.042 8	0.000 0	−0.017 3	0.002 1	−0.016 9	0.006 7	−0.018 1	0.029 6
胡溪渡	0.001 4	−0.003 6	−0.020 5							
朱 圈	−0.008 6	−0.009 1	−0.058 4	0.000 0	−0.037 2	0.012 4	−0.039 2	0.023 2	−0.033 8	0.020 9
潘 庄	−0.005 1	0.015 2	−0.014 3	0.000 0	−0.019 1	0.009 6	−0.072 3	0.039 9	−0.025 0	−0.007 5
娄 集	−0.001 4	0.004 8	−0.022 0	0.000 0	0.000 0	0.000 0	0.000 0	0.000 0	0.000 0	0.000 0
官 庄	0.004 9	−0.006 7	−0.002 9	0.000 0	−0.066 8	0.035 8	−0.132 3	0.054 5	−0.047 6	0.001 8
枯 河										
阴 河					−0.114 9	0.068 0	−0.163 7	0.067 8	−0.033 0	0.082 6

续表

断面名称	196020 196060	196060 196120	196120 196160	196160 196220	196220 196260	196260 196320	196320 196360	196360 196420	196420 196460	196460 196520
张　村										
水牛赵					-0.065 7	0.025 2	-0.136 5	0.097 4	-0.032 5	0.116 0
曹家圈					-0.024 8	0.009 7	-0.080 0	0.075 0	-0.043 7	0.064 0
郑家店	0.020 2	-0.044 2	-0.120 1	0.073 2	-0.002 6	0.001 5	-0.011 6	0.009 9	-0.004 2	0.002 5
泺　口	0.006 8	0.000 7	-0.054 4	0.018 0	-0.035 0	0.018 4	-0.067 2	0.054 3	-0.079 6	0.059 9
后张庄						0.004 5	0.004 5	0.024 0	-0.069 2	0.063 6
霍家溜					-0.032 4	0.000 8	-0.021 0	0.004 0	-0.042 9	0.050 6
王家梨行										
传辛庄										
刘家园	0.065 5	0.007 9	-0.051 4	-0.006 6	-0.136 6	0.016 2	-0.104 3	0.038 6	-0.189 5	0.115 8
王家圈										
张　桥										
梯子坝						-0.024 3	-0.073 1	0.051 4	-0.113 7	-0.097 6
董　家										
马扎子										
杨　房	0.222 7	0.054 5	0.023 0	-0.229 9	-0.331 8	-0.027 5	-0.059 6	0.059 4	-0.086 9	-0.059 2
薛王邵	0.034 3	0.008 1	-0.001 5	-0.038 7	-0.023 6	0.011 3	-0.039 9	0.032 3	-0.084 6	0.050 1
齐　冯										
兰　家					-0.002 1	-0.005 3	-0.011 8	0.222 9	-0.677 9	0.184 5
贾　家										
沪　家	0.080 6	0.000 0	-0.011 8	-0.093 5	0.018 6	-0.018 7	0.008 6	0.030 1	-0.135 0	0.074 1
道　旭	0.021 9	-0.004 3	-0.002 2	-0.030 0	-0.005 0	-0.004 0	-0.079 4	0.106 8	-0.134 2	0.096 3
龙王崖										
王旺庄					-0.040 6	0.016 4	-0.109 9	0.192 0	-0.240 7	0.228 4
宫　家	0.030 0	0.010 1	-0.005 0	-0.044 3	-0.015 6	0.018 8	-0.031 1	0.127 6	-0.259 7	0.230 2
张家滩										
利津(三)	-0.008 1	0.022 2	-0.015 1	-0.019 2	0.022 2	0.023 6	-0.069 0	-0.012 3	-0.168 8	0.161 0
王家庄										0.032 9
东　张								0.035 5	-0.235 9	0.004 6
章邱屋子										0.005 6
一号坝	-0.053 4									0.024
前　左		0.022 0	-0.043 1	-0.015 9	0.055 1	0.001 1	0.047 1	0.027 3	-0.050 4	0.019 8
朱家屋子	-0.008 7	0.002 6	-0.004 3	-0.002 4	0.011 5	-0.003 6	0.027 0			0.001 7
渔　洼	-0.001 9	0.005 8	-0.002 1	-0.003 5	0.008 5	-0.003 7	0.022 8	0.016 0	-0.036 8	0.011 8

附录 1-5-3 黄河下游各淤积断面测次间全断面冲淤量成果

(1965 年 5 月～1970 年 5 月) (单位：亿 m³)

断面名称	196520 196560	196560 196620	196620 196660	196660 196720	196720 196760	196760 196820	196820 196860	196860 196920	196920 196960	196960 197020
小浪底										
铁　谢										
下古街	0.001 2	0.015 1	−0.036 6	0.002 9	−0.072 2					
花园镇	−0.018 8	0.019 5	−0.087 6	0.036 6	−0.066 2	−0.010 2	−0.238 7	0.194 3	0.176 5	−0.065 0
马峪沟	−0.041 2									
裴　峪	−0.006 2	0.011 0	−0.173 3	0.101 4	−0.199 6	0.052 9	−0.241 3	−0.022 7	0.402 1	−0.186 8
伊洛河口	0.025 6	−0.014 2	0.050 8	0.025 5	−0.069 5	0.043 4	−0.105 2	−0.150 2	0.315 8	−0.120 7
孤柏嘴	0.130 3	−0.019 4	0.138 9	0.022 1	−0.111 0	0.042 9	−0.022 0	−0.023 7	0.316 5	−0.130 2
罗村坡	0.077 2									
官庄峪	0.031 4	0.019 7	0.037 6	−0.008 1	−0.242 3	0.072 1	−0.052 3	0.019 2	0.220 2	−0.094 4
秦　厂	0.023 5	0.050 8	−0.093 7	−0.052 0	−0.163 8	0.094 6	−0.004 2	0.027 3	0.135 6	−0.006 3
花园口	0.136 3	0.057 2	−0.045 5	−0.083 3	0.227 7	0.132 6	0.065 4	0.017 9	0.123 3	0.111 8
八　堡	0.072 8	0.002 7	0.109 1	−0.009 5	0.079 1					
来童寨	0.068 8	−0.011 0	0.076 6	−0.043 6	0.041 4	0.075 2	0.178 0	0.017 9	0.121 8	0.074 0
辛　寨	0.077 9	−0.015 2	0.078 3	−0.129 1	0.230 9	−0.250 5	0.190 4	0.127 3	0.246 6	−0.023 7
黑　石	0.044 7	−0.030 5	0.024 4	0.031 6	0.047 6	−0.066 8	0.008 8	0.044 0	0.103 6	0.006 0
韦　城	−0.004 7	0.018 5	0.133 2	0.040 8	0.046 0	−0.054 4	0.079 2	−0.021 7	0.177 6	0.009 2
黑岗口	−0.139 8	0.003 6	0.142 5	−0.014 8	−0.008 4	0.014 5	0.037 3	−0.024 3	0.144 2	0.037 0
柳园口	−0.025 4	−0.061 4	0.102 5	−0.009 1	−0.017 8	0.056 2	−0.040 0	0.039 3	0.082 3	0.045 9
古　城	0.089 2	−0.086 9	0.076 9	−0.007 0	0.004 5	−0.035 7	−0.062 6	0.104 6	0.137 9	0.017 0
曹　岗	0.055 1	0.001 3	0.040 0	−0.019 1	−0.030 9	−0.020 0	−0.057 1	0.078 0	0.086 6	0.076 7
夹河滩	0.094 5	−0.002 1	0.049 8	−0.008 4	−0.084 0	0.086 2	−0.039 9	0.076 1	0.030 5	0.097 6
东坝头	0.049 5	0.053 2	0.098 9	−0.035 2	−0.019 2	0.030 7	0.046 9	0.039 2	−0.001 5	0.043 8
禅　房	0.007 4	0.063 1	0.100 9	−0.037 6	0.033 8	−0.010 4	0.025 1	0.022 2		
油房寨	0.015 9	0.047 3	0.068 3	−0.024 7	0.074 5	−0.012 4			−0.028 7	0.235 1
马　寨	0.073 8	0.009 8	−0.020 4	0.057 1	−0.063 9	0.000 9	−0.016 4	0.119 7	0.020 6	0.181 0
杨小寨	0.122 9	−0.037 3	0.026 1	0.027 7	−0.015 1	−0.003 4	0.058 5	−0.032 6	0.065 4	0.105 1
河　道						0.031 7	0.030 7	−0.148 0	0.137 9	0.150 8
高　村	0.197 3	−0.151 4	0.097 8	0.088 7	0.004 2	0.019 3	0.007 2	−0.037 9	0.038 1	0.026 6
南小堤	0.017 5	−0.008 0	−0.005 3	0.054 8	−0.013 2	0.000 3	0.007 5	0.008 1	0.011 4	−0.014 8
双合岭	0.000 2	0.048 7	−0.005 6	0.053 9	0.001 7	0.002 2	−0.026 4	0.005 6	−0.004 0	0.005 7
苏泗庄	0.008 9	0.026 2	−0.023 2	0.024 9	0.006 7	0.021 7	−0.064 8	0.029 0	0.002 3	0.016 7
营　房	0.055 1	−0.040 5	0.036 5	0.071 8	0.007 7	0.020 1	−0.079 4	0.080 5	0.015 8	0.011 5

断面名称	196520 196560	196560 196620	196620 196660	196660 196720	196720 196760	196760 196820	196820 196860	196860 196920	196920 196960	196960 197020
彭　楼	0.009 7	−0.008 2	0.049 2	0.031 6	0.014 2	−0.011 2	0.011 5	0.007 4	0.003 8	0.014 5
大王庄	−0.000 2	0.012 9	0.040 8	0.013 0	0.021 9	−0.008 9	0.010 8	−0.012 0	0.010 4	0.027 6
史　楼	−0.002 2	0.006 8	0.076 6	−0.002 8	0.078 2	0.009 9	−0.027 3	0.011 4	0.006 8	0.056 8
徐码头	−0.103 7	0.045 2	0.064 0	0.015 5	0.103 6	−0.047 5	0.013 3	0.016 1	0.003 7	0.049 9
于　庄	−0.055 8	0.029 0	0.040 7	0.031 1	0.041 4	−0.042 8	0.039 3	0.001 9	−0.023 6	−0.013 3
杨　集	0.073 6	0.009 5	0.071 8	−0.001 7	−0.030 3	−0.003 1	0.022 0	0.039 8	−0.047 3	0.012 6
伟那里	0.036 9	0.001 3	0.048 9	−0.002 3	−0.060 1	0.006 1	0.028 3	0.026 7	−0.017 2	0.046 7
龙　湾	−0.008 5	−0.003 2	0.004 1	0.022 9	−0.004 6	0.014 0	0.030 8	−0.018 4	0.007 9	0.021 3
孙　口	0.017 4	0.006 9	0.009 3	0.023 0	−0.005 3	0.002 7	0.009 8	−0.004 4	0.008 3	0.013 9
梁　集										
大田楼	−0.011 1	0.016 0	−0.022 6	0.025 9	0.049 3	0.007 0	0.009 0	0.012 8	0.023 9	−0.003 2
雷　口										
路那里	−0.003 5	0.005 6	−0.055 4	0.004 8	0.037 8	−0.006 0	0.023 0	0.008 7	0.010 1	−0.019 1
十里堡	0.002 2	0.003 9	−0.035 3	0.007 1	0.000 2	0.006 8	0.020 9	−0.005 5	0.005 4	−0.004 4
白　铺										
邵　庄	−0.001 4	0.008 6	−0.000 4	0.015 0	−0.004 0	0.005 3	0.007 5	−0.005 4	0.010 3	0.015 0
李　坝										
陶成铺	0.008 6	−0.002 2	0.020 5	0.004 5	0.024 7	0.004 8	0.000 7	0.013 6	0.016 5	0.017 5
黄　庄	0.000 5	0.000 5	0.000 5	0.001 5	0.005 7	0.005 8	−0.007 7	0.009 1	0.001 3	0.003 8
位　山	0.000 7	0.004 5	−0.007 8	0.006 2	−0.004 6	0.006 9	−0.014 0	0.016 3	0.000 6	0.007 1
阴柳科	0.000 7	0.001 9	0.002 9	0.006 8	−0.009 7	0.003 5	−0.005 0	0.011 6	0.003 5	0.009 7
王　坡	−0.004 7	0.004 5	0.012 2	0.002 6	−0.003 2	0.005 1	0.016 5	−0.013 2	0.007 6	0.012 1
南　桥	−0.003 8	0.003 0	0.004 9	−0.003 9	0.002 5	0.012 8	0.013 1	−0.015 3	0.003 5	0.017 2
殷　庄	−0.005 2	0.002 1	0.003 9	−0.006 2	0.002 3	0.009 9	0.011 7	−0.012 7	0.003 5	0.010 8
艾　山	−0.003 7	0.006 0	0.005 1	−0.007 3	0.003 8	0.007 5	0.005 3	−0.003 5	0.009 0	0.015 0
大义屯	0.005 9	0.002 8	0.005 8	0.005 9	0.003 7	0.012 1	−0.016 7	0.018 5	0.008 8	0.014 2
胡溪渡	0.002 5	0.002 0	0.002 4	0.004 7	−0.002 4	0.013 8	−0.018 4	0.014 1	0.004 9	0.006 3
朱　圈	0.002 0	0.007 0	−0.009 7	0.008 0	−0.011 7	0.021 7	−0.034 6	0.034 6	0.002 5	0.008 2
潘　庄	0.009 1	0.002 0	−0.014 4	0.018 7	−0.014 0	0.026 9	−0.048 8	0.061 0	0.002 9	0.013 2
娄　集	0.011 9	0.003 7	−0.007 2	0.017 1	−0.006 1	0.025 1	−0.044 8	0.063 4	0.006 2	0.008 1
官　庄	0.005 3	0.010 9	−0.011 9	0.008 8	−0.017 6	0.026 4	−0.030 4	0.035 5	0.003 0	0.009 9
枯　河	0.008 8	0.013 6	−0.014 8	0.020 4	−0.025 6	0.032 8	−0.013 3	0.013 9	0.002 2	0.015 6
阴　河	0.003 0	0.026 5	−0.022 3	0.015 5	−0.025 3	0.036 8	−0.014 9	0.021 1	−0.001 1	0.018 8
张　村	−0.002 2	0.022 0	0.001 7	−0.006 4	−0.013 5	0.024 8	0.009 7	−0.001 3	−0.005 2	0.026 1
水牛赵	0.002 7	0.005 4	0.004 5	0.001 4	−0.001 9	0.006 2	0.006 6	−0.000 9	−0.001 0	0.004 2

断面名称	196520 196560	196560 196620	196620 196660	196660 196720	196720 196760	196760 196820	196820 196860	196860 196920	196920 196960	196960 197020
曹家圈	0.010 7	0.009 3	−0.001 8	0.011 2	−0.019 1	0.020 8	−0.031 8	0.047 0	0.000 0	0.015 9
郑家店	0.007 6	0.002 2	0.010 4	0.015 8	−0.010 5	0.010 8	0.006 0	0.000 0	0.004 2	0.026 9
泺 口	0.003 8	0.011 6	−0.001 8	0.009 8	−0.006 9	0.018 0	−0.007 8	0.021 1	0.006 2	0.004 9
后张庄	−0.000 3	0.016 6	−0.013 3	0.010 9	−0.013 2	0.024 6	−0.037 2	0.042 6	0.011 1	−0.010 0
霍家溜	−0.006 4	0.023 9	−0.018 7	0.018 2	−0.018 3	0.024 3	−0.030 7	0.035 9	0.006 6	0.012 0
王家梨行	−0.003 9	0.027 7	−0.023 3	0.019 5	−0.021 9	0.029 3	−0.047 3	0.065 5	0.002 0	0.034 6
传辛庄	0.006 1	0.009 8	0.018 8	0.004 1	0.014 1	−0.003 5	0.012 9	−0.005 5	0.009 0	0.025 3
刘家园	0.004 2	0.010 3	0.006 5	0.000 5	0.001 5	0.004 4	−0.009 6	0.015 0	0.001 0	0.006 6
王家圈	0.008 7	0.014 1	0.006 7	0.009 2	−0.016 3	0.023 9	−0.048 9	0.062 4	0.003 9	0.002 1
张 桥	0.002 2	0.006 4	−0.006 3	0.015 4	−0.007 8	0.011 1	−0.023 3	0.033 4	0.004 4	0.001 5
梯子坝	0.008 1	0.009 4	−0.004 0	0.016 5	−0.003 3	0.011 0	−0.019 0	0.029 4	0.003 4	0.003 2
董 家	0.015 8	0.008 4	0.008 3	0.012 9	−0.002 3	0.010 3	−0.009 4	0.002 1	0.007 8	0.011 8
马扎子	0.017 6	0.008 9	−0.004 6	0.012 4	−0.012 4	0.017 1	−0.029 5	0.020 5	0.001 6	0.013 5
杨 房	0.004 7	0.004 8	0.011 2	0.010 2	−0.019 5	0.017 6	−0.018 1	0.025 9	0.008 0	−0.002 2
薛王邵	−0.001 5	0.013 8	0.006 8	0.023 1	−0.048 6	0.010 0	0.025 9	−0.007 2	0.025 1	0.012 3
齐 冯	0.001 3	0.013 7	0.003 2	0.014 5	−0.016 8	−0.005 5	0.017 2	−0.011 0	0.010 7	0.018 8
兰 家	0.003 0	0.005 3	0.010 8	0.005 7	−0.003 5	0.004 2	−0.013 2	0.010 5	0.006 6	0.011 0
贾 家	0.001 7	−0.001 2	0.010 5	−0.000 9	−0.007 1	0.008 0	−0.013 1	0.010 3	0.007 0	0.011 2
沪 家	0.011 0	0.000 2	0.023 1	0.003 5	−0.022 4	0.016 8	−0.025 7	0.024 1	0.008 7	0.025 7
道 旭	0.007 6	0.001 7	0.004 6	0.006 7	−0.018 2	0.019 1	−0.035 1	0.040 7	−0.002 5	0.010 5
龙王崖	0.010 0	0.004 6	0.000 2	0.003 3	−0.026 4	0.027 0	−0.041 4	0.044 3	0.003 6	0.007 5
王旺庄	0.004 4	0.004 7	−0.003 9	0.004 4	−0.012 8	0.011 3	−0.020 3	0.020 5	0.003 5	0.001 2
宫 家	0.010 8	0.019 1	−0.025 7	0.026 8	−0.041 8	0.037 3	−0.087 1	0.088 9	0.007 0	−0.000 3
张家滩	0.017 9	0.009 6	−0.005 5	0.016 3	−0.018 8	0.016 0	−0.031 4	0.027 0	0.007 3	0.001 4
利津(三)	0.020 1	0.006 1	0.000 8	0.015 6	−0.017 4	0.016 5	−0.021 5	0.012 7	0.011 3	0.006 5
王家庄	0.009 2	0.012 1	−0.011 3	0.013 6	−0.032 4	0.033 1	−0.064 3	0.063 3	0.014 4	−0.001 9
东 张	0.014 9	−0.001 0	0.009 6	−0.002 7	−0.019 9	0.018 7	−0.029 1	0.026 0	0.011 1	−0.000 1
章邱屋子	0.023 2	−0.004 9	0.024 0	−0.003 4	−0.002 3	0.002 5	−0.007 3	−0.004 8	0.009 9	0.009 2
一号坝	0.007 8	0.002 4	0.011 1	0.005 3	0.009 1	−0.002 3	−0.019 3	0.009 6	0.002 0	0.007 7
前 左	−0.001 2	0.010 2	0.010 1	−0.001 1	0.022 0	−0.001 1	−0.011 4	0.001 0	−0.000 2	0.010 1
朱家屋子	−0.003 0	0.010 7	0.006 2	0.004 1	0.015 5	0.001 6	−0.005 6	−0.002 4	0.002 9	0.005 2
渔 洼	0.004 2	−0.002 2	0.008 6	0.011 3	−0.004 6	0.019 5	−0.025 5	0.020 7	0.009 1	−0.001 0

附录 1-5-4　黄河下游各淤积断面测次间**全断面**冲淤量成果

（1970 年 5 月～1975 年 5 月）　　　　　　　　　　　　　（单位：亿 m³）

断面名称	197020 197060	197060 197120	197120 197160	197160 197220	197220 197260	197260 197320	197320 197360	197360 197420	197420 197460	197460 197520
小浪底										
铁　谢										
下古街	0.060 1	0.012 2	0.052 7	−0.031 8	0.034 9	−0.032 7	−0.016 7	−0.043 9	0.021 0	−0.038 5
花园镇	0.225 2	−0.086 5	0.162 5	−0.081 6	0.061 9	−0.072 7	0.002 9	−0.103 0	0.052 8	−0.081 2
马峪沟	0.362 3	−0.234 6	0.392 6	−0.134 4	0.095 4	−0.074 7	−0.007 1	−0.071 6	0.061 5	−0.134 3
裴　峪	0.154 6	−0.126 9	0.226 1	−0.049 5	0.060 5	−0.044 6	−0.012 8	−0.000 7	0.015 3	−0.053 9
伊洛河口	0.230 8	−0.164 5	0.344 9	−0.102 2	0.128 4	−0.105 7	0.040 6	0.004 9	0.045 5	−0.063 8
孤柏嘴	0.258 0	−0.036 0	0.279 2	−0.164 2	0.128 1	−0.134 7	0.085 2	0.030 0	0.014 0	−0.020 7
罗村坡	0.267 2	0.016 8	0.136 3	−0.140 9	0.104 6	−0.059 3	0.026 0	0.018 0	0.004 4	−0.083 3
官庄峪	0.233 6	−0.016 0	0.098 0	−0.132 9	0.084 1	−0.019 9	0.062 1	−0.066 4	0.049 6	−0.170 3
秦　厂	0.317 8	−0.103 4	0.205 7	−0.120 0	0.013 9	0.013 3	0.259 2	−0.339 2	0.108 6	−0.189 1
花园口	0.315 5	−0.091 0	0.218 7	−0.010 0	−0.058 1	0.097 9	0.333 6	−0.376 5	0.108 8	−0.042 2
八　堡	0.143 0	−0.013 7	0.044 2	0.038 2	−0.016 1	0.022 0	0.139 2	−0.118 3	0.033 4	−0.062 9
来童寨	0.159 0	−0.007 6	0.027 7	−0.008 0	0.032 8	−0.038 1	0.081 9	−0.087 8	0.026 2	−0.026 8
辛　寨	0.332 4	−0.030 8	0.175 6	−0.164 0	0.118 4	−0.033 0	−0.042 5	−0.071 8	0.109 3	0.049 3
黑　石	0.150 7	−0.046 8	0.093 6	−0.043 0	0.021 4	0.017 4	−0.023 1	−0.016 0	0.036 9	0.012 9
韦　城	0.303 6	−0.057 7	0.088 8	0.078 6	−0.045 2	0.043 1	0.070 9	−0.025 2	0.020 9	−0.006 0
黑岗口	0.196 1	−0.019 3	0.052 4	0.060 8	−0.032 4	0.036 4	0.056 6	−0.010 8	−0.034 6	0.043 5
柳园口	0.151 0	−0.017 2	0.056 2	−0.037 8	0.025 3	0.022 8	0.046 8	−0.024 6	−0.065 5	0.063 8
古　城	0.224 8	−0.041 5	0.199 4	−0.065 8	0.031 8	0.009 3	0.222 8	−0.100 2	−0.036 5	0.019 4
曹　岗	0.159 7	−0.078 6	0.185 9	−0.027 3	−0.009 2	−0.001 6	0.215 9	−0.033 5	0.004 1	−0.029 3
夹河滩	0.114 7	−0.080 5	0.114 5	−0.037 8	−0.030 5	0.020 1	0.151 1	0.023 6	−0.022 5	−0.001 2
东坝头	0.087 4	−0.009 9	0.032 6	−0.021 6	0.003 6	−0.037 8	0.180 9	0.027 1	−0.031 0	0.024 2
禅　房			0.006 1	0.027 7	0.000 4	−0.035 7	0.203 7	−0.003 7	0.012 2	−0.013 2
油房寨	0.340 7	−0.117 7	0.061 4	0.134 8	−0.002 2	0.025 3	0.329 9	−0.011 0	−0.006 5	−0.039 1
马　寨	0.421 5	−0.184 6	0.165 3	0.026 7	0.108 6	0.065 4	0.371 8	−0.000 9	−0.086 6	−0.001 1
杨小寨	0.198 1	−0.023 7	0.068 3	−0.057 0	0.093 9	−0.003 6	0.334 2	−0.037 0	−0.023 0	−0.029 8
河　道	0.033 2	0.088 3	0.063 9	−0.070 5	0.111 0	−0.064 2	0.368 0	−0.069 9	0.019 6	−0.074 4
高　村	0.062 3	0.020 7	0.019 5	0.007 0	0.060 6	−0.012 1	0.067 1	−0.047 6	0.026 0	−0.070 0
南小堤	0.066 2	0.011 2	−0.003 7	0.045 9	0.017 2	0.003 9	0.036 0	−0.010 1	0.009 0	−0.030 5
双合岭	0.099 4	0.007 2	0.019 7	0.066 7	−0.009 2	0.005 6	0.091 9	−0.028 2	0.039 5	−0.012 5
苏泗庄	0.069 2	−0.004 8	0.016 8	0.036 1	−0.023 5	0.011 5	0.043 4	−0.021 8	0.015 6	−0.004 8
营　房	0.040 0	0.014 0	0.006 7	0.017 7	−0.026 1	0.016 2	0.014 9	−0.039 4	0.042 6	0.032 0

断面名称	197020 197060	197060 197120	197120 197160	197160 197220	197220 197260	197260 197320	197320 197360	197360 197420	197420 197460	197460 197520
彭　楼	0.016 2	0.010 7	0.016 6	0.008 8	−0.005 5	0.010 6	0.022 1	−0.019 0	0.020 8	0.021 1
大王庄	0.030 6	0.006 5	0.020 1	0.021 7	0.003 2	0.012 0	0.024 2	−0.024 5	−0.002 3	0.023 1
史　楼	0.045 1	0.032 5	0.018 3	0.033 4	−0.002 4	0.016 3	0.029 7	−0.026 4	−0.008 7	0.025 9
徐码头	0.032 2	0.053 2	0.021 2	0.043 1	0.006 2	0.010 5	0.082 6	−0.027 1	0.007 7	−0.042 3
于　庄	0.081 4	0.039 9	0.024 7	0.058 7	0.012 0	0.013 2	0.102 0	−0.007 5	0.022 7	−0.092 8
杨　集	0.143 1	0.017 7	0.032 6	0.045 2	−0.003 3	0.025 0	0.065 2	−0.004 4	0.007 7	−0.034 6
伟那里	0.092 1	0.010 6	0.023 6	0.054 0	−0.004 0	0.019 1	0.017 0	−0.033 1	−0.001 1	0.021 3
龙　湾	0.023 0	0.006 2	0.021 7	0.027 6	−0.000 1	0.018 3	0.009 3	−0.015 9	0.001 4	0.014 6
孙　口	0.011 4	0.011 9	0.014 6	0.002 9	0.006 0	0.016 6	−0.001 3	−0.005 1	−0.000 8	0.013 0
梁　集										
大田楼	0.054 0	−0.002 1	0.013 4	0.013 1	0.005 6	0.016 4	−0.001 3	−0.020 2	0.000 5	0.010 0
雷　口										
路那里	0.039 6	−0.000 7	0.006 7	0.008 5	−0.002 2	0.008 5	−0.018 5	−0.012 1	−0.015 3	0.029 1
十里堡	0.017 4	0.006 1	0.007 2	0.004 5	0.000 6	0.007 2	−0.012 9	−0.003 2	−0.009 4	0.016 8
白　铺										
邵　庄	0.005 6	0.007 6	0.004 9	0.008 3	0.004 3	0.005 4	0.000 6	−0.008 9	0.007 0	−0.005 8
李　坝										
陶成铺	0.040 1	0.001 7	−0.003 7	0.022 9	0.011 9	0.008 7	−0.025 7	−0.005 5	−0.006 7	0.031 1
黄　庄	0.006 7	0.000 1	−0.001 2	0.003 6	0.002 3	0.002 0	−0.003 1	0.001 1	−0.002 4	0.005 7
位　山	0.001 0	0.002 3	−0.001 2	0.003 9	0.000 8	0.003 2	−0.001 5	0.003 0	−0.002 8	0.004 7
阴柳科	0.005 3	0.003 5	0.001 9	0.002 5	0.000 7	0.005 6	−0.000 1	0.003 0	−0.005 0	0.006 3
王　坡	0.006 4	0.006 7	0.008 7	−0.000 5	0.002 8	0.005 7	0.005 3	0.003 2	−0.003 8	0.003 1
南　桥	0.003 3	0.004 3	0.010 4	0.000 6	0.003 1	0.001 3	0.008 7	0.003 2	−0.002 2	0.004 9
殷　庄	0.007 7	0.001 7	0.004 4	0.006 3	−0.000 5	0.002 2	0.006 4	0.003 9	−0.001 4	0.002 6
艾　山	0.008 3	0.009 4	−0.002 1	0.021 5	−0.007 9	0.017 5	−0.001 4	0.013 4	−0.007 8	0.011 5
大义屯	0.001 4	0.011 0	0.000 0	0.018 7	−0.006 3	0.016 7	0.006 3	0.007 3	−0.010 3	0.010 7
胡溪渡	0.006 9	0.005 2	0.003 5	0.011 9	−0.002 3	0.006 7	0.005 2	0.000 8	−0.002 6	−0.000 9
朱　圈	0.008 0	0.005 6	0.000 2	0.020 5	−0.003 8	0.009 8	−0.011 2	0.008 5	−0.005 4	0.012 1
潘　庄	0.010 7	0.009 0	−0.004 8	0.025 2	0.007 4	0.005 4	−0.019 0	0.011 1	−0.011 8	0.021 8
娄　集	0.009 8	0.010 3	0.010 0	0.008 6	0.013 1	0.006 7	−0.000 7	0.005 5	−0.010 7	0.007 3
官　庄	−0.004 2	0.019 7	0.007 9	0.007 9	0.003 2	0.010 8	−0.000 6	0.006 2	−0.010 7	0.023 1
枯　河	−0.008 4	0.023 5	0.006 4	0.003 7	0.001 7	0.013 6	0.003 1	−0.002 7	−0.013 6	0.027 7
阴　河	−0.006 0	0.011 6	0.002 3	0.019 2	0.003 7	0.015 3	−0.012 9	0.003 8	−0.013 7	0.020 8
张　村	0.001 4	0.011 9	0.004 2	0.028 4	0.005 4	0.015 4	−0.011 3	0.035 3	−0.009 8	0.020 8
水牛赵	0.002 9	0.006 3	0.002 6	0.008 9	0.000 1	0.009 6	0.001 9	0.015 0	−0.003 0	0.006 3

断面名称	197020 197060	197060 197120	197120 197160	197160 197220	197220 197260	197260 197320	197320 197360	197360 197420	197420 197460	197460 197520
曹家圈	−0.004 3	0.012 3	0.005 5	0.018 9	−0.000 9	0.023 2	−0.004 5	0.019 6	−0.013 8	0.016 5
郑家店	−0.012 5	0.011 2	0.015 0	0.003 1	0.002 3	0.010 8	0.015 5	0.008 4	−0.013 2	0.008 7
泺　口	−0.002 0	0.025 5	−0.007 6	0.027 3	−0.008 2	0.020 9	0.004 4	0.004 4	−0.007 5	0.018 3
后张庄	0.002 5	0.029 3	−0.015 7	0.032 8	−0.005 7	0.019 7	−0.009 1	0.004 7	−0.005 9	0.018 6
霍家溜	−0.007 8	0.020 5	−0.004 0	0.022 1	0.003 3	0.005 5	−0.015 3	0.008 9	−0.012 0	0.019 5
王家梨行	−0.011 9	0.017 8	−0.002 2	0.028 1	0.013 2	0.001 7	−0.017 6	0.010 7	−0.009 2	0.018 5
传辛庄	0.001 6	0.008 4	0.005 4	0.011 2	0.013 8	0.000 8	0.028 4	−0.010 1	0.011 2	−0.008 4
刘家园	0.006 6	0.006 2	0.003 7	0.007 3	0.001 1	0.007 3	0.009 7	−0.001 5	0.002 1	0.002 4
王家圈	−0.001 4	0.035 6	0.000 8	0.037 1	0.009 2	0.014 5	−0.014 2	0.013 0	−0.006 7	0.019 4
张　桥	−0.001 5	0.020 2	−0.002 2	0.034 7	0.007 5	0.010 0	−0.022 7	0.002 1	−0.006 7	0.015 9
梯子坝	0.009 4	0.003 2	−0.004 3	0.033 5	0.005 8	0.010 6	−0.027 9	0.020 8	−0.012 2	0.022 7
董　家	0.005 1	0.005 8	0.001 9	0.018 0	0.007 6	0.007 2	−0.007 4	0.026 8	−0.010 2	0.015 9
马扎子	0.006 7	0.014 9	0.002 2	0.009 2	0.008 5	0.008 2	0.001 0	0.014 1	−0.001 6	0.007 6
杨　房	0.015 0	0.021 1	−0.012 3	0.023 2	0.005 4	0.010 8	−0.009 7	0.010 2	−0.003 8	0.016 7
薛王邵	0.028 4	0.022 5	−0.007 7	0.026 1	0.009 7	0.011 3	0.006 5	0.010 2	0.004 4	0.021 0
齐　冯	0.003 7	0.006 8	0.012 4	0.002 1	0.004 7	0.003 8	0.015 1	0.003 6	0.001 5	0.000 1
兰　家	−0.002 9	0.005 6	0.006 6	0.002 7	−0.000 6	0.009 4	0.007 5	0.003 4	−0.002 0	0.002 8
贾　家	−0.002 8	0.005 3	0.001 4	0.002 7	0.001 1	0.006 5	0.005 1	0.009 1	−0.002 7	0.000 9
沪　家	−0.014 0	0.017 3	0.006 0	0.007 8	0.007 8	0.001 1	0.018 6	0.003 4	−0.006 8	−0.004 4
道　旭	−0.008 9	0.012 3	−0.006 9	0.017 4	0.005 2	0.002 9	−0.003 2	0.001 2	−0.001 3	0.006 0
龙王崖	−0.002 2	0.012 8	−0.012 4	0.021 8	0.005 2	0.003 7	−0.006 7	0.010 7	0.000 8	0.006 6
王旺庄	−0.002 7	0.009 2	−0.006 4	0.014 4	−0.000 3	0.003 6	−0.009 4	0.005 7	−0.001 9	0.007 9
宫　家	−0.016 5	0.035 6	−0.016 5	0.046 0	−0.001 1	0.024 3	−0.051 4	0.024 4	−0.014 2	0.038 3
张家滩	0.003 7	0.012 2	0.006 2	0.008 3	0.001 5	0.011 7	−0.005 7	0.002 4	−0.001 4	0.012 9
利津(三)	0.009 1	0.008 9	0.012 4	0.003 7	0.001 2	0.010 2	0.002 5	0.001 2	−0.000 4	0.021 0
王家庄	0.002 1	0.018 6	−0.002 2	0.017 3	−0.001 2	0.014 5	−0.022 6	0.021 4	−0.012 4	0.037 1
东　张	0.006 2	0.010 3	0.000 0	0.007 9	−0.000 6	0.006 5	−0.005 9	0.013 9	−0.002 4	0.014 0
章邱屋子	0.044 7	−0.027 0	0.011 3	−0.001 4	−0.000 1	0.007 8	0.006 6	0.001 0	0.008 9	0.007 9
一号坝	0.036 9	−0.032 8	0.010 9	−0.001 0	−0.001 1	0.008 8	0.003 0	−0.001 1	0.006 2	0.007 5
前　左	0.003 4	0.001 8	0.005 9	−0.002 7	−0.000 2	0.006 8	0.004 4	−0.004 9	0.006 9	0.001 2
朱家屋子	0.004 9	0.007 2	0.002 9	−0.000 7	−0.000 7	0.007 3	0.003 2	−0.008 4	0.009 9	−0.000 4
渔　洼	0.004 9	0.009 9	0.000 3	0.003 0	−0.001 8	0.005 6	0.000 0	−0.006 5	0.010 2	0.009 8

附录 1-5-5 黄河下游各淤积断面测次间**全断面**冲淤量成果

(1975 年 5 月 ~ 1980 年 5 月) (单位：亿 m³)

断面名称	197520 197560	197560 197620	197620 197660	197660 197720	197720 197760	197760 197820	197820 197860	197860 197920	197920 197960	197960 198020
小浪底										
铁 谢										
下古街	−0.091 3	0.004 0	−0.012 8	−0.008 8	−0.037 0	−0.005 3	0.037 2	−0.038 1	0.075 7	−0.030 6
花园镇	−0.094 8	−0.064 9	−0.035 9	−0.040 5	−0.127 2	−0.010 5	0.118 2	−0.084 1	0.169 3	−0.076 3
马峪沟	−0.086 7	−0.185 0	0.082 2	−0.067 9	−0.141 6	0.025 1	0.087 6	−0.048 3	0.133 2	−0.069 5
裴 峪	−0.034 7	−0.077 9	−0.011 3	−0.029 5	−0.037 7	0.011 9	0.023 2	−0.031 5	0.074 2	−0.060 9
伊洛河口	−0.050 9	−0.048 9	−0.051 1	−0.086 1	−0.177 9	−0.007 5	0.112 9	−0.102 8	0.191 2	−0.212 5
孤柏嘴	−0.024 3	−0.111 4	0.022 5	−0.140 0	−0.121 5	−0.045 0	0.250 7	−0.087 0	0.164 0	−0.137 6
罗村坡	−0.033 8	−0.072 6	−0.015 1	−0.096 2	0.072 4	−0.041 0	0.109 7	−0.014 4	0.072 1	−0.035 7
官庄峪	0.028 7	−0.125 2	0.058 3	−0.079 4	0.061 4	−0.052 0	−0.124 3	0.032 9	0.163 0	−0.076 2
秦 厂	0.092 3	−0.278 6	0.060 2	−0.101 7	0.168 4	−0.020 4	−0.319 9	0.112 5	0.241 6	−0.040 4
花园口	−0.053 3	−0.150 6	−0.066 9	−0.082 2	0.398 7	0.034 1	−0.054 7	−0.104 0	0.186 6	0.007 2
八 堡	−0.017 1	−0.062 8	0.019 0	−0.043 1	0.206 1	−0.025 5	0.028 7	−0.105 5	0.159 5	−0.050 1
来童寨	−0.029 9	−0.077 8	0.055 9	−0.047 1	0.176 5	−0.000 7	0.008 1	−0.016 9	0.047 9	−0.030 1
辛 寨	−0.164 1	−0.139 2	0.110 7	−0.094 8	0.477 5	0.042 4	−0.009 6	−0.051 0	0.071 1	−0.208 0
黑 石	−0.049 6	−0.016 6	−0.078 1	0.048 2	0.183 9	0.017 9	0.007 5	−0.031 5	0.115 2	−0.074 8
韦 城	−0.021 4	−0.031 1	−0.211 4	0.107 0	0.315 3	−0.032 4	0.012 7	−0.040 9	0.157 1	−0.046 0
黑岗口	−0.032 0	−0.024 2	−0.065 7	0.010 4	0.189 9	−0.009 3	0.004 0	−0.012 3	−0.002 5	−0.022 7
柳园口	−0.075 1	0.006 9	−0.029 7	0.019 2	0.260 1	−0.003 2	0.004 3	−0.023 3	0.024 1	0.003 1
古 城	−0.032 2	−0.062 6	−0.058 8	0.019 5	0.421 5	−0.073 1	0.080 0	−0.043 3	0.026 0	−0.015 6
曹 岗	0.014 3	−0.124 4	−0.008 1	−0.019 4	0.296 8	−0.015 5	0.006 4	−0.036 8	−0.034 5	−0.030 4
夹河滩	−0.057 0	−0.092 2	0.044 6	−0.051 5	0.646 0	−0.068 4	−0.003 3	−0.066 1	−0.015 6	−0.054 3
东坝头	−0.035 3	0.027 1	0.003 6	−0.005 9	0.264 7	−0.040 2	0.109 7	−0.000 5	−0.023 7	−0.021 8
禅 房	0.120 2	0.018 1	0.003 2	0.014 4	0.039 5	0.009 4	0.067 4	−0.002 6	−0.015 1	0.002 5
油房寨	0.597 2	−0.145 7	0.147 5	−0.028 4	0.083 1	−0.015 0	0.026 9	−0.053 0	−0.024 8	0.043 6
马 寨	0.407 9	−0.117 2	0.015 0	0.018 8	0.455 2	−0.036 5	0.007 8	−0.024 2	−0.059 1	0.083 0
杨小寨	0.096 3	−0.040 3	−0.020 6	0.007 8	0.484 9	−0.024 9	0.015 4	0.004 9	−0.032 7	0.056 2
河 道	0.155 6	−0.142 5	0.082 6	−0.059 0	0.410 0	−0.058 3	0.133 4	−0.015 3	−0.010 0	0.053 2
高 村	0.022 8	−0.013 4	0.028 5	0.020 9	0.114 3	−0.019 4	0.041 5	0.024 3	−0.016 3	0.024 8
南小堤	−0.015 8	0.007 4	0.008 3	0.021 0	0.054 9	−0.017 3	−0.007 6	0.030 4	−0.017 9	0.019 7
双合岭	0.090 7	−0.082 1	0.117 1	0.017 4	0.048 4	−0.019 1	0.005 0	0.015 3	−0.000 5	0.025 5
苏泗庄	0.076 0	−0.005 8	0.065 6	0.042 5	0.007 0	0.017 1	−0.062 3	0.081 1	−0.080 6	0.103 2
营 房	0.132 0	0.075 0	−0.004 1	0.059 8	0.017 2	0.030 5	−0.097 3	0.106 8	−0.099 3	0.119 8

断面名称	197520 197560	197560 197620	197620 197660	197660 197720	197720 197760	197760 197820	197820 197860	197860 197920	197920 197960	197960 198020
彭　楼	0.132 7	0.001 8	0.016 9	0.002 4	0.024 7	−0.000 4	−0.000 3	0.007 4	0.007 1	0.006 9
大王庄	0.157 6	0.015 3	0.019 8	−0.000 4	0.025 8	−0.007 7	0.004 0	0.002 0	0.007 5	0.008 9
史　楼	0.189 2	0.028 8	0.096 5	−0.004 0	0.034 2	0.010 2	0.000 0	−0.008 1	0.009 5	0.008 8
徐码头	0.176 2	−0.000 1	0.096 7	−0.004 6	0.064 0	0.016 8	0.007 9	−0.013 3	0.013 4	0.019 0
于　庄	0.176 5	−0.021 2	0.075 1	−0.026 5	0.051 2	0.058 9	0.007 7	0.019 7	−0.007 0	0.027 7
杨　集	0.139 4	−0.015 9	0.079 6	−0.023 3	0.039 4	0.044 2	0.010 9	0.028 7	−0.013 5	0.012 8
伟那里	0.135 5	0.030 5	0.148 5	0.027 7	0.002 8	0.015 1	−0.008 5	0.020 8	−0.020 5	0.033 9
龙　湾	0.056 2	−0.000 4	0.052 8	0.007 9	0.003 5	0.005 3	−0.005 6	0.016 7	−0.002 9	0.027 2
孙　口	0.001 7	−0.009 0	0,017 3	−0.009 5	0.016 3	0.002 4	0.009 9	0.004 0	0.010 9	0.013 4
梁　集										
大田楼	0.058 7	−0.018 5	0.088 9	0.001 2	0.010 5	0.003 5	0.019 0	−0.001 9	0.009 1	0.023 2
雷　口										
路那里	0.039 0	−0.002 0	0.022 2	0.002 3	0.016 0	−0.002 1	0.006 9	0.001 4	−0.000 5	0.015 5
十里堡	0.011 7	−0.004 2	−0.001 9	−0.000 7	0.019 8	−0.001 3	0.007 1	0.000 8	0.000 8	0.009 3
白　铺										
邵　庄	−0.006 2	0.001 1	−0.013 6	0.023 0	0.002 6	0.012 6	−0.009 9	0.016 5	−0.013 9	0.024 4
李　坝										
陶成铺	−0.049 3	0.070 1	−0.076 0	0.074 0	−0.002 1	0.012 4	−0.051 6	0.062 7	−0.076 5	0.084 6
黄　庄	−0.007 2	0.013 7	−0.010 6	0.010 5	0.000 3	−0.000 9	−0.006 5	0.008 4	−0.011 6	0.015 6
位　山	−0.010 3	0.010 6	−0.006 6	0.010 1	−0.004 8	0.002 4	−0.001 1	0.004 7	−0.005 3	0.010 5
阴柳科	0.002 0	0.008 2	−0.001 1	0.010 6	−0.010 3	0.007 4	−0.000 5	0.007 2	−0.007 5	0.012 6
王　坡	0.027 9	−0.009 8	0.009 6	0.000 0	−0.006 0	0.006 6	0.004 5	0.004 3	0.000 5	0.003 4
南　桥	0.014 6	−0.011 1	0.000 8	−0.005 5	0.003 8	0.001 5	0.005 7	0.003 0	0.006 9	−0.005 9
殷　庄	0.004 1	−0.002 8	0.001 6	−0.002 4	0.005 4	0.000 3	0.000 0	0.006 1	0.002 6	−0.002 2
艾　山	−0.029 6	0.021 0	−0.012 2	0.010 4	0.002 1	0.004 6	−0.004 2	0.018 2	−0.015 5	0.020 5
大义屯	−0.032 1	0.022 0	−0.019 8	0.012 1	0.003 7	0.005 3	0.000 0	0.010 1	−0.016 9	0.025 5
胡溪渡	−0.005 1	0.002 1	−0.006 5	0.001 4	0.007 3	0.000 0	0.009 0	−0.000 7	−0.005 8	0.011 3
朱　圈	−0.019 7	0.020 2	−0.018 3	0.014 7	0.003 0	0.002 0	−0.001 1	0.013 2	−0.021 8	0.026 5
潘　庄	−0.031 6	0.037 0	0.011 9	0.023 7	0.005 5	0.005 0	−0.014 7	0.020 9	−0.025 2	0.033 5
娄　集	−0.004 2	0.004 0	0.047 4	0.006 6	0.010 1	0.001 9	0.005 3	0.006 1	−0.004 1	0.017 3
官　庄	−0.003 5	0.015 2	0.005 9	0.012 8	−0.004 0	0.013 0	−0.004 4	0.013 0	−0.010 9	0.014 4
枯　河	−0.016 4	0.017 1	0.002 8	0.014 1	−0.000 4	0.013 1	−0.005 6	0.012 9	−0.006 1	0.007 5
阴　河	−0.039 3	0.030 5	0.029 8	0.017 9	0.021 1	0.003 5	−0.013 6	0.024 4	−0.018 7	0.028 6
张　村	−0.034 2	0.021 0	0.035 4	0.017 1	0.027 8	0.003 6	−0.009 7	0.026 3	−0.017 7	0.026 8
水牛赵	−0.008 5	0.000 0	0.012 3	−0.000 6	0.008 0	0.006 8	−0.001 4	0.006 3	−0.000 3	0.004 9

断面名称	197520 197560	197560 197620	197620 197660	197660 197720	197720 197760	197760 197820	197820 197860	197860 197920	197920 197960	197960 198020
曹家圈	−0.036 7	0.021 9	−0.012 4	−0.000 5	0.012 7	0.013 0	−0.005 1	0.012 9	−0.007 9	0.020 5
郑家店	−0.006 6	−0.005 7	−0.006 3	−0.013 3	0.017 1	−0.005 9	0.020 8	−0.003 0	0.015 6	−0.009 5
泺 口	−0.024 7	0.017 2	−0.015 2	−0.005 9	0.008 9	0.010 0	0.004 9	0.010 8	0.004 0	0.003 6
后张庄	−0.022 1	0.023 4	−0.011 8	0.019 5	0.001 4	0.016 4	−0.018 2	0.026 8	−0.016 6	0.027 4
霍家溜	−0.013 2	0.039 8	−0.013 1	0.023 5	0.008 2	0.007 3	−0.025 6	0.031 1	−0.027 2	0.035 1
王家梨行	−0.023 4	0.062 2	0.000 5	0.027 9	0.011 1	0.010 7	−0.023 1	0.032 5	−0.032 8	0.044 9
传辛庄	0.053 9	−0.027 6	0.049 3	−0.015 7	0.019 0	0.002 2	0.017 5	0.000 6	0.019 7	−0.006 1
刘家园	0.022 2	−0.005 0	0.002 2	−0.004 9	0.013 9	0.001 7	0.005 7	0.004 2	0.002 1	0.000 0
王家圈	−0.001 8	0.056 3	−0.016 0	0.022 0	0.015 3	0.005 9	−0.008 0	0.025 7	−0.032 1	0.028 6
张 桥	−0.008 7	0.055 9	−0.005 9	0.026 4	−0.001 1	0.008 2	−0.014 8	0.022 8	−0.028 4	0.033 4
梯子坝	−0.011 9	0.047 5	−0.010 5	0.022 4	−0.000 9	0.011 8	−0.026 1	0.032 7	−0.027 2	0.035 1
董 家	0.012 4	0.001 7	0.004 6	−0.002 4	0.004 7	0.001 4	−0.008 1	0.022 8	0.000 3	0.004 9
马扎子	0.021 7	−0.002 8	−0.004 1	0.004 6	0.003 4	0.004 9	0.003 2	0.007 8	0.002 1	0.006 8
杨 房	0.034 6	0.015 5	−0.009 5	0.017 1	0.011 0	0.010 0	−0.012 1	0.011 4	−0.020 2	0.032 3
薛王邵	0.059 4	−0.006 0	−0.019 6	0.014 8	0.025 1	0.004 6	−0.007 1	0.012 8	−0.022 2	0.038 6
齐 冯	0.085 5	−0.029 9	−0.000 7	−0.008 7	0.009 5	0.000 0	0.015 4	0.002 0	0.009 4	−0.005 0
兰 家	0.048 8	−0.013 4	0.008 5	−0.010 0	0.012 2	−0.004 1	0.016 7	−0.003 4	0.022 8	−0.010 7
贾 家	0.005 7	0.011 8	0.006 5	0.001 7	0.012 4	0.004 0	−0.002 4	0.003 6	0.005 9	0.002 1
沪 家	0.041 1	0.031 9	0.035 5	0.014 6	0.016 4	0.009 6	−0.006 6	0.014 7	−0.010 5	0.010 0
道 旭	−0.003 4	0.023 0	0.003 6	0.019 5	0.005 2	0.003 4	0.000 0	0.001 6	−0.005 8	0.004 4
龙王崖	0.022 1	0.023 9	−0.012 9	0.031 7	0.005 8	0.001 1	0.002 1	0.002 6	−0.009 6	0.006 6
王旺庄	0.003 0	0.020 1	−0.008 7	0.017 3	0.002 2	0.001 2	−0.002 4	0.007 2	−0.011 8	0.012 5
宫 家	−0.086 1	0.087 2	−0.060 4	0.050 9	0.013 0	0.021 6	−0.028 8	0.028 9	−0.045 1	0.051 1
张家滩	−0.027 6	0.023 1	−0.029 8	0.009 8	0.016 7	−0.000 1	0.006 4	0.008 0	−0.007 5	0.008 4
利津(三)	−0.027 4	0.018 6	−0.037 7	0.011 2	0.019 3	−0.012 9	0.025 0	0.011 6	−0.008 6	0.005 0
王家庄	−0.054 3	0.059 0	−0.051 8	0.044 1	0.012 2	0.006 1	−0.010 2	0.029 0	−0.039 5	0.036 3
东 张	0.019 3	0.017 4	−0.020 2	0.017 0	0.010 7	0.002 2	−0.003 2	0.013 2	−0.013 2	0.011 3
章邱屋子	0.079 3	−0.009 3	−0.030 5	−0.003 0	0.021 3	−0.007 3	0.019 8	0.002 2	0.008 0	−0.014 2
一号坝	0.052 3	−0.000 9	−0.032 0	−0.003 5	0.021 1	−0.004 7	0.015 6	0.001 6	0.003 9	−0.013 6
前 左	0.015 6	−0.004 3	−0.022 9	−0.005 1	0.016 6	−0.003 7	0.016 2	−0.003 7	0.005 1	−0.009 9
朱家屋子	0.020 0	−0.009 5	−0.023 3	−0.006 3	0.013 5	−0.004 5	0.019 7	−0.005 8	0.009 5	−0.015 5
渔 洼	0.058 9	−0.002 2	−0.034 0	−0.003 8	0.013 9	−0.005 5	0.017 8	−0.002 6	0.010 5	−0.021 3

附录 1-5-6　黄河下游各淤积断面测次间**全断面**冲淤量成果

(1980 年 5 月～1985 年 5 月)　　　　　　　　　　　　　　（单位：亿 m³）

断面名称	198020 198060	198060 198120	198120 198160	198160 198220	198220 198260	198260 198320	198320 198360	198360 198420	198420 198460	198460 198520
小浪底										
铁　谢										
下古街	0.101 9	−0.073 8	0.020 6	−0.018 9	0.016 2	−0.039 5	0.026 6	−0.046 9	0.062 2	−0.024 9
花园镇	0.117 7	−0.107 2	0.092 7	−0.061 3	0.028 3	−0.110 8	0.065 1	−0.159 4	0.192 4	−0.083 4
马峪沟	0.062 0	−0.060 1	0.015 6	−0.062 4	0.076 5	−0.164 2	0.081 2	−0.140 1	0.253 1	−0.126 5
裴　峪	0.090 1	−0.049 5	−0.082 1	0.020 1	0.007 1	−0.034 2	0.026 9	−0.033 2	0.083 0	−0.056 0
伊洛河口	0.257 9	−0.133 3	−0.080 3	0.010 6	0.079 7	−0.106 2	0.092 9	−0.170 0	0.054 8	−0.046 7
孤柏嘴	0.170 5	−0.095 9	−0.026 0	0.087 9	0.161 7	−0.174 8	0.121 0	−0.159 0	−0.043 6	−0.052 8
罗村坡	0.058 0	−0.031 6	−0.032 4	−0.048 2	−0.027 6	−0.016 2	0.030 1	−0.030 9	−0.061 0	−0.032 6
官庄峪	0.072 9	−0.018 1	−0.026 2	0.008 7	0.012 6	−0.001 5	0.019 1	−0.010 2	−0.060 2	0.003 4
秦　厂	0.068 4	0.013 0	−0.138 7	0.114 9	−0.016 2	0.074 2	−0.018 3	0.081 8	−0.055 5	0.019 9
花园口	0.023 3	−0.093 3	−0.019 1	−0.021 8	−0.111 3	0.142 8	−0.154 0	0.149 9	0.059 4	−0.079 5
八　堡	0.009 9	−0.094 8	0.073 6	−0.088 3	0.028 2	−0.014 5	−0.084 3	0.035 4	0.051 6	−0.082 6
来童寨	−0.018 9	−0.009 8	0.101 4	−0.031 7	−0.014 5	−0.056 2	0.013 2	−0.088 6	0.056 0	−0.036 5
辛　寨	0.090 4	0.055 1	0.071 9	0.049 4	−0.084 0	−0.106 8	−0.038 0	−0.429 5	0.206 4	−0.018 6
黑　石	0.059 1	0.025 6	−0.113 5	0.038 1	0.014 6	−0.001 6	−0.112 5	−0.084 9	0.067 6	−0.052 4
韦　城	0.074 6	−0.014 2	−0.069 7	0.068 4	−0.056 2	0.072 2	−0.210 5	−0.021 7	−0.020 6	−0.017 5
黑岗口	0.030 6	−0.034 4	0.091 4	0.027 3	−0.026 7	0.031 2	−0.154 2	−0.018 6	−0.037 8	0.028 5
柳园口	−0.051 0	0.071 2	−0.000 8	0.019 0	0.042 5	−0.033 1	−0.172 6	0.001 1	0.049 3	−0.018 0
古　城	−0.041 9	0.064 4	−0.095 4	0.026 6	−0.058 7	0.020 0	−0.213 2	0.027 9	0.104 8	−0.092 8
曹　岗	0.030 5	−0.031 8	−0.064 7	0.027 3	−0.086 8	0.025 7	−0.026 3	0.014 5	0.011 0	−0.056 1
夹河滩	0.030 6	−0.025 7	−0.092 4	0.038 0	−0.122 4	−0.091 8	0.100 8	−0.005 5	−0.081 0	−0.035 8
东坝头	−0.000 3	0.001 4	−0.022 4	0.011 4	−0.057 3	−0.029 8	0.002 0	0.005 3	−0.042 2	−0.007 8
禅　房	−0.005 5	0.004 7	−0.012 3	−0.001 3	−0.016 2	−0.002 4	−0.024 8	0.011 2	−0.018 2	0.001 9
油房寨	−0.007 5	0.004 5	−0.032 2	−0.016 4	−0.219 1	−0.132 7	0.116 4	−0.123 5	0.017 4	−0.031 6
马　寨	−0.024 0	0.021 7	−0.430 4	0.241 9	−0.214 2	−0.212 1	0.312 1	−0.250 3	0.076 5	0.012 5
杨小寨	−0.027 1	0.049 8	−0.305 6	0.127 3	−0.001 5	−0.115 4	0.205 2	−0.065 1	−0.020 7	−0.027 9
河　道	0.024 8	0.052 7	0.012 8	−0.002 1	−0.070 2	−0.143 1	0.158 5	−0.069 1	−0.083 5	−0.055 5
高　村	0.032 3	0.004 2	0.013 9	0.052 3	0.048 8	−0.040 8	−0.024 5	−0.005 5	−0.009 9	0.000 8
南小堤	0.002 3	0.021 7	0.015 1	0.019 3	0.035 1	−0.013 6	−0.031 7	0.011 5	0.012 4	−0.011 7
双合岭	−0.020 0	0.039 3	0.038 6	−0.006 7	0.037 7	−0.037 1	−0.010 7	−0.021 4	−0.005 8	−0.007 6
苏泗庄	−0.112 3	0.104 4	0.032 5	0.044 0	0.008 2	0.004 7	−0.087 4	0.042 9	−0.065 1	0.061 8
营　房	−0.124 3	0.137 0	0.049 0	0.098 1	0.051 4	0.054 1	−0.158 9	0.125 9	−0.087 6	0.052 4

断面名称	198020 198060	198060 198120	198120 198160	198160 198220	198220 198260	198260 198320	198320 198360	198360 198420	198420 198460	198460 198520
彭　楼	0.007 7	0.003 9	0.027 3	0.015 6	0.066 3	-0.002 1	-0.019 6	0.024 5	-0.007 9	-0.022 9
大王庄	0.004 4	0.000 0	0.087 0	-0.011 7	0.030 7	-0.019 4	0.002 6	-0.007 2	0.008 1	-0.011 7
史　楼	-0.001 4	0.024 3	0.076 0	-0.006 5	-0.019 2	-0.010 7	-0.023 6	0.037 8	-0.016 4	-0.000 6
徐码头	-0.019 2	0.043 6	0.030 9	0.024 4	-0.003 8	0.004 7	-0.031 2	0.000 8	0.006 9	-0.034 9
于　庄	-0.016 2	0.029 4	0.073 5	0.018 5	0.013 1	0.003 0	-0.032 1	-0.023 2	0.006 3	-0.015 1
杨　集	0.002 9	0.006 6	0.065 7	-0.000 2	0.027 3	-0.010 3	-0.023 1	0.003 7	-0.016 6	-0.011 6
伟那里	-0.033 3	0.031 6	-0.028 5	0.018 3	0.056 6	0.002 5	-0.036 3	0.034 7	-0.022 0	0.004 6
龙　湾	-0.015 4	0.024 9	-0.018 5	0.011 0	-0.003 9	0.001 6	-0.023 5	0.017 5	-0.015 8	0.006 7
孙　口	0.007 3	0.004 4	-0.007 4	0.003 2	0.000 3	0.008 6	-0.010 2	-0.005 1	-0.006 0	-0.001 8
梁　集									-0.009 9	0.004 1
大田楼	0.010 6	0.001 7	-0.020 9	0.011 0	-0.006 7	0.009 0	-0.011 8	-0.006 6	-0.004 5	0.001 8
雷　口									-0.001 2	0.000 9
路那里	0.000 4	0.004 7	0.003 9	0.003 6	-0.012 8	0.000 4	-0.002 5	-0.003 0	-0.002 8	0.000 6
十里堡	0.002 2	0.001 0	0.020 0	0.000 7	-0.012 2	0.001 8	-0.001 4	-0.002 1	-0.002 5	0.000 6
白　铺									-0.003 3	0.001 1
邵　庄	-0.003 8	0.011 4	0.002 6	0.013 8	-0.022 2	0.004 9	-0.012 4	0.016 4	-0.012 4	0.005 4
李　坝									-0.010 0	0.004 4
陶成铺	-0.068 4	0.075 5	-0.069 0	0.067 7	-0.060 7	0.042 0	-0.067 5	0.085 9	-0.018 5	0.013 2
黄　庄	-0.015 7	0.014 7	-0.009 2	0.012 4	-0.011 2	0.009 0	-0.015 1	0.017 0	-0.009 1	0.005 5
位　山	-0.007 8	0.006 8	-0.008 2	0.007 8	-0.006 2	0.006 8	-0.013 3	0.013 9	-0.008 6	0.004 2
阴柳科	-0.004 9	0.006 4	-0.009 5	0.008 4	-0.011 1	0.011 9	-0.017 4	0.018 9	-0.012 5	0.008 9
王　坡	0.005 6	0.001 0	-0.005 5	0.001 6	-0.006 1	0.007 0	-0.003 8	0.005 8	-0.009 2	0.007 7
南　桥	0.012 5	-0.005 6	0.002 8	-0.006 0	0.003 3	-0.004 1	0.006 8	-0.007 5	-0.006 3	0.003 5
殷　庄	0.006 4	0.000 2	0.000 6	-0.005 7	0.005 8	-0.001 7	0.000 5	-0.003 1	-0.004 6	0.001 5
艾　山	-0.008 2	0.019 2	-0.021 9	0.007 6	-0.003 7	0.016 2	-0.024 9	0.022 7	-0.019 4	0.012 2
大义屯	-0.010 8	0.012 9	-0.013 9	0.012 2	-0.019 7	0.014 8	-0.033 6	0.029 4	-0.014 4	0.008 9
胡溪渡	0.001 2	-0.003 8	0.000 2	0.002 0	-0.002 2	-0.002 6	-0.004 4	-0.000 1	0.003 7	-0.003 7
朱　圈	-0.008 3	0.009 0	-0.023 0	0.017 2	-0.013 8	0.006 1	-0.015 3	0.016 4	-0.017 5	0.012 8
潘　庄	-0.012 7	0.016 4	-0.037 5	0.032 0	-0.026 5	0.014 8	-0.043 6	0.047 7	-0.034 9	0.028 7
娄　集	-0.009 1	0.009 5	-0.017 8	0.017 2	0.002 1	0.004 2	-0.025 1	0.019 1	-0.003 7	0.003 4
官　庄	-0.008 5	0.014 2	-0.018 5	0.012 3	-0.054 7	0.011 6	-0.011 4	0.000 7	-0.003 3	0.005 0
枯　河	-0.002 3	0.008 1	-0.005 2	0.013 5	-0.056 9	0.016 8	-0.010 0	-0.004 0	-0.008 0	0.012 0
阴　河	-0.016 4	0.017 8	-0.019 6	0.036 3	-0.031 6	0.028 6	-0.035 1	0.027 0	-0.039 4	0.029 5
张　村	-0.007 7	0.021 8	-0.031 9	0.035 0	-0.040 4	0.024 5	-0.026 0	0.022 5	-0.041 1	0.027 0
水牛赵	0.002 1	0.005 3	-0.002 8	0.010 2	-0.012 6	0.003 5	-0.010 6	0.008 5	-0.008 2	0.004 7

断面名称	198020 198060	198060 198120	198120 198160	198160 198220	198220 198260	198260 198320	198320 198360	198360 198420	198420 198460	198460 198520
曹家圈	−0.002 6	0.004 5	−0.014 8	0.024 8	−0.023 8	0.016 8	−0.047 6	0.037 6	−0.029 5	0.023 7
郑家店	0.014 4	−0.010 9	0.003 9	0.001 1	0.007 0	−0.006 4	−0.005 0	−0.003 9	−0.002 5	0.005 2
泺 口	−0.003 9	0.005 1	−0.006 9	0.016 4	−0.003 9	−0.007 5	−0.013 4	0.010 4	−0.000 4	0.004 1
后张庄	−0.019 1	0.019 8	−0.020 8	0.032 0	−0.035 4	0.023 0	−0.026 7	0.023 2	−0.032 0	0.025 4
霍家溜	−0.016 7	0.021 6	−0.034 9	0.036 5	−0.050 2	0.037 2	−0.030 0	0.031 0	−0.044 2	0.032 6
王家梨行	−0.014 5	−0.006 7	−0.029 0	0.045 7	−0.071 9	0.035 8	−0.035 1	0.047 8	−0.063 4	0.034 9
传辛庄	0.007 6	−0.035 0	0.026 8	−0.006 5	−0.003 6	−0.016 6	0.021 0	−0.017 8	−0.004 8	−0.011 6
刘家园	0.008 5	−0.007 0	0.006 2	−0.000 6	−0.002 0	−0.000 2	−0.000 1	−0.005 7	−0.004 8	0.005 8
王家圈	0.007 7	0.005 6	−0.010 9	0.031 8	−0.031 3	0.024 2	−0.049 6	0.034 5	−0.047 8	0.046 2
张 桥	−0.015 6	0.025 1	−0.015 8	0.028 5	−0.029 5	0.028 8	−0.045 9	0.041 8	−0.040 9	0.026 3
梯子坝	−0.021 9	0.033 9	−0.021 9	0.024 2	−0.032 8	0.028 7	−0.036 9	0.036 5	−0.029 4	0.018 6
董 家	−0.003 9	0.016 9	−0.016 2	0.004 3	−0.007 9	0.000 5	−0.001 3	−0.003 0	−0.003 5	−0.002 4
马扎子	0.002 1	0.013 8	−0.015 7	0.010 5	−0.025 2	0.012 8	−0.015 2	0.006 0	−0.018 1	0.009 6
杨 房	−0.014 1	0.023 4	−0.040 7	0.031 7	−0.052 3	0.039 2	−0.047 7	0.040 0	−0.033 6	0.030 0
薛王邵	−0.007 2	0.010 4	−0.045 3	0.027 3	−0.043 1	0.037 2	−0.042 4	0.025 9	−0.028 7	0.024 7
齐 冯	0.013 1	−0.006 4	−0.005 4	−0.009 1	0.007 5	0.000 2	0.004 0	−0.020 2	0.003 1	−0.001 0
兰 家	0.011 0	−0.001 3	−0.019 3	−0.008 9	0.009 6	−0.002 9	0.002 2	−0.014 1	0.006 9	−0.004 3
贾 家	0.005 4	−0.000 2	−0.022 3	0.002 3	−0.009 3	0.005 3	−0.015 1	0.008 0	−0.005 1	0.004 2
沪 家	0.015 3	−0.015 8	−0.024 4	0.008 5	−0.022 8	0.011 4	−0.033 4	0.023 5	−0.017 9	0.022 1
道 旭	0.006 8	0.000 2	−0.015 4	0.005 7	−0.012 6	0.020 3	−0.030 7	0.024 7	−0.012 0	0.016 1
龙王崖	0.004 9	0.001 6	−0.023 9	0.016 8	−0.029 5	0.019 6	−0.044 7	0.032 8	−0.025 0	0.031 4
王旺庄	−0.007 8	0.009 6	−0.019 2	0.012 5	−0.021 9	0.015 7	−0.024 7	0.018 8	−0.016 7	0.016 1
宫 家	−0.041 1	0.048 8	−0.067 7	0.041 2	−0.071 8	0.062 0	−0.081 7	0.071 4	−0.051 2	0.044 3
张家滩	−0.004 3	−0.004 3	−0.015 8	0.008 6	−0.018 5	0.005 4	−0.023 2	0.016 0	−0.014 3	0.015 8
利津(三)	−0.001 6	−0.007 2	−0.019 9	0.001 8	−0.011 9	0.009 2	−0.036 3	0.020 7	−0.010 4	0.008 6
王家庄	−0.027 6	0.035 3	−0.061 9	0.030 1	−0.056 3	0.051 8	−0.078 1	0.067 7	−0.038 6	0.030 2
东 张	−0.008 2	0.008 6	−0.030 0	0.014 9	−0.030 7	0.025 3	−0.031 6	0.025 2	−0.020 6	0.018 0
章邱屋子	0.008 4	−0.013 3	−0.017 2	−0.006 4	0.004 5	−0.004 0	−0.006 6	−0.009 2	−0.001 2	0.008 1
一号坝	0.005 3	−0.004 0	−0.020 1	−0.009 5	0.009 2	−0.008 9	−0.007 7	−0.002 0	−0.001 0	0.007 9
前 左	0.006 0	−0.010 8	−0.008 5	−0.005 6	0.004 2	−0.017 6	0.002 4	0.000 8	0.000 3	0.005 4
朱家屋子	0.011 5	−0.015 7	−0.006 3	−0.007 2	0.004 8	−0.014 8	0.006 7	−0.004 3	0.003 6	0.004 3
渔 洼	0.015 3	−0.016 9	−0.014 0	−0.011 9	0.006 4	−0.000 5	−0.013 0	0.003 8	−0.003 4	0.000 3

附录 1-5-7　黄河下游各淤积断面测次间**全断面**冲淤量成果

(1985 年 5 月 ~ 1990 年 5 月)　　　　　　　　　　(单位：亿 m³)

断面名称	198520 198560	198560 198620	198620 198660	198660 198720	198720 198760	198760 198820	198820 198860	198860 198920	198920 198960	198960 199020
小浪底										
铁　谢										
下古街	0.004 4	−0.003 1	0.048 4	−0.032 4	0.022 5	−0.006 1	0.065 9	−0.050 4	0.002 6	−0.068 4
花园镇	0.059 7	−0.034 8	0.080 2	−0.064 5	0.031 0	−0.005 1	0.187 2	−0.085 4	−0.022 8	−0.101 8
马峪沟	0.078 4	−0.107 6	0.152 5	−0.059 5	0.002 2	−0.033 2	0.368 8	−0.113 4	−0.024 1	−0.127 7
裴　峪	−0.004 8	−0.076 4	0.097 7	−0.034 2	0.025 1	−0.005 1	0.225 1	−0.087 9	0.010 4	−0.070 8
伊洛河口	−0.026 5	−0.052 1	0.115 6	−0.056 9	0.068 8	−0.038 3	0.324 7	−0.158 8	0.070 3	−0.091 0
孤柏嘴	0.035 0	0.041 5	0.127 1	−0.081 7	0.049 6	−0.059 8	0.168 7	−0.052 4	−0.005 8	−0.045 0
罗村坡	0.042 2	−0.012 9	0.052 8	−0.061 2	0.061 8	−0.025 5	0.139 8	−0.042 2	0.020 3	−0.009 1
官庄峪	0.046 9	−0.012 9	−0.001 4	−0.031 3	0.045 1	−0.024 3	0.152 2	−0.045 4	0.023 8	−0.070 2
秦　厂	0.001 3	0.060 2	−0.003 5	−0.018 6	0.074 5	−0.036 0	0.142 7	−0.090 5	0.068 5	−0.175 6
花园口	0.013 9	0.002 9	0.018 5	−0.006 8	0.176 5	−0.060 7	0.076 6	−0.101 4	0.123 1	−0.136 3
八　堡	0.007 3	−0.063 3	0.027 4	−0.050 5	0.114 9	0.000 5	0.105 4	−0.114 1	0.088 4	−0.012 6
来童寨	0.004 8	−0.063 3	−0.019 5	−0.019 2	0.090 6	0.033 0	0.121 2	−0.102 8	0.052 7	0.039 7
辛　寨	−0.027 0	0.110 5	−0.066 7	0.042 7	0.086 9	0.033 1	0.271 5	−0.023 0	0.130 7	0.057 5
黑　石	−0.007 3	0.058 1	0.055 8	−0.027 4	−0.011 1	0.002 6	0.162 7	0.001 0	0.071 6	−0.020 2
韦　城	0.045 6	−0.045 5	0.068 0	0.019 1	−0.006 0	−0.035 9	0.244 0	−0.047 7	0.064 5	−0.075 7
黑岗口	−0.040 5	0.021 6	0.003 4	0.060 9	−0.046 0	−0.019 8	0.100 7	−0.056 5	0.065 4	−0.044 1
柳园口	−0.011 6	0.040 3	0.025 6	−0.000 6	−0.047 8	−0.031 0	0.089 9	−0.056 6	0.073 3	−0.032 5
古　城	0.028 5	0.069 8	0.067 0	−0.016 9	−0.001 1	−0.052 4	0.035 2	0.012 0	0.087 4	−0.151 3
曹　岗	0.000 4	0.059 2	0.020 3	0.017 2	−0.004 4	0.011 9	0.009 8	0.055 6	−0.006 2	−0.123 3
夹河滩	0.099 7	−0.105 8	0.023 1	0.031 8	0.034 2	0.013 3	0.137 4	0.016 4	−0.020 9	−0.107 7
东坝头	0.037 3	−0.034 7	0.009 7	0.027 8	0.016 3	0.002 4	−0.026 9	0.005 5	0.038 1	−0.053 1
禅　房	−0.022 1	0.029 2	0.001 8	0.005 7	0.009 9	−0.001 9	−0.053 8	0.009 3	0.005 9	−0.023 0
油房寨	0.024 6	0.006 1	0.064 8	−0.022 7	0.044 7	−0.017 2	0.127 6	−0.050 3	−0.062 8	−0.040 9
马　寨	0.044 1	−0.103 6	0.188 4	−0.007 9	0.030 1	−0.011 7	0.349 0	−0.112 8	0.003 4	−0.001 4
杨小寨	0.031 4	−0.078 1	0.106 1	−0.005 1	−0.002 7	0.002 5	0.212 3	−0.016 0	0.049 3	0.016 9
河　道	0.106 5	−0.027 4	0.035 9	−0.002 1	−0.034 9	0.028 8	0.165 2	−0.024 5	0.003 9	0.043 5
高　村	−0.019 1	0.041 5	−0.054 1	0.015 8	−0.002 4	0.014 0	0.044 9	−0.015 1	0.013 0	0.012 4
南小堤	−0.033 0	0.047 2	−0.050 5	0.010 5	0.010 0	0.007 0	0.018 8	0.014 9	−0.005 2	−0.005 2
双合岭	−0.015 5	0.040 1	0.015 9	0.009 5	0.003 5	0.008 1	0.005 2	0.041 5	−0.022 0	−0.020 7
苏泗庄	−0.057 7	0.060 8	0.016 1	−0.009 9	0.012 9	0.005 3	0.053 0	−0.006 6	0.020 6	−0.012 2
营　房	−0.082 0	0.121 3	−0.006 5	−0.018 9	0.017 2	0.012 9	0.036 0	−0.002 0	0.028 7	0.003 3

断面名称	198520 198560	198560 198620	198620 198660	198660 198720	198720 198760	198760 198820	198820 198860	198860 198920	198920 198960	198960 199020
彭　楼	0.004 4	0.004 7	0.011 1	0.004 7	−0.018 0	−0.002 6	0.013 7	0.015 9	0.005 2	−0.004 1
大王庄	−0.002 6	−0.007 9	0.021 8	0.010 8	−0.025 5	−0.003 4	0.037 0	0.010 1	0.000 4	−0.008 3
史　楼	−0.020 4	0.031 1	0.011 9	0.012 0	−0.002 7	−0.000 1	0.017 9	0.009 3	−0.017 7	0.002 0
徐码头	0.032 5	−0.035 6	0.033 2	0.008 7	−0.006 9	−0.002 3	0.037 8	−0.003 8	−0.015 5	0.003 6
于　庄	0.017 0	−0.025 9	0.024 8	0.009 3	−0.005 5	0.002 9	0.026 0	0.012 5	0.017 9	−0.015 6
杨　集	0.001 9	−0.020 1	0.023 3	0.000 2	−0.012 7	0.016 5	0.044 9	−0.009 8	0.043 6	−0.035 4
伟那里	−0.050 8	0.042 8	0.017 8	−0.007 7	−0.012 8	0.010 7	0.032 6	−0.014 3	0.020 7	−0.016 1
龙　湾	−0.019 3	0.036 7	0.000 3	0.003 9	−0.005 7	0.007 2	0.002 1	0.009 3	−0.008 5	0.007 6
孙　口	0.010 0	−0.001 4	−0.002 0	0.006 8	−0.006 5	0.015 6	0.006 1	0.001 6	−0.001 1	0.004 0
梁　集	−0.003 2	0.001 6	0.003 8	0.001 4	0.004 6	0.003 2	0.014 5	−0.000 3	0.004 6	0.000 7
大田楼	0.004 1	−0.005 7	0.002 1	0.000 3	0.005 3	0.000 0	0.009 3	0.000 1	−0.001 6	0.003 0
雷　口	0.002 0	−0.001 5	−0.001 4	0.000 9	0.001 5	0.001 8	0.002 6	0.000 7	−0.002 2	0.001 7
路那里	−0.005 3	0.008 1	−0.003 3	0.001 9	0.000 8	0.002 3	0.008 3	0.002 9	−0.005 7	0.004 3
十里堡	−0.008 3	0.006 4	0.002 3	−0.000 6	0.003 9	0.001 1	0.017 5	−0.000 1	−0.003 6	0.002 6
白　铺	0.001 9	−0.002 7	0.003 5	−0.001 2	0.004 3	0.000 2	0.003 8	0.004 2	−0.004 5	0.002 0
邵　庄	−0.001 9	0.012 5	0.002 1	0.001 4	0.002 1	−0.002 9	−0.009 7	0.012 0	−0.003 9	0.004 0
李　坝	0.000 0	0.007 8	0.002 0	0.000 0	0.005 0	−0.002 0	−0.008 3	0.007 8	−0.002 0	0.004 9
陶成铺	−0.034 3	0.036 7	0.002 5	−0.003 1	0.015 2	−0.002 4	−0.045 3	0.049 2	−0.014 3	0.016 6
黄　庄	−0.018 7	0.022 5	−0.000 6	0.000 1	0.002 4	−0.001 3	−0.016 8	0.018 8	−0.004 0	0.008 2
位　山	−0.011 1	0.014 1	−0.000 2	−0.001 3	0.002 3	0.000 3	−0.002 9	0.007 1	−0.004 9	0.008 9
阴柳科	−0.013 6	0.014 5	−0.002 3	−0.001 8	0.002 7	0.002 2	−0.000 9	0.005 9	−0.008 3	0.008 3
王　坡	−0.004 1	−0.000 2	−0.004 4	0.003 4	0.002 1	0.003 6	0.002 7	0.003 6	−0.007 3	0.008 1
南　桥	0.007 6	−0.013 8	0.004 0	0.002 5	0.000 7	0.003 7	0.002 6	0.000 8	0.000 3	0.004 4
殷　庄	0.004 2	−0.005 8	0.000 6	0.001 7	0.001 5	0.002 9	−0.002 6	0.005 7	−0.000 7	0.002 1
艾　山	−0.020 1	0.022 5	−0.002 8	0.003 1	0.005 5	0.004 5	−0.022 2	0.026 9	−0.007 7	0.006 3
大义屯	−0.021 9	0.015 2	0.011 7	−0.003 5	0.000 0	0.008 9	−0.013 4	0.018 6	−0.002 0	0.009 6
胡溪渡	−0.010 7	0.005 4	0.004 3	−0.002 5	0.001 9	0.007 4	−0.000 4	0.005 0	0.000 4	0.002 1
朱　圈	−0.034 4	0.038 6	−0.002 3	−0.001 0	0.010 7	−0.000 2	−0.020 4	0.022 2	0.001 2	0.002 2
潘　庄	−0.060 1	0.065 1	0.007 6	−0.001 6	0.008 0	−0.004 8	−0.036 3	0.038 7	0.004 5	0.003 8
娄　集	−0.014 4	0.006 3	0.013 5	0.003 9	−0.003 7	0.005 4	−0.011 6	0.026 3	−0.006 6	0.005 6
官　庄	−0.013 2	0.007 8	0.002 8	0.018 0	−0.005 0	0.004 2	−0.014 3	0.024 6	−0.014 7	0.010 3
枯　河	−0.025 3	0.018 1	0.001 6	0.017 8	0.000 2	0.006 1	−0.023 8	0.025 3	−0.017 2	0.021 6
阴　河	−0.048 4	0.053 9	−0.001 9	0.002 9	0.009 6	0.005 6	−0.049 0	0.055 1	−0.014 8	0.018 0
张　村	−0.037 2	0.044 9	−0.001 3	0.001 9	0.008 3	−0.001 1	−0.041 4	0.060 7	−0.010 6	0.013 3
水牛赵	−0.011 2	0.009 4	0.001 2	0.002 5	0.001 7	−0.000 7	−0.003 0	0.011 0	−0.001 8	0.006 1

断面名称	198520 198560	198560 198620	198620 198660	198660 198720	198720 198760	198760 198820	198820 198860	198860 198920	198920 198960	198960 199020
曹家圈	−0.051 6	0.048 7	−0.001 3	0.008 1	−0.000 8	0.007 1	−0.016 1	0.026 8	−0.007 3	0.012 8
郑家店	−0.004 3	−0.003 1	−0.002 1	0.002 6	0.003 5	0.010 4	0.016 7	−0.004 3	−0.006 6	0.014 4
泺 口	−0.010 1	0.016 4	−0.004 7	0.003 3	0.004 6	0.005 0	0.012 7	−0.003 2	−0.004 8	0.011 6
后张庄	−0.037 1	0.048 0	0.000 2	0.006 1	−0.018 0	0.015 7	−0.014 9	0.023 7	0.000 9	0.002 1
霍家溜	−0.051 7	0.062 7	0.001 6	0.002 7	−0.015 6	0.019 7	−0.028 3	0.028 4	0.002 7	0.001 6
王家梨行	−0.052 0	0.053 3	0.007 5	0.008 2	−0.000 7	0.009 0	−0.020 0	0.032 2	−0.001 2	0.008 1
传辛庄	0.031 7	−0.049 0	0.012 2	0.008 6	0.006 7	−0.015 5	0.042 8	−0.001 6	0.005 7	0.002 4
刘家园	−0.011 5	0.009 5	−0.002 3	−0.000 1	0.005 7	−0.008 8	0.017 3	0.000 4	0.004 9	−0.002 6
王家圈	−0.072 1	0.078 1	−0.005 0	−0.004 7	0.008 4	−0.012 6	0.012 2	0.022 5	−0.007 6	0.004 2
张 桥	−0.049 8	0.061 8	−0.004 4	−0.005 3	−0.000 9	0.000 6	−0.013 0	0.029 2	−0.009 9	0.008 9
梯子坝	−0.063 4	0.071 1	−0.004 1	−0.000 8	−0.002 2	0.000 9	−0.013 1	0.023 3	−0.005 6	0.007 7
董 家	−0.013 3	0.012 8	0.003 5	0.001 4	0.005 6	−0.002 8	0.002 8	0.004 6	−0.005 8	0.012 3
马扎子	−0.017 4	0.010 5	0.008 3	−0.000 3	0.008 0	0.000 6	−0.000 5	0.008 9	−0.001 5	0.008 6
杨 房	−0.066 6	0.054 0	0.008 1	0.006 4	−0.004 0	0.007 4	−0.015 2	0.026 6	−0.001 8	0.002 3
薛王邵	−0.052 6	0.042 1	−0.000 8	0.021 6	−0.013 2	0.009 3	−0.014 3	0.030 2	−0.008 4	0.007 1
齐 冯	0.021 6	−0.032 7	0.003 2	0.019 1	−0.007 2	−0.002 4	0.007 2	−0.001 5	0.008 8	0.005 2
兰 家	0.013 8	−0.024 5	0.005 3	0.011 3	0.003 3	−0.001 4	0.003 2	−0.002 4	0.007 2	0.010 3
贾 家	−0.016 4	0.013 9	0.001 6	0.005 7	0.005 0	0.001 1	−0.004 2	0.003 8	−0.001 7	0.008 8
沪 家	−0.063 5	0.050 8	0.005 2	0.008 6	0.007 1	−0.005 4	0.000 2	0.004 8	0.009 1	0.006 6
道 旭	−0.045 5	0.036 7	0.002 8	−0.001 3	0.006 6	−0.000 5	−0.004 4	0.001 5	0.005 0	0.002 7
龙王崖	−0.049 5	0.044 2	0.001 6	−0.001 1	0.005 1	0.004 6	−0.008 0	−0.010 2	0.003 0	0.004 1
王旺庄	−0.027 3	0.030 0	0.000 8	0.004 1	−0.003 8	0.004 1	−0.006 8	−0.000 7	0.003 0	−0.002 6
宫 家	−0.090 7	0.114 7	−0.010 2	0.023 0	−0.019 7	0.018 4	−0.041 3	0.018 3	0.003 9	0.000 7
张家滩	−0.019 1	0.024 6	−0.000 8	0.004 9	0.004 4	0.007 8	−0.014 0	0.002 2	0.002 0	0.015 6
利津(三)	−0.021 1	0.018 3	0.014 9	−0.004 9	0.014 9	0.005 4	−0.010 5	0.000 3	0.007 6	0.016 9
王家庄	−0.081 3	0.091 4	0.005 5	0.010 5	−0.001 4	0.009 5	−0.032 1	0.018 8	0.006 5	0.010 9
东 张	−0.030 4	0.036 2	−0.000 7	0.009 8	−0.001 3	0.008 3	−0.015 8	0.009 0	0.000 3	0.010 3
章邱屋子	0.005 5	−0.004 1	0.001 5	0.006 5	0.010 9	0.002 2	−0.006 3	0.002 8	0.002 7	0.011 7
一号坝	−0.000 6	−0.003 4	0.006 6	−0.005 1	0.017 6	−0.003 1	0.001 8	−0.004 5	0.006 1	0.004 8
前 左	0.000 2	−0.005 8	0.009 1	−0.008 2	0.013 2	−0.000 9	0.003 3	−0.002 4	0.002 7	0.002 9
朱家屋子	0.007 2	−0.016 3	0.015 6	−0.002 6	0.007 1	0.001 4	−0.002 6	−0.000 6	0.001 7	0.002 9
渔 洼	0.018 8	−0.023 5	0.023 2	−0.008 0	0.012 3	0.003 7	−0.006 5	−0.008 6	0.006 2	0.008 4

附录 1-5-8 黄河下游各淤积断面测次间**全断面**冲淤量成果

(1990年5月~1995年5月)　　　　　　　　　　　　　　(单位：亿 m³)

断面名称	199020 199060	199060 199120	199120 199160	199160 199220	199220 199260	199260 199320	199320 199360	199360 199420	199420 199460	199460 199520
小浪底										
铁　谢										
下古街	0.057 9	−0.030 9	0.030 1	−0.009 0	0.027 1	−0.043 1	0.014 0	−0.021 3	0.050 9	−0.030 5
花园镇	0.057 0	0.005 6	0.059 6	−0.027 6	0.086 3	−0.072 9	0.026 9	−0.014 8	0.076 2	−0.041 6
马峪沟	0.076 2	−0.095 7	0.103 8	−0.080 8	0.165 8	−0.077 5	0.021 4	−0.088 4	0.126 2	−0.049 3
裴　峪	0.069 5	−0.079 7	0.042 9	−0.035 5	0.093 3	−0.079 6	0.003 7	−0.060 6	0.066 1	−0.048 0
伊洛河口	0.143 1	−0.111 2	0.081 0	−0.067 3	0.164 4	−0.176 3	0.093 6	0.049 3	0.084 2	−0.133 6
孤柏嘴	0.099 4	−0.092 8	0.135 2	0.069 3	0.221 9	−0.137 0	0.166 3	0.109 1	0.103 9	−0.130 9
罗村坡	0.023 0	−0.033 9	0.064 3	−0.016 8	0.127 0	−0.004 0	0.063 5	−0.052 7	0.095 0	−0.037 1
官庄峪	0.046 0	−0.044 3	0.041 5	−0.031 7	0.182 6	−0.017 9	0.055 5	−0.097 8	0.086 3	−0.026 8
秦　厂	0.098 9	−0.050 3	0.067 3	−0.055 1	0.186 1	−0.025 5	0.043 3	−0.131 0	0.128 5	−0.069 8
花园口	0.107 6	−0.075 5	0.153 9	−0.069 3	0.112 8	−0.195 9	0.103 1	−0.108 0	0.277 7	−0.077 8
八　堡	0.063 5	−0.055 6	0.075 8	−0.054 4	0.200 5	−0.188 1	0.111 9	−0.079 7	0.161 9	−0.011 0
来童寨	0.051 8	−0.018 7	0.040 2	−0.033 9	0.187 8	−0.090 8	0.035 9	−0.099 9	0.188 8	0.013 5
辛　寨	0.034 8	−0.033 2	0.070 0	−0.083 7	0.765 6	−0.399 6	0.036 7	−0.278 2	0.534 0	−0.163 1
黑　石	0.048 7	−0.032 0	−0.020 1	−0.010 6	0.274 1	−0.034 1	0.016 6	−0.051 9	0.118 0	−0.096 2
韦　城	0.150 4	−0.104 8	0.008 2	−0.006 6	0.489 8	−0.023 2	0.129 0	−0.111 1	0.171 0	−0.101 9
黑岗口	0.041 4	−0.031 8	0.039 6	−0.010 2	0.336 4	−0.163 1	0.148 7	−0.109 5	0.170 3	−0.061 9
柳园口	0.038 5	0.031 0	0.007 9	0.015 3	0.083 8	−0.077 7	0.085 5	0.066 4	0.181 5	−0.057 3
古　城	0.136 0	−0.014 6	0.040 0	0.027 7	0.203 1	−0.173 9	−0.000 2	0.106 7	0.240 6	−0.097 0
曹　岗	0.083 7	−0.018 3	0.080 1	−0.010 5	0.157 1	−0.124 5	−0.019 2	0.007 4	0.107 6	−0.055 8
夹河滩	0.048 9	0.034 3	0.074 5	−0.026 1	0.066 8	−0.040 9	0.061 3	−0.025 0	0.059 6	−0.032 3
东坝头	0.023 0	0.012 4	0.017 9	−0.001 2	0.007 5	0.003 8	0.027 0	−0.024 6	0.021 7	0.007 5
禅　房	0.027 9	−0.056 3	0.034 7	−0.004 3	0.036 5	0.001 7	0.007 4	−0.033 6	0.015 7	0.018 1
油房寨	0.097 5	−0.148 4	0.073 0	0.012 6	0.197 8	−0.051 3	0.040 4	−0.132 0	0.100 5	−0.022 4
马　寨	0.102 5	−0.038 2	0.050 7	0.014 3	0.152 6	−0.051 4	0.046 1	−0.087 5	0.158 0	−0.071 5
杨小寨	0.028 4	−0.014 6	0.030 0	0.000 1	0.017 2	0.010 5	0.008 5	−0.021 1	0.038 0	0.021 4
河　道	0.019 7	−0.006 4	0.015 8	0.005 0	0.077 7	−0.028 2	−0.002 3	0.018 9	0.032 2	0.022 3
高　村	−0.009 1	0.006 9	0.001 6	0.003 3	0.050 9	−0.022 9	−0.004 7	0.037 7	0.010 6	0.008 1
南小堤	−0.012 5	0.003 5	0.011 4	0.006 9	0.031 7	0.001 2	0.001 1	0.000 1	0.000 6	0.013 2
双合岭	−0.009 2	−0.005 3	0.033 4	−0.012 9	0.002 9	0.043 2	0.010 2	−0.005 9	0.001 6	0.009 5
苏泗庄	−0.048 4	0.011 2	0.018 2	0.002 8	−0.099 2	0.031 7	0.050 5	−0.046 9	0.007 0	0.054 2
营　房	−0.102 9	0.021 2	−0.004 5	0.031 1	−0.092 7	0.001 3	0.051 4	−0.057 4	0.005 2	0.076 5

断面名称	199020 199060	199060 199120	199120 199160	199160 199220	199220 199260	199260 199320	199320 199360	199360 199420	199420 199460	199460 199520
彭　楼	−0.000 5	−0.010 6	−0.006 9	0.005 4	0.049 8	−0.021 5	−0.007 7	0.000 3	0.003 1	0.007 7
大王庄	0.019 8	−0.010 2	−0.008 7	0.005 7	0.059 5	−0.021 9	−0.008 3	−0.001 4	0.011 7	0.004 5
史　楼	0.018 9	−0.006 0	−0.000 4	0.018 0	0.034 5	0.009 0	−0.021 6	0.000 1	0.024 0	0.007 9
徐码头	0.036 6	−0.038 4	0.020 8	0.013 2	0.049 0	0.011 2	−0.028 6	0.007 7	−0.007 4	0.042 1
于　庄	0.024 1	−0.003 5	−0.005 1	0.006 6	0.011 9	0.023 4	0.003 4	−0.011 5	−0.014 9	0.043 9
杨　集	−0.021 7	0.011 4	−0.004 0	−0.001 1	−0.003 2	0.028 0	0.008 3	−0.021 2	0.010 5	0.022 1
伟那里	−0.094 6	0.002 6	0.005 8	−0.003 8	−0.018 8	0.060 2	−0.012 8	−0.016 0	0.021 4	0.027 8
龙　湾	−0.017 1	0.006 7	−0.002 3	0.031 3	−0.056 1	0.035 4	0.003 4	−0.001 2	0.009 3	0.027 0
孙　口	−0.005 8	−0.001 0	0.002 7	0.023 4	−0.029 1	0.017 2	0.001 4	−0.002 1	0.005 2	0.020 5
梁　集	−0.028 8	−0.000 1	0.008 1	−0.000 7	0.013 0	0.013 8	−0.007 9	0.006 8	−0.006 7	0.004 8
大田楼	−0.016 1	0.003 2	0.001 9	0.002 5	0.015 4	0.003 8	−0.005 0	0.004 9	−0.003 3	0.006 5
雷　口	−0.005 1	0.002 4	−0.001 2	0.002 9	0.007 0	0.000 7	−0.003 0	−0.008 9	0.009 0	0.003 9
路那里	−0.017 3	0.004 4	−0.000 4	0.004 9	0.007 0	0.001 9	−0.004 5	−0.015 7	0.017 3	0.004 0
十里堡	−0.008 9	−0.000 8	0.004 7	0.002 3	0.014 4	0.003 8	−0.007 5	0.004 0	−0.002 8	0.008 6
白　铺	0.002 7	0.000 9	0.001 6	0.001 8	0.007 2	0.002 4	−0.003 6	0.001 7	0.000 4	0.001 6
邵　庄	0.001 5	0.008 2	0.001 9	0.002 2	0.000 1	−0.001 7	−0.003 6	0.000 6	0.010 5	−0.002 0
李　坝	0.007 8	0.010 8	−0.000 3	0.004 6	0.006 0	−0.010 7	−0.000 7	−0.002 4	0.012 5	0.000 1
陶成铺	0.005 1	0.007 0	−0.001 3	0.007 2	0.016 8	−0.012 6	0.000 0	−0.001 0	0.008 2	−0.003 0
黄　庄	−0.007 7	−0.000 7	0.001 8	0.000 0	0.000 7	0.001 6	−0.002 4	−0.000 3	−0.000 4	0.003 4
位　山	−0.006 0	0.001 1	−0.000 1	0.000 4	0.004 2	−0.001 6	0.000 2	−0.001 0	−0.004 0	0.008 0
阴柳科	0.002 5	0.005 3	−0.004 0	0.002 7	0.009 4	−0.003 9	0.001 6	−0.000 6	−0.004 4	0.009 2
王　坡	−0.001 7	0.007 0	−0.002 4	0.003 2	0.012 4	−0.000 7	−0.002 8	0.001 7	0.001 1	0.007 1
南　桥	−0.005 0	0.002 4	−0.000 1	0.005 0	0.005 4	0.003 6	−0.000 1	−0.002 7	−0.000 7	0.008 4
殷　庄	0.000 2	−0.001 6	0.002 3	0.006 5	−0.000 6	0.000 8	−0.002 7	−0.000 4	−0.002 8	0.007 9
艾　山	−0.002 8	0.001 9	0.005 2	0.006 5	−0.010 3	0.015 0	−0.018 7	0.011 1	0.000 3	0.012 0
大义屯	−0.006 5	0.012 7	−0.003 6	0.003 3	−0.005 2	0.019 9	−0.015 1	0.006 4	−0.000 4	0.021 7
胡溪渡	0.001 8	0.008 6	−0.002 8	0.004 4	0.000 2	0.006 0	−0.006 3	−0.001 2	0.001 8	0.008 6
朱　圈	0.003 9	0.009 5	−0.000 2	0.003 0	−0.007 7	0.012 1	−0.005 9	−0.001 0	0.008 1	−0.001 7
潘　庄	0.002 9	0.018 0	−0.004 3	0.006 2	0.007 4	−0.010 2	−0.002 2	0.006 4	0.005 7	0.007 6
娄　集	0.005 0	0.020 7	−0.007 7	0.012 1	0.028 6	−0.021 0	0.002 0	0.000 3	−0.001 6	0.015 0
官　庄	−0.010 4	0.012 7	−0.009 8	0.013 7	0.001 2	0.021 3	−0.014 8	0.007 7	−0.000 8	0.011 1
枯　河	−0.017 3	0.018 9	−0.015 2	0.015 8	−0.020 2	0.031 4	−0.011 3	0.017 5	−0.009 5	0.024 4
阴　河	−0.005 5	0.020 1	−0.008 3	0.009 3	−0.043 4	0.040 2	0.003 9	0.010 4	−0.013 2	0.017 6
张　村	0.020 7	0.018 3	−0.003 3	0.005 8	−0.029 9	0.052 2	−0.014 7	0.012 0	−0.004 6	0.005 8
水牛赵	0.002 6	0.009 0	−0.002 8	0.004 6	0.003 0	0.004 3	−0.000 5	0.004 7	0.001 7	0.002 8

断面名称	199020 199060	199060 199120	199120 199160	199160 199220	199220 199260	199260 199320	199320 199360	199360 199420	199420 199460	199460 199520
曹家圈	−0.012 7	0.022 5	−0.010 6	0.007 6	0.009 2	−0.000 2	0.005 9	0.009 8	0.002 1	0.012 4
郑家店	−0.009 7	0.019 2	−0.010 5	0.005 6	0.018 0	0.001 7	−0.006 0	0.006 7	0.004 3	0.009 6
泺　口	0.003 2	0.016 4	−0.013 5	0.016 4	−0.002 0	0.025 4	−0.010 7	0.004 3	0.004 9	0.005 8
后张庄	0.010 4	0.004 4	−0.003 8	0.010 8	−0.006 3	0.011 4	−0.002 7	0.001 6	0.004 7	0.008 4
霍家溜	0.006 5	0.003 8	0.001 8	0.004 5	−0.007 1	0.009 5	−0.001 7	0.001 9	0.010 8	−0.004 0
王家梨行	−0.006 6	0.012 2	0.000 7	0.005 5	−0.004 7	0.016 8	0.005 1	0.000 5	0.013 5	−0.001 8
传辛庄	−0.014 7	0.010 7	0.003 3	0.002 8	0.017 6	−0.006 7	0.008 2	0.004 9	0.011 9	0.005 3
刘家园	0.000 5	0.003 8	0.002 5	0.002 4	0.009 1	−0.003 5	0.001 8	0.008 2	0.005 3	−0.004 1
王家圈	−0.001 1	−0.011 1	0.025 2	0.008 8	−0.020 1	0.018 4	0.004 0	0.020 5	0.002 2	−0.000 3
张　桥	0.002 9	−0.002 7	0.013 1	0.002 6	−0.016 9	0.022 1	−0.004 3	0.007 9	0.001 8	0.006 8
梯子坝	0.008 9	0.009 8	0.003 0	0.001 9	−0.010 9	0.025 4	−0.006 8	−0.000 7	0.009 3	−0.001 5
董　家	0.004 8	0.004 4	0.000 1	0.007 4	−0.002 7	0.028 1	−0.013 9	0.004 9	0.011 2	−0.001 8
马扎子	−0.007 7	0.001 6	−0.004 6	0.010 6	0.012 0	0.019 1	−0.017 3	0.013 5	0.001 7	0.007 8
杨　房	−0.009 6	0.004 2	0.000 7	0.008 6	−0.013 6	0.027 0	−0.014 5	0.017 3	−0.003 0	0.008 4
薛王邵	−0.002 0	0.016 9	−0.005 7	0.008 0	−0.002 2	0.024 3	−0.004 7	0.017 3	0.002 8	0.005 7
齐　冯	−0.008 6	0.009 8	0.001 6	0.000 4	0.014 1	0.009 8	0.002 2	0.010 6	−0.001 3	0.007 6
兰　家	−0.005 1	0.004 4	0.008 2	−0.000 4	−0.000 4	0.017 9	−0.000 7	0.020 0	−0.007 5	0.011 1
贾　家	0.000 7	0.003 9	0.005 1	−0.003 0	0.009 8	0.007 0	0.000 0	0.014 5	−0.006 9	0.007 1
沪　家	0.026 7	0.014 3	−0.006 7	0.001 7	0.028 2	0.013 5	−0.008 3	0.012 7	−0.003 2	0.014 1
道　旭	0.013 8	0.008 5	−0.004 8	0.008 4	−0.005 4	0.021 2	−0.007 8	0.002 9	0.001 2	0.006 8
龙王崖	−0.001 5	0.006 9	0.002 7	0.000 8	−0.002 2	0.018 6	−0.003 9	0.002 4	−0.004 2	0.007 3
王旺庄	0.005 7	−0.000 2	0.000 8	−0.001 7	−0.001 9	0.012 4	−0.004 6	0.005 4	−0.002 9	0.003 5
宫　家	0.019 0	−0.007 7	0.007 8	−0.000 5	−0.030 4	0.048 1	−0.014 3	0.029 9	−0.011 7	0.016 6
张家滩	0.000 4	0.001 6	0.007 2	−0.006 4	−0.003 5	0.013 3	0.004 8	0.011 7	−0.005 2	0.006 8
利津(三)	−0.008 4	0.013 6	0.008 0	−0.004 7	−0.008 5	0.023 5	0.007 5	0.003 7	0.003 0	0.000 4
王家庄	−0.005 1	0.009 3	0.027 3	−0.005 5	−0.070 9	0.080 7	−0.004 8	0.005 4	0.001 7	0.009 0
东　张	−0.004 1	0.005 5	0.012 3	−0.004 7	−0.032 1	0.046 0	−0.009 3	0.001 6	−0.000 6	0.004 2
章邱屋子	−0.006 2	0.014 2	−0.011 8	0.007 1	0.005 8	0.014 7	0.002 6	0.000 8	0.000 8	0.000 9
一号坝	−0.001 8	0.011 8	−0.007 2	0.007 2	−0.001 2	0.013 0	0.009 9	0.002 7	0.001 1	0.000 8
前　左	0.001 1	0.005 5	0.002 4	0.003 5	−0.004 1	0.010 1	0.003 0	0.002 9	−0.001 0	−0.000 2
朱家屋子	0.000 6	0.006 2	0.002 0	0.004 1	0.004 0	0.002 7	0.003 7	0.002 5	−0.002 1	0.000 0
渔　洼	−0.001 9	0.009 7	−0.000 2	0.004 4	0.008 4	0.004 5	0.004 1	0.007 4	−0.002 5	0.000 1

（1995 年 5 月 ~ 2000 年 5 月） （单位：亿 m³）

断面名称	199520 199560	199560 199620	199620 199660	199660 199720	199720 199760	199760 199820	199820 199860	199860 199920	199920 199960	199960 200020	200020 200060
小浪底											
铁 谢											
下古街	0.039 1	−0.048 0	0.128 5	−0.072 6	0.001 1	−0.022 7	0.043 4	−0.046 2	0.025 6	−0.036 8	−0.004 9
花园镇	0.046 8	−0.040 9	0.212 1	−0.124 2	0.024 7	−0.054 2	0.050 8	−0.057 7	0.048 4	−0.046 7	−0.010 0
马峪沟	0.053 3	−0.066 3	0.281 4	−0.059 6	−0.001 2	−0.032 6	0.039 5	−0.039 3	0.037 6	−0.061 2	−0.016 3
裴 峪	0.079 5	−0.041 1	0.190 4	−0.006 5	0.014 0	−0.007 0	0.008 2	−0.015 8	0.019 7	−0.032 4	−0.009 2
伊洛河口	0.185 9	−0.086 5	0.383 6	−0.235 6	0.172 6	−0.032 6	0.077 8	−0.022 2	0.080 1	−0.090 1	−0.036 8
孤柏嘴	0.178 8	−0.210 1	0.300 9	−0.193 0	0.155 5	−0.128 3	0.142 9	−0.054 3	0.150 1	−0.183 1	0.024 7
罗村坡	0.068 4	−0.093 2	0.114 0	0.018 2	0.012 6	−0.079 9	0.047 3	−0.036 6	0.074 4	−0.067 5	0.034 6
官庄峪	0.049 0	−0.027 6	0.035 8	0.005 2	0.041 4	−0.020 9	0.014 8	−0.037 6	0.045 7	−0.025 8	0.000 0
秦 厂	0.143 7	−0.088 6	−0.004 8	0.039 4	0.070 3	−0.055 0	0.044 6	−0.145 2	0.143 3	−0.164 9	0.084 7
花园口	0.139 8	−0.089 8	0.012 2	−0.017 3	0.081 2	−0.121 5	0.063 9	−0.117 0	0.132 3	−0.237 0	0.104 9
八 堡	0.057 2	−0.025 2	0.051 5	−0.042 8	0.052 1	−0.049 6	0.011 6	0.008 4	0.049 5	−0.034 7	−0.030 4
来童寨	0.017 7	−0.013 4	0.051 3	−0.023 6	0.039 6	−0.031 4	0.003 1	0.006 2	0.041 3	−0.001 1	−0.032 5
辛 寨	0.160 6	−0.120 4	0.256 8	−0.130 0	0.052 8	−0.085 5	0.213 9	−0.067 1	0.099 2	−0.069 6	−0.048 2
黑 石	0.073 2	−0.058 5	0.143 6	−0.069 7	0.027 7	−0.028 5	0.073 9	−0.031 0	0.041 5	−0.033 2	−0.012 7
韦 城	0.093 8	−0.091 9	0.279 7	−0.051 1	0.039 7	−0.014 6	−0.027 3	−0.014 2	0.040 4	−0.024 5	−0.008 1
黑岗口	0.085 0	−0.046 0	0.185 0	−0.056 7	0.027 5	0.001 5	−0.004 0	−0.002 8	0.019 1	−0.026 2	0.003 7
柳园口	0.084 7	−0.040 7	0.062 9	−0.054 1	0.028 7	0.000 8	0.010 0	0.008 3	0.003 6	−0.013 4	0.001 7
古 城	0.137 0	−0.136 2	0.254 3	−0.053 4	0.037 8	−0.006 8	0.029 7	−0.012 4	0.006 5	−0.039 1	−0.016 3
曹 岗	0.051 2	−0.053 2	0.189 0	−0.024 4	0.058 2	−0.026 1	0.059 0	−0.016 6	0.022 6	−0.032 5	−0.013 7
夹河滩	0.011 6	0.015 2	0.132 4	0.116 8	0.060 9	−0.027 5	0.052 0	0.004 7	0.017 4	−0.003 2	−0.004 6
东坝头	−0.010 1	0.012 8	0.184 0	0.063 5	0.011 7	−0.001 5	0.029 3	0.007 2	−0.015 2	−0.007 2	0.000 1
禅 房	−0.003 7	−0.004 8	0.160 1	0.004 4	0.015 3	−0.013 5	0.021 1	0.022 7	−0.008 4	0.004 6	−0.006 3
油房寨	0.004 7	−0.244 6	0.539 2	0.054 9	0.073 4	−0.049 3	0.071 2	0.025 5	0.003 8	0.025 8	−0.020 1
马 寨	−0.020 1	−0.299 1	0.625 3	0.102 6	0.081 6	0.025 6	0.097 8	−0.026 1	0.022 6	0.015 6	−0.000 8
杨小寨	−0.025 6	0.009 6	0.122 9	0.027 1	0.013 3	0.012 3	0.022 4	−0.004 1	0.018 6	0.008 1	0.002 4
河 道	−0.032 7	0.040 0	0.084 1	0.018 9	0.030 2	−0.046 4	0.036 4	−0.002 7	0.030 4	−0.003 3	−0.005 5
高 村	−0.015 7	0.025 6	0.036 3	0.009 6	0.017 1	−0.020 0	0.011 1	0.004 4	0.012 9	−0.009 6	0.006 3
南小堤	−0.004 2	0.011 8	0.080 6	0.005 3	0.028 1	−0.004 6	0.017 7	−0.000 7	−0.002 1	−0.002 2	−0.046 9
双合岭	0.016 1	0.008 7	0.172 9	−0.012 8	0.066 4	−0.012 4	0.028 7	0.000 5	−0.010 0	0.010 8	−0.098 7
苏泗庄	−0.006 0	0.037 5	0.082 8	−0.013 7	0.049 5	0.004 5	0.011 5	−0.005 0	−0.011 5	0.032 9	−0.023 9
营 房	−0.024 0	0.061 9	0.119 2	0.010 7	0.038 3	0.016 3	0.007 5	−0.004 4	−0.006 1	0.035 0	0.028 2

断面名称	199520 199560	199560 199620	199620 199660	199660 199720	199720 199760	199760 199820	199820 199860	199860 199920	199920 199960	199960 200020	200020 200060
彭　楼	0.002 1	0.012 2	0.037 0	0.007 5	0.009 2	−0.001 0	0.012 5	0.010 2	0.009 4	0.003 1	0.018 5
大王庄	0.000 8	0.018 4	0.029 4	0.000 9	−0.001 7	0.011 5	0.009 4	0.023 9	0.008 2	0.001 2	0.013 4
史　楼	−0.004 8	0.025 8	0.000 9	−0.002 9	−0.001 3	0.023 8	−0.008 0	0.026 0	0.017 4	−0.001 7	0.023 7
徐码头	−0.016 3	0.030 4	0.043 8	0.025 1	0.018 3	0.012 4	0.007 4	−0.009 0	0.023 0	0.003 3	−0.021 5
于　庄	−0.020 0	0.032 2	0.087 4	0.030 5	0.004 5	0.004 1	0.011 3	−0.006 0	0.009 7	−0.004 9	−0.019 7
杨　集	−0.000 6	0.012 8	0.046 9	0.002 6	0.013 0	−0.002 9	0.021 0	0.002 7	0.002 5	−0.004 9	0.015 3
伟那里	0.008 5	−0.000 8	−0.038 6	0.008 1	0.032 5	0.002 5	0.021 9	0.001 5	−0.001 2	−0.000 3	0.000 4
龙　湾	−0.004 9	0.004 1	−0.020 1	0.019 5	0.017 5	−0.012 4	0.002 7	0.012 4	−0.014 2	0.015 1	0.002 1
孙　口	0.000 6	0.008 3	−0.002 5	−0.019 4	0.030 9	−0.010 9	0.010 9	0.021 5	−0.012 9	0.010 9	0.016 8
梁　集	0.009 5	−0.003 7	0.003 6	−0.031 9	0.030 1	−0.003 1	0.013 2	0.010 2	0.005 2	−0.004 0	0.013 1
大田楼	−0.000 4	−0.001 8	−0.004 4	−0.005 8	0.015 3	−0.002 6	0.002 9	0.003 3	0.005 0	−0.004 2	0.017 8
雷　口	−0.000 5	0.001 5	−0.002 3	−0.000 5	0.006 8	0.000 5	−0.002 0	0.001 1	0.002 0	−0.002 9	0.009 8
路那里	0.000 1	0.003 6	−0.000 4	0.001 3	0.006 3	0.001 1	−0.001 1	−0.001 1	0.002 3	−0.003 6	0.012 7
十里堡	−0.008 1	0.006 5	0.003 6	−0.006 0	0.005 6	−0.001 7	0.006 6	0.000 0	0.004 3	−0.004 6	0.002 8
白　铺	−0.001 2	0.002 1	−0.005 3	−0.000 2	0.003 1	−0.002 2	0.002 7	0.000 5	0.003 2	−0.003 3	−0.006 4
邵　庄	0.003 2	−0.007 3	−0.013 2	0.007 3	0.004 2	−0.001 2	0.002 3	0.000 8	−0.003 4	0.001 8	−0.008 7
李　坝	−0.001 1	−0.002 0	0.000 1	−0.002 6	0.014 4	0.000 4	0.000 4	0.005 3	−0.003 3	0.000 8	−0.009 7
陶成铺	−0.003 6	0.016 8	0.002 3	−0.010 8	0.022 8	0.001 1	0.001 0	0.013 3	0.002 7	−0.007 1	−0.007 9
黄　庄	−0.001 1	0.000 5	−0.002 3	0.000 8	0.002 6	0.001 5	0.000 3	0.002 1	0.000 2	0.000 7	0.001 1
位　山	−0.000 2	−0.002 1	−0.000 4	−0.000 7	0.003 4	0.001 6	0.000 8	0.000 3	0.001 0	0.001 8	−0.000 4
阴柳科	0.000 6	−0.001 5	−0.003 6	−0.000 6	0.005 8	0.001 5	0.001 9	−0.002 5	0.001 0	0.002 5	−0.002 2
王　坡	0.002 0	−0.004 4	−0.015 7	−0.002 1	0.011 9	−0.000 3	−0.000 7	−0.002 0	0.007 4	−0.002 2	−0.004 6
南　桥	0.002 0	0.000 2	−0.015 1	−0.002 6	0.008 9	−0.000 5	−0.003 4	0.004 6	0.011 9	−0.006 4	−0.006 9
殷　庄	−0.000 2	0.005 3	−0.011 4	0.001 3	0.004 6	0.001 6	−0.002 9	0.003 6	0.005 1	−0.004 8	0.006 0
艾　山	−0.009 4	0.013 0	−0.032 7	0.017 0	0.005 8	0.001 5	−0.001 4	0.009 8	−0.025 6	0.021 7	0.016 1
大义屯	−0.012 8	0.012 6	−0.028 3	0.020 1	0.004 2	0.002 4	0.005 3	0.017 5	−0.026 7	0.035 7	0.009 8
胡溪渡	−0.002 7	0.004 6	−0.009 5	0.006 3	0.005 8	0.000 4	0.000 3	0.007 1	0.005 4	0.000 8	0.008 1
朱　圈	0.001 7	−0.000 1	−0.004 4	0.007 4	0.009 5	−0.000 5	−0.002 4	0.003 5	0.004 5	−0.001 8	0.001 6
潘　庄	0.002 0	0.001 6	−0.021 5	0.009 2	0.009 5	0.006 9	−0.006 2	0.006 3	−0.000 7	0.011 3	0.004 4
娄　集	−0.004 0	0.002 8	−0.013 2	0.004 4	−0.001 0	0.009 4	−0.007 8	0.008 9	−0.002 3	0.012 1	−0.011 8
官　庄	−0.003 2	0.004 7	−0.001 7	0.017 3	0.001 9	−0.001 9	0.000 9	0.004 2	0.004 1	0.003 6	−0.033 0
枯　河	−0.003 5	0.010 5	−0.035 0	0.027 9	0.014 4	−0.002 5	−0.011 1	0.014 7	0.000 4	0.009 6	−0.035 5
阴　河	0.002 0	0.007 3	−0.039 9	0.019 7	0.010 5	0.008 3	−0.017 6	0.023 4	−0.018 2	0.012 6	−0.045 1
张　村	0.002 3	0.010 4	−0.030 6	0.012 7	−0.005 0	0.009 7	−0.013 4	0.016 2	−0.008 7	0.006 8	−0.009 0
水牛赵	−0.002 2	0.006 4	−0.026 1	0.004 4	0.000 4	0.002 4	−0.010 0	0.008 8	0.001 0	0.003 0	0.002 2

断面名称	199520 199560	199560 199620	199620 199660	199660 199720	199720 199760	199760 199820	199820 199860	199860 199920	199920 199960	199960 200020	200020 200060
曹家圈	-0.008 3	0.012 5	-0.030 3	0.011 4	0.000 6	0.009 9	-0.021 2	0.027 4	-0.010 9	0.010 0	-0.000 5
郑家店	-0.009 1	0.012 7	-0.017 5	0.005 2	0.002 3	0.008 0	-0.012 0	0.010 4	0.004 0	0.002 2	0.011 3
泺 口	-0.007 8	0.010 4	-0.033 7	0.034 2	0.004 8	0.003 2	-0.006 8	0.001 3	0.015 4	-0.003 5	-0.006 3
后张庄	-0.011 0	0.015 1	-0.015 9	0.031 2	0.004 4	0.005 2	-0.013 4	0.014 0	0.000 8	0.001 6	-0.024 7
霍家溜	-0.002 2	0.010 4	-0.022 0	0.026 6	0.005 4	0.003 5	-0.014 0	0.014 7	-0.011 1	0.011 3	-0.017 2
王家梨行	0.000 5	0.009 8	-0.038 9	0.041 0	0.001 3	0.004 9	-0.010 2	0.017 9	-0.014 3	0.018 6	-0.036 7
传辛庄	-0.002 4	0.010 7	0.009 0	-0.003 8	0.002 2	0.004 7	0.006 1	0.008 7	0.007 3	-0.001 1	-0.025 6
刘家园	0.004 5	0.002 5	0.020 8	0.001 8	0.001 6	0.002 2	0.002 6	0.002 6	0.007 0	-0.002 5	-0.028 9
王家圈	0.003 8	0.009 7	0.065 4	0.022 6	0.011 2	0.017 6	0.008 2	-0.015 5	0.009 2	-0.000 3	-0.117 7
张 桥	-0.000 1	0.006 9	0.015 2	0.020 7	0.009 0	0.009 2	0.007 7	-0.012 4	0.001 7	0.004 5	-0.046 2
梯子坝	0.004 2	0.003 9	-0.005 1	0.025 4	0.004 4	-0.001 0	-0.000 4	-0.000 2	-0.012 4	0.017 9	-0.036 0
董 家	0.002 7	0.005 1	-0.014 4	0.027 3	0.007 8	-0.000 4	-0.001 4	0.004 2	-0.011 9	0.017 0	-0.037 1
马扎子	-0.000 4	-0.001 4	-0.009 2	0.026 6	0.008 4	0.000 9	-0.001 1	0.011 1	0.004 2	0.000 9	-0.032 1
杨 房	-0.001 6	-0.005 3	0.048 1	0.011 8	0.006 5	0.001 2	-0.001 9	0.011 3	-0.010 0	0.009 9	-0.050 4
薛王邵	0.002 2	-0.001 3	0.066 4	-0.002 0	0.009 0	0.000 8	0.003 6	0.011 8	-0.009 6	0.011 8	-0.060 2
齐 冯	-0.003 6	0.001 0	0.014 5	-0.003 1	0.001 8	0.002 6	0.004 0	0.005 9	0.001 3	0.002 1	-0.011 7
兰 家	0.002 0	-0.004 5	0.005 0	-0.000 3	0.003 5	0.004 7	-0.005 7	0.010 1	-0.002 7	0.006 1	-0.008 1
贾 家	0.002 3	-0.001 1	-0.001 1	0.004 7	0.000 2	0.002 2	-0.005 3	0.012 4	-0.001 2	0.005 9	-0.020 1
沪 家	-0.018 8	0.017 8	0.029 8	0.001 8	-0.008 2	-0.000 7	-0.000 3	0.017 6	0.000 3	0.011 6	-0.116 4
道 旭	-0.007 1	0.006 8	0.029 8	-0.002 2	-0.009 2	-0.001 7	0.001 1	0.009 6	0.003 3	0.005 3	-0.067 4
龙王崖	0.002 6	-0.000 7	0.034 4	-0.004 3	-0.009 2	-0.000 8	-0.002 8	0.014 7	0.005 7	0.003 8	-0.036 0
王旺庄	-0.001 6	0.006 4	0.001 1	-0.001 5	-0.000 5	0.003 0	-0.004 7	0.004 5	0.003 8	-0.000 6	-0.009 8
宫 家	-0.019 9	0.039 3	-0.034 0	0.013 6	-0.011 9	0.019 6	-0.015 0	0.003 3	0.010 3	0.003 2	-0.015 1
张家滩	-0.007 7	0.011 4	-0.013 7	0.004 3	-0.002 3	0.008 4	-0.005 3	-0.001 5	0.005 3	0.003 5	-0.009 2
利津(三)	0.002 8	-0.007 4	-0.009 8	0.009 5	0.003 2	0.000 2	-0.004 6	0.002 5	0.008 3	0.000 0	-0.009 1
王家庄	-0.007 2	0.002 2	-0.024 6	0.023 3	0.010 0	0.001 4	-0.009 5	0.004 5	0.005 4	0.005 1	-0.003 5
东 张	-0.005 7	0.008 3	0.006 3	0.003 3	0.008 1	0.001 2	-0.001 4	0.002 2	0.000 9	0.004 5	-0.001 6
章邱屋子	-0.002 8	0.002 7	0.015 7	-0.008 2	0.000 6	-0.000 9	0.005 6	-0.001 0	0.009 2	-0.003 3	-0.006 5
一号坝	-0.003 1	0.001 1	-0.004 6	-0.006 0	-0.001 2	-0.002 5	0.005 5	0.001 3	0.009 1	-0.001 6	-0.018 7
前 左	-0.001 0	0.000 3	-0.009 4	-0.001 5	0.000 5	0.000 8	0.003 0	0.001 8	0.002 4	0.000 8	-0.004 0
朱家屋子	-0.000 3	-0.001 0	0.002 2	-0.002 1	0.001 5	0.004 5	-0.000 9	-0.005 0	0.007 4	-0.001 8	-0.000 7
渔 洼	-0.001 4	-0.005 4	0.013 9	-0.008 1	0.025 7	-0.004 6	0.005 3	-0.005 8	0.012 2	0.000 2	-0.023 9

附录 1-5-10 黄河下游各淤积断面测次间**主槽**冲淤量成果

(1960 年 5 月～1965 年 5 月)　　　　　　　　　　　　　　　　　　　　　(单位：亿 m³)

断面名称	196020 196060	196060 196120	196120 196160	196160 196220	196220 196260	196260 196320	196320 196360	196360 196420	196420 196460	196460 196520
小浪底										
铁　谢										
下古街	−0.024	−0.067 5	−0.116 9	−0.021 2	0.017 5	−0.01	−0.040 5	0.015 9	−0.033 9	−0.006 8
花园镇	−0.014 4	−0.136 4	−0.209 5	−0.070 3	−0.026 5	0.004 3	−0.048 4	0.021 7	−0.060 3	0.021 1
马峪沟	0.06	−0.207 2	−0.239 5	−0.084 7	−0.018 6	−0.003 1	−0.112 9	0.030 5	−0.211 7	0.152 8
裴　峪	0.013 5	−0.040 9	−0.152 6	−0.024 2	−0.009 3	0.003 9	−0.084 6	0.013 7	0.019 8	0.028 9
伊洛河口	0.017 1	−0.083 9	−0.242 1	−0.104 2	−0.075 0	0.025 0	−0.059 3	−0.086 7	−0.071 9	0.084 0
孤柏嘴	−0.040 9	−0.233 5	−0.381 1	−0.114 5	−0.078 5	−0.025 4	−0.287 5	−0.083 5	−0.134 9	0.061 9
罗村坡									0.160 1	0.025 0
官庄峪										
秦　厂	0.042 5	−0.037 3	−0.189 6	0.027 9	−0.037 5	0.042 5	−0.111 3	−0.039 1	−0.223 2	0.160 1
花园口	0.168 7	0.032 3	−0.160 2	−0.166 7	0.009 0	−0.085 4	−0.196 6	−0.060 0	−0.248 0	0.137 8
八　堡	0.023 3	−0.112 5	−0.132 7	0.050 6	−0.076 6	0.079 0	−0.147 1	0.017 8	−0.080 4	0.101 2
来童寨	0.073 3	−0.082 5	−0.137 2	0.014 8	−0.063 4	0.000 6	−0.015 8	0.046 4	−0.079 7	0.083 7
辛　寨	0.014 4	−0.063 0	−0.413 9	−0.103 0	−0.076 5	−0.012 5	−0.129 7	−0.028 6	−0.411 8	0.169 1
黑　石	−0.002 3	0.019 7	−0.149 8	−0.071 4	0.000 0	−0.002 2	−0.050 9	−0.066 3	−0.053 2	0.023 2
韦　城	0.034 9	−0.012 8	−0.112 3	−0.117 2	−0.032 6	0.000 6	0.034 4	−0.058 9	−0.368 0	0.258 7
黑岗口	0.089 5	−0.042 2	−0.096 4	−0.080 7	−0.053 0	0.000 9	0.070 0	−0.038 3	−0.396 1	0.339 1
柳园口	−0.007 5	0.013 7	−0.153 6	0.052 5	−0.085 2	0.017 9	0.021 5	−0.065 5	0.010 1	0.064 7
古　城	−0.078 2	0.017 8	−0.204 3	0.070 0	−0.170 9	0.071 6	−0.045 3	−0.095 6	−0.026 7	0.077 9
曹　岗	−0.033 3	−0.008 5	−0.098 4	0.000 0	−0.059 9	0.021 4	−0.060 3	−0.043 3	−0.075 3	0.065 2
夹河滩	0.035 6	−0.015 0	−0.122 6	−0.007 2	−0.019 4	−0.033 9	−0.020 5	−0.020 7	−0.332 6	0.131 6
东坝头	−0.000 3	0.015 8	−0.077 0	−0.004 1	−0.033 6	−0.151 0	0.034 3	−0.048 3	−0.124 2	0.081 4
禅　房								−0.002 3	−0.126 9	0.030 6
油房寨	0.163 7	0.048 7	−0.335 8	−0.056 8	−0.090 4	−0.237 0	−0.006 4	−0.019 2	−0.112 2	0.060 9
马　寨	0.210 4	−0.016 3	−0.390 8	−0.108 6	−0.058 7	0.130 8	−0.079 0	−0.084 7	−0.151 1	0.112 3
杨小寨	0.031 5	0.012 9	−0.229 1	−0.178 9	−0.026 1	−0.025 3	0.012 9	−0.017 7	−0.030 8	−0.010 2
河　道										
高　村	−0.047 8	0.092 9	−0.322 6	−0.290 6	−0.066 0	−0.196 1	−0.044 4	0.021 9	−0.046 9	−0.094 0
南小堤										
双合岭										

断面名称	196020 196060	196060 196120	196120 196160	196160 196220	196220 196260	196260 196320	196320 196360	196360 196420	196420 196460	196460 196520
苏泗庄										
营 房										
彭 楼										
大王庄										
史 楼										
徐码头										
于 庄										
杨 集										
伟那里	0.088 5	0.006 8	−0.013 0	0.002 4	0.037 2	0.011 6	−0.030 8	−0.093 2	−0.061 1	−0.000 3
龙 湾	0.025 5	0.059 1	0.051 0	−0.042 6	−0.010 7	0.020 8	−0.006 2	−0.004 4	−0.111 4	0.026 4
孙 口	0.029 2	0.008 6	0.012 2	0.012 6	−0.032 9	−0.009 6	−0.007 0	−0.007 3	−0.081 7	0.000 3
梁 集	0.024 4	0.006 1	−0.002 3	−0.002 3	−0.010 4	−0.000 8	0.002 2	0.000 0	0.000 0	0.000 0
大田楼	0.034 5	−0.005 1	−0.021 0	−0.010 7	−0.021 2	−0.006 9	−0.037 1	0.000 1	0.024 0	0.005 5
雷 口	0.008 2	0.000 5	−0.002 6	−0.000 4	−0.004 5	−0.000 9	−0.025 8			
路那里	0.014 0	−0.001 8	−0.002 5	−0.013 9	−0.000 8	0.001 8	−0.000 5	0.001 0	−0.017 6	0.044 3
十里堡	0.012 6	−0.004 2	−0.016 6	−0.010 4	−0.000 9	−0.002 5	−0.006 4	−0.017 1	−0.038 4	0.000 0
白 铺	0.011 8	0.003 8	−0.003 9	−0.009 5	−0.000 2	−0.000 7	0.003 7			
邵 庄	0.034 6	0.005 3	−0.017 5	−0.018 8	−0.003 1	−0.000 4	0.006 7	0.022 8	−0.027 0	0.005 3
李 坝										
陶成铺	0.099 2	−0.013 2	−0.088 6	0.040 4	−0.008 9	−0.009 3	−0.016 1	0.018 8	−0.054 5	0.000 0
黄 庄	0.006 4	−0.012 7	−0.013 2	0.006 9	−0.000 5	0.000 0	0.000 0	0.000 0	0.000 0	−0.034 2
位 山	0.000 9	−0.001 1	−0.003 8	0.001 6	−0.001 6	−0.005 5	−0.009 4	0.000 0	0.000 0	0.000 0
阴柳科	−0.026 4	0.009 9	−0.051 5	0.025 9	−0.005 5	0.000 0	0.000 0	−0.024 4	−0.016 4	0.015 9
王 坡	−0.017 1	0.004 6	−0.028 9	0.016 8	−0.014 0	−0.007 2	−0.034 8	0.011 8	0.004 4	0.000 0
南 桥	−0.008 4	0.011 6	−0.008 2	−0.000 2	−0.001 2	0.000 0	0.000 0	0.000 0	0.000 0	0.000 0
殷 庄	−0.007 8	0.009 6	−0.024 5	0.013 1	−0.007 9	0.000 0	0.000 0	0.000 0	0.000 0	0.000 0
艾 山	−0.010 8	0.004 9	−0.032 8	0.013 6	−0.015 0	0.011 6	−0.050 6	0.021 5	0.011 7	0.032 1
大义屯										
胡溪渡										
朱 圈										
潘 庄										
娄 集										
官 庄										
枯 河										
阴 河										

続表

断面名称	196020 196060	196060 196120	196120 196160	196160 196220	196220 196260	196260 196320	196320 196360	196360 196420	196420 196460	196460 196520
张 村										
水牛赵										
曹家圈										
郑家店										
泺 口										
后张庄										
霍家溜										
王家梨行										
传辛庄										
刘家园										
王家圈										
张 桥										
梯子坝										
董 家										
马扎子										
杨 房										
薛王邵										
齐 冯										
兰 家										
贾 家										
沪 家										
道 旭										
龙王崖										
王旺庄										
宫 家										
张家滩										
利津(三)										
王家庄										0.033 3
东 张										0.002 8
章邱屋子										0.003 4
一号坝										0.026 6
前 左										0.021 8
朱家屋子										0.001 9
渔 洼										0.011 7

附录 1-5-11　黄河下游各淤积断面测次间**主槽**冲淤量成果

(1965 年 5 月 ~ 1970 年 5 月)　　　　　　　　　　　　　　　　(单位：亿 m³)

断面名称	196520 196560	196560 196620	196620 196660	196660 196720	196720 196760	196760 196820	196820 196860	196860 196920	196920 196960	196960 197020
小浪底										
铁　谢										
下古街	0.001 2	0.015 1	−0.036 6	0.002 9	−0.072 2					
花园镇	−0.018 8	0.019 5	−0.087 6	0.036 6	−0.066 2	−0.010 2	−0.236 9	0.192 1	0.176 5	−0.065 0
马峪沟	−0.041									
裴　峪	−0.006 2	0.011 0	−0.173 3	0.101 4	−0.199 6	0.052 9	−0.241 2	−0.022 6	0.401 9	−0.186 8
伊洛河口	0.020 3	0.001 7	0.019 7	0.030 6	−0.042 2	0.043 4	−0.105 1	−0.150 2	0.315 6	−0.118 4
孤柏嘴	0.123 6	0.000 0	0.093 7	0.028 3	−0.077 5	0.042 9	−0.022 0	−0.023 7	0.316 5	−0.127 3
罗村坡	0.082 5									
官庄峪		0.019 7	0.032 2	−0.008 1	−0.242 3	0.072 1	−0.052 3	0.019 2	0.220 2	−0.094 4
秦　厂	0.023 5	0.050 8	−0.093 7	−0.052 0	−0.163 8	0.094 6	−0.004 2	0.027 3	0.135 6	−0.006 3
花园口	0.129 8	0.056 2	−0.046 6	−0.083 1	0.286 7	−0.100 7	0.054 1	0.020 4	0.118 4	0.111 3
八　堡	0.065 3	0.007 8	0.104 6	−0.008 0	0.117 8					
来童寨	0.062 1	−0.006 0	0.073 5	−0.042 4	0.040 1	−0.221 5	0.170 2	0.014 5	0.115 5	0.079 3
辛　寨	0.077 9	−0.015 2	0.078 3	−0.129 1	0.230 9	−0.249 6	0.196 0	0.121 7	0.246 6	−0.018 6
黑　石	0.044 7	−0.030 5	0.024 2	0.031 6	0.047 6	−0.066 7	0.008 8	0.044 1	0.103 6	0.005 9
韦　城	−0.004 7	0.018 5	0.133 0	0.040 8	0.045 9	−0.054 2	0.079 2	−0.021 5	0.168 7	−0.003 3
黑岗口	−0.139 8	0.003 6	0.142 5	−0.014 8	−0.008 5	0.014 5	0.037 3	−0.024 3	0.137 0	0.001 6
柳园口	−0.025 4	−0.061 4	0.102 5	−0.009 1	−0.017 8	0.056 2	−0.040 0	0.039 3	0.082 3	0.007 8
古　城	0.089 6	−0.086 2	0.078 3	−0.007 1	0.004 5	−0.035 7	−0.064 4	0.104 5	0.139 5	0.009 6
曹　岗	0.055 5	0.001 9	0.041 4	−0.019 1	−0.030 9	−0.020 0	−0.058 9	0.077 9	0.088 2	0.074 2
夹河滩	0.090 7	−0.001 2	0.048 7	−0.008 4	−0.084 0	0.071 2	−0.039 2	0.076 1	0.030 5	0.090 9
东坝头	0.084 1	0.009 9	0.054 1	−0.035 7	−0.023 9	0.053 9	0.014 4	0.036 3	−0.001 9	0.046 3
禅　房	0.036 3	0.028 2	0.064 8	−0.038 2	0.030 1	0.013 7	0.000 5	0.020 1		
油房寨	0.014 2	0.049 0	0.066 1	−0.025 0	0.074 6	−0.012 1			−0.029 7	0.221 3
马　寨	0.071 2	0.012 4	−0.022 0	0.057 1	−0.064 2	0.001 0	0.002 5	0.115 6	0.021 8	0.125 2
杨小寨	0.122 9	−0.037 3	0.025 0	0.027 7	−0.015 3	−0.003 2	0.063 2	−0.034 9	0.066 3	0.065 7
河　道						0.031 7	0.030 7	−0.148 0	0.137 9	0.132 0
高　村	0.165 7	−0.130 9	0.097 8	0.088 7	0.003 4	0.019 4	0.007 2	−0.037 9	0.038 1	0.024 3
南小堤	0.007 7	−0.001 6	−0.005 3	0.043 4	−0.013 4	0.000 4	0.007 5	0.008 1	0.011 4	−0.014 7
双合岭	0.000 2	0.048 7	−0.005 8	0.030 2	0.001 3	0.003 1	−0.026 4	0.003 4	−0.004 0	0.005 8

断面名称	196520 196560	196560 196620	196620 196660	196660 196720	196720 196760	196760 196820	196820 196860	196860 196920	196920 196960	196960 197020
苏泗庄	0.008 9	0.026 2	−0.023 3	0.015 9	0.006 5	0.022 3	−0.064 8	0.027 6	0.002 3	0.016 7
营 房	0.055 1	−0.040 4	0.036 4	0.040 0	0.006 3	0.020 1	−0.078 4	0.079 5	0.015 8	0.011 5
彭 楼	0.009 6	−0.008 2	0.049 0	0.016 7	0.013 3	−0.011 5	0.012 4	0.009 1	0.003 9	0.014 5
大王庄	−0.003 9	0.016 2	0.040 8	0.008 0	0.019 7	−0.010 0	0.011 2	−0.008 8	0.010 5	0.027 6
史 楼	−0.007 0	0.011 3	0.075 6	−0.007 1	0.075 7	0.009 1	−0.028 7	0.010 0	0.006 8	0.056 8
徐码头	−0.103 7	0.045 2	0.062 7	0.006 5	0.103 4	−0.047 8	0.012 9	0.013 4	0.003 7	0.049 9
于 庄	−0.055 8	0.029 0	0.040 1	0.023 4	0.034 9	−0.042 1	0.040 2	0.001 5	−0.023 6	−0.013 7
杨 集	0.073 6	0.009 5	0.071 5	−0.001 3	−0.034 3	−0.002 5	0.022 0	0.039 5	−0.047 4	0.012 4
伟那里	0.036 9	0.001 3	0.049 1	0.013 7	−0.060 0	0.005 8	0.028 2	0.026 7	−0.017 2	0.046 8
龙 湾	0.006 7	−0.008 1	−0.003 4	0.005 3	0.025 3	0.006 7	0.014 6	0.029 4	−0.016 8	0.007 9
孙 口	0.018 7	0.028 0	0.008 9	0.023 2	0.017 0	0.018 7	−0.037 7	0.010 2	−0.003 0	0.006 5
梁 集										
大田楼	0.018 4	0.021 5	0.120 2	0.014 1	0.093 9	−0.095 4	0.002 8	0.010 3	0.004 0	0.005 5
雷 口										
路那里	−0.001 9	0.005 6	−0.004 5	0.004 1	0.041 1	−0.009 2	0.018 2	0.008 2	0.002 8	−0.016 6
十里堡	0.002 2	0.003 9	−0.035 3	0.006 7	0.000 2	0.006 8	0.020 8	−0.005 1	0.005 4	−0.004 4
白 铺										
邵 庄	−0.001 4	0.008 6	−0.000 4	0.012 6	−0.004 0	0.005 3	0.006 7	−0.005 4	0.010 3	0.015 0
李 坝										
陶成铺	0.008 6	−0.002 2	0.020 5	0.009 2	0.024 7	0.004 8	−0.000 9	0.014 1	0.016 5	0.017 5
黄 庄	0.000 5	0.000 5	0.000 4	0.002 6	0.005 7	0.005 8	−0.007 7	0.009 2	0.001 3	0.003 8
位 山	0.000 7	0.004 5	−0.007 8	0.005 4	−0.004 6	0.008 8	−0.014 0	0.016 3	0.000 6	0.005 2
阴柳科	0.000 6	0.001 9	0.002 9	0.006 1	−0.009 7	0.006 1	−0.005 0	0.011 9	0.003 2	0.007 2
王 坡	−0.004 7	0.004 5	0.012 2	0.004 6	−0.003 2	0.005 1	0.016 5	−0.012 8	0.007 0	0.012 2
南 桥	−0.003 8	0.003 0	0.005 0	0.000 8	0.002 4	0.012 7	0.013 3	−0.015 5	0.003 5	0.016 6
殷 庄	−0.005 2	0.002 1	0.003 9	−0.000 4	0.002 2	0.009 9	0.011 8	−0.012 8	0.003 5	0.010 4
艾 山	−0.003 7	0.006 0	0.005 1	0.000 2	0.003 8	0.007 5	0.005 3	−0.003 5	0.009 0	0.015 0
大义屯	0.005 8	0.002 8	0.005 8	0.003 6	0.004 6	0.012 0	−0.016 7	0.018 4	0.008 7	0.013 9
胡溪渡	0.001 8	0.002 1	0.002 4	0.001 8	−0.002 0	0.013 8	−0.018 2	0.015 9	0.004 5	0.006 1
朱 圈	0.001 4	0.007 4	−0.009 6	0.007 8	−0.011 9	0.021 6	−0.034 4	0.036 9	0.002 3	0.008 0
潘 庄	0.009 1	0.002 8	−0.014 4	0.013 4	−0.014 0	0.026 8	−0.048 7	0.054 4	0.003 4	0.012 8
娄 集	0.011 9	0.003 7	−0.007 2	0.008 5	−0.006 1	0.025 1	−0.044 8	0.054 3	0.006 2	0.008 1
官 庄	0.005 3	0.010 8	−0.011 9	0.011 0	−0.017 6	0.026 4	−0.030 4	0.039 8	0.003 0	0.007 4
枯 河	0.008 8	0.013 5	−0.014 8	0.017 6	−0.025 8	0.032 8	−0.013 3	0.016 8	0.002 2	0.017 0
阴 河	0.003 0	0.026 5	−0.022 3	0.013 7	−0.025 7	0.036 8	−0.014 9	0.021 6	−0.001 2	0.029 3

断面名称	196520 196560	196560 196620	196620 196660	196660 196720	196720 196760	196760 196820	196820 196860	196860 196920	196920 196960	196960 197020
张　村	-0.002 2	0.022 1	0.001 7	0.003 2	-0.013 3	0.024 8	0.009 8	-0.000 7	-0.005 1	0.034 6
水牛赵	0.002 8	0.005 5	0.004 4	0.000 5	-0.001 8	0.006 2	0.006 7	-0.000 6	-0.000 7	0.009 8
曹家圈	0.010 9	0.009 3	-0.001 9	0.009 3	-0.019 0	0.020 7	-0.031 8	0.047 4	0.000 2	0.018 6
郑家店	0.007 6	0.000 5	0.010 4	0.014 3	-0.010 6	0.010 9	0.005 8	-0.000 3	0.004 1	0.027 5
泺　口	0.003 5	0.007 6	-0.001 7	0.006 1	-0.007 2	0.018 4	-0.008 3	0.020 4	0.005 8	0.009 7
后张庄	0.000 0	0.019 1	-0.015 1	0.008 8	-0.011 2	0.024 1	-0.036 6	0.042 0	0.011 1	-0.007 1
霍家溜	-0.005 9	0.025 8	-0.020 1	0.013 2	-0.017 0	0.024 0	-0.030 2	0.035 2	0.006 9	0.011 3
王家梨行	-0.004 0	0.027 4	-0.023 3	0.016 1	-0.022 3	0.030 0	-0.047 2	0.065 0	0.002 5	0.032 9
传辛庄	0.006 2	0.010 0	0.018 8	0.004 6	0.014 1	-0.003 5	0.012 9	-0.005 4	0.009 0	0.024 4
刘家园	0.004 3	0.010 4	0.006 7	0.001 3	0.001 3	0.004 3	-0.009 4	0.015 1	0.001 2	0.006 4
王家圈	0.008 8	0.014 4	0.007 2	0.012 5	-0.016 8	0.023 8	-0.048 5	0.060 9	0.004 5	0.001 7
张　桥	0.002 2	0.006 6	-0.006 3	0.013 3	-0.007 9	0.011 2	-0.023 2	0.030 7	0.004 4	0.001 3
梯子坝	0.008 2	0.009 6	-0.004 0	0.012 3	-0.003 2	0.011 0	-0.018 9	0.029 7	0.003 4	0.003 0
董　家	0.016 0	0.008 6	0.008 3	0.010 1	-0.002 3	0.010 3	-0.005 7	0.007 5	0.007 8	0.011 2
马扎子	0.017 4	0.009 0	-0.004 7	0.013 7	-0.012 8	0.017 7	-0.024 6	0.029 7	0.001 5	0.012 4
杨　房	0.004 5	0.004 9	0.006 4	0.011 3	-0.020 0	0.022 8	-0.017 9	0.025 6	0.006 1	-0.002 5
薛王邵	-0.001 5	0.013 8	0.001 6	0.021 9	-0.048 6	0.018 9	0.025 9	-0.014 2	0.023 0	0.012 3
齐　冯	0.001 6	0.013 9	0.003 3	0.012 5	-0.016 9	-0.002 9	0.017 2	-0.014 2	0.010 7	0.018 6
兰　家	0.003 3	0.005 4	0.010 9	0.004 4	-0.003 6	0.004 2	-0.013 2	0.009 0	0.006 6	0.011 2
贾　家	0.002 3	-0.001 2	0.010 0	0.002 2	-0.007 1	0.007 4	-0.013 0	0.010 4	0.007 0	0.011 4
沪　家	0.012 3	0.000 1	0.021 8	0.007 8	-0.022 6	0.015 4	-0.025 6	0.025 0	0.008 5	0.025 5
道　旭	0.007 6	0.001 7	0.004 7	0.003 2	-0.018 2	0.019 1	-0.035 1	0.040 7	-0.002 5	0.010 5
龙王崖	0.008 7	0.004 7	0.000 1	0.007 4	-0.027 2	0.027 9	-0.041 2	0.044 0	0.003 5	0.007 5
王旺庄	0.004 4	0.004 7	-0.004 8	0.005 9	-0.013 3	0.012 9	-0.020 3	0.020 4	0.003 5	0.001 2
宫　家	0.012 1	0.019 0	-0.027 6	0.025 2	-0.042 4	0.040 3	-0.087 3	0.088 9	0.007 1	-0.000 4
张家滩	0.017 8	0.009 5	-0.005 5	0.014 5	-0.019 2	0.016 0	-0.031 4	0.027 0	0.007 4	0.001 4
利津(三)	0.019 9	0.005 9	0.002 4	0.013 2	-0.020 2	0.016 6	-0.021 5	0.012 1	0.011 4	0.007 3
王家庄	0.009 2	0.013 1	-0.009 0	0.013 7	-0.036 1	0.032 2	-0.062 7	0.060 2	0.014 4	0.001 9
东　张	0.012 0	0.000 2	0.007 4	-0.002 9	-0.019 2	0.014 1	-0.026 1	0.023 6	0.011 0	0.001 2
章邱屋子	0.020 7	-0.010 5	0.017 7	-0.006 4	-0.006 3	0.000 4	-0.003 3	-0.005 8	0.009 4	0.007 1
一号坝	0.009 0	-0.003 2	0.008 9	0.002 9	-0.004 2	-0.000 7	-0.017 0	0.008 6	0.002 2	0.012 6
前　左	-0.001 2	0.010 0	0.010 7	0.000 3	-0.001 9	0.000 4	-0.011 1	0.001 1	0.000 2	0.013 9
朱家屋子	-0.003 0	0.010 8	0.001 7	0.005 2	-0.001 3	-0.001 0	-0.005 6	-0.002 1	0.003 1	0.006 9
渔　洼	0.004 3	0.001 3	0.000 7	0.010 6	-0.007 8	0.004 5	-0.025 5	0.018 4	0.009 4	0.002 5

附录 1-5-12 黄河下游各淤积断面测次间主槽冲淤量成果

（1970 年 5 月 ～ 1975 年 5 月）　　　　　　　　　　　（单位：亿 m³）

断面名称	197020 197060	197060 197120	197120 197160	197160 197220	197220 197260	197260 197320	197320 197360	197360 197420	197420 197460	197460 197520
小浪底										
铁　谢										
下古街	0.060 1	0.011 2	0.053 3	−0.030 6	0.032 2	−0.032 7	−0.016 8	−0.043 9	0.021 0	−0.038 0
花园镇	0.225 2	−0.086 7	0.163 7	−0.079 2	0.056 3	−0.072 8	0.002 8	−0.103 0	0.052 8	−0.080 5
马峪沟	0.362 3	−0.225 4	0.385 3	−0.127 4	0.095 8	−0.074 7	−0.007 1	−0.071 6	0.061 5	−0.134 3
裴　峪	0.154 6	−0.122 9	0.222 9	−0.046 3	0.060 7	−0.044 6	−0.012 8	−0.000 7	0.015 3	−0.053 9
伊洛河口	0.230 8	−0.159 5	0.343 5	−0.101 0	0.127 2	−0.105 9	0.031 2	0.005 5	0.045 5	−0.064 5
孤柏嘴	0.236 4	−0.033 1	0.277 6	−0.162 8	0.126 6	−0.135 0	0.073 7	0.030 8	0.014 0	−0.021 5
罗村坡	0.256 5	0.016 8	0.136 3	−0.141 8	0.104 6	−0.059 3	0.026 0	0.018 0	0.004 4	−0.086 9
官庄峪	0.233 6	−0.019 9	0.098 0	−0.133 5	0.084 1	−0.019 9	0.062 1	−0.066 4	0.049 6	−0.172 6
秦　厂	0.317 8	−0.112 4	0.205 7	−0.120 0	0.013 9	0.013 3	0.259 2	−0.339 2	0.109 1	−0.189 7
花园口	0.314 4	−0.101 6	0.218 4	−0.008 7	−0.058 0	0.097 0	0.330 4	−0.376 5	0.109 8	−0.043 8
八　堡	0.141 0	−0.019 0	0.042 3	0.039 0	−0.016 1	0.020 9	0.135 3	−0.115 0	0.032 3	−0.063 3
来童寨	0.157 6	−0.005 9	0.026 2	−0.008 1	0.032 7	−0.038 5	0.080 4	−0.085 0	0.025 1	−0.026 7
辛　寨	0.331 8	−0.030 8	0.175 6	−0.164 0	0.118 4	−0.033 0	−0.042 5	−0.071 8	0.109 3	0.049 3
黑　石	0.150 7	−0.046 8	0.093 6	−0.043 0	0.021 4	0.017 4	−0.023 1	−0.016 0	0.036 9	0.012 9
韦　城	0.303 6	−0.057 7	0.088 8	0.078 6	−0.045 2	0.043 1	0.070 9	−0.025 2	0.020 9	−0.006 0
黑岗口	0.196 1	−0.019 3	0.052 4	0.056 7	−0.032 4	0.036 4	0.056 4	−0.010 8	−0.034 6	0.043 5
柳园口	0.151 0	−0.017 2	0.056 8	−0.041 8	0.025 2	0.022 8	0.046 6	−0.024 6	−0.065 5	0.063 8
古　城	0.224 8	−0.041 5	0.200 1	−0.066 0	0.031 8	0.009 4	0.222 8	−0.100 2	−0.036 5	0.019 4
曹　岗	0.159 8	−0.078 6	0.186 0	−0.027 5	−0.009 2	−0.001 5	0.215 9	−0.033 5	0.004 1	−0.029 3
夹河滩	0.114 7	−0.080 5	0.114 5	−0.024 7	−0.030 5	0.020 1	0.151 1	0.025 6	−0.023 1	−0.000 2
东坝头	0.076 8	−0.007 9	0.032 6	−0.011 4	0.005 7	−0.013 8	0.112 8	0.028 1	−0.033 3	0.027 7
禅　房			0.006 2	0.030 9	0.007 1	−0.016 6	0.147 0	−0.004 6	0.010 3	−0.010 2
油房寨	0.312 7	−0.112 3	0.061 5	0.135 3	−0.004 0	0.025 0	0.307 6	−0.078 5	−0.007 3	−0.038 7
马　寨	0.418 2	−0.180 6	0.165 3	0.026 9	0.108 6	0.064 8	0.347 0	−0.090 3	−0.086 6	−0.000 1 1
杨小寨	0.195 8	−0.021 0	0.068 3	−0.057 3	0.093 9	−0.003 6	0.332 5	−0.033 9	−0.023 0	−0.030 1
河　道	0.033 1	0.088 3	0.063 9	−0.070 1	0.105 0	−0.057 7	0.361 4	−0.069 9	0.016 3	−0.075 3
高　村	0.062 3	0.020 2	0.019 5	0.006 2	0.056 4	−0.008 4	0.063 3	−0.034 0	0.023 5	−0.043 7
南小堤	0.066 3	0.010 8	−0.003 9	0.045 4	0.016 7	0.003 9	0.035 9	0.005 9	0.008 6	−0.010 3
双合岭	0.099 5	0.004 4	0.019 4	0.066 6	−0.009 2	0.005 6	0.091 9	−0.013 9	0.039 5	−0.014 5

断面名称	197020 197060	197060 197120	197120 197160	197160 197220	197220 197260	197260 197320	197320 197360	197360 197420	197420 197460	197460 197520
苏泗庄	0.069 2	-0.006 7	0.016 8	0.037 5	-0.023 5	0.011 5	0.042 9	-0.007 4	0.015 6	-0.006 1
营 房	0.040 0	0.014 0	0.006 7	0.020 8	-0.026 1	0.016 2	0.014 0	0.003 6	0.025 9	0.023 2
彭 楼	0.016 3	0.010 5	0.016 6	0.008 8	-0.005 5	0.010 6	0.021 8	-0.001 3	0.012 8	0.009 4
大王庄	0.030 7	0.006 3	0.020 1	0.021 7	0.003 2	0.012 0	0.024 0	-0.005 2	-0.002 5	0.014 5
史 楼	0.045 1	0.032 4	0.018 3	0.033 4	-0.002 4	0.016 3	0.028 8	-0.006 5	-0.008 7	0.023 4
徐码头	0.032 2	0.053 8	0.021 2	0.043 2	0.006 1	0.010 5	0.081 6	-0.017 6	0.007 7	-0.052 9
于 庄	0.079 8	0.038 9	0.024 7	0.055 9	0.005 5	0.013 1	0.101 9	-0.007 8	0.017 4	-0.098 3
杨 集	0.142 1	0.009 1	0.032 5	0.043 4	-0.007 4	0.025 0	0.065 2	-0.007 3	0.004 2	-0.033 4
伟那里	0.092 2	-0.020 0	0.023 4	0.054 1	-0.004 0	0.019 2	0.016 8	-0.010 3	-0.001 1	0.021 3
龙 湾	0.021 5	0.021 6	0.000 7	0.021 7	0.027 7	0.000 0	0.018 2	0.008 9	-0.004 2	0.001 4
孙 口	0.015 4	0.006 9	0.012 3	0.014 7	0.002 5	0.006 3	0.016 7	-0.001 9	-0.000 8	-0.000 9
梁 集										
大田楼	0.010 0	0.004 1	0.002 9	0.006 8	0.007 0	0.009 6	-0.008 0	-0.001 5	-0.001 7	0.010 1
雷 口										
路那里	0.022 7	0.001 2	0.001 7	0.006 1	-0.001 8	0.005 3	-0.021 4	0.002 8	-0.016 3	0.030 3
十里堡	0.017 4	0.005 7	0.007 2	0.004 5	0.000 6	0.007 2	-0.012 9	0.0005	-0.009 4	0.016 8
白 铺										
邵 庄	0.005 6	0.006 9	0.004 9	0.008 3	0.004 4	0.005 4	0.000 6	-0.005 3	0.007 0	-0.006 3
李 坝										
陶成铺	0.039 9	0.003 7	-0.003 7	0.022 9	0.011 9	0.008 7	-0.025 7	0.002 6	-0.006 7	0.030 1
黄 庄	0.006 7	0.001 1	-0.001 2	0.003 6	0.002 3	0.002 0	-0.003 1	0.001 4	-0.002 4	0.005 7
位 山	0.001 0	0.002 8	-0.001 2	0.003 9	0.000 8	0.003 2	-0.001 5	0.002 4	-0.002 8	0.004 7
阴柳科	0.005 3	0.004 7	0.001 9	0.002 5	0.000 7	0.005 6	-0.000 1	0.001 8	-0.005 0	0.006 3
王 坡	0.006 3	0.006 4	0.008 7	-0.000 4	0.002 8	0.005 7	0.005 3	0.002 0	-0.003 9	0.003 1
南 桥	0.003 5	0.002 0	0.010 3	0.000 6	0.003 1	0.001 3	0.008 7	0.002 1	-0.002 2	0.001 3
殷 庄	0.007 8	0.001 8	0.004 4	0.006 3	-0.000 5	0.002 2	0.006 4	0.000 2	-0.001 4	0.000 3
艾 山	0.008 3	0.009 4	-0.002 1	0.021 5	-0.007 9	0.017 5	-0.001 4	0.007 3	-0.007 8	0.011 5
大义屯	0.001 4	0.011 1	0.000 0	0.018 7	-0.006 3	0.016 7	0.006 3	0.007 0	-0.009 8	0.010 4
胡溪渡	0.006 8	0.005 1	0.003 5	0.012 0	-0.002 3	0.006 7	0.005 2	0.000 6	-0.002 2	-0.001 2
朱 圈	0.007 9	0.005 4	0.000 3	0.020 6	-0.003 8	0.009 8	-0.011 2	0.009 6	-0.005 4	0.012 1
潘 庄	0.010 8	0.009 0	-0.004 6	0.025 2	0.007 4	0.005 4	-0.019 0	0.020 3	-0.011 8	0.021 8
娄 集	0.009 9	0.010 4	0.009 8	0.008 7	0.013 1	0.006 7	-0.000 7	0.009 7	-0.010 7	0.007 3
官 庄	-0.004 1	0.019 8	0.007 8	0.008 0	0.003 2	0.010 8	-0.000 6	0.005 9	-0.010 7	0.023 1
枯 河	-0.008 4	0.023 5	0.006 4	0.003 7	0.001 7	0.013 6	0.001 7	0.005 5	-0.013 7	0.027 7
阴 河	-0.006 0	0.011 6	0.002 4	0.019 2	0.003 7	0.015 2	-0.016 5	0.021 5	-0.013 8	0.020 8

続表

断面名称	197020 197060	197060 197120	197120 197160	197160 197220	197220 197260	197260 197320	197320 197360	197360 197420	197420 197460	197460 197520
张　村	0.001 3	0.012 3	0.004 1	0.028 4	0.005 4	0.015 3	−0.011 3	0.023 8	−0.009 2	0.020 4
水牛赵	0.002 6	0.006 7	0.002 4	0.009 1	0.000 1	0.009 6	0.001 8	0.006 0	−0.002 7	0.006 1
曹家圈	−0.004 5	0.012 7	0.005 3	0.019 1	−0.001 0	0.023 2	−0.004 5	0.016 8	−0.013 8	0.016 5
郑家店	−0.012 6	0.011 1	0.015 1	0.003 0	0.002 3	0.010 8	0.015 5	0.008 5	−0.013 2	0.008 4
泺　口	−0.002 2	0.022 3	−0.007 3	0.027 0	−0.008 2	0.020 9	0.004 4	0.006 1	−0.007 5	0.017 7
后张庄	0.001 8	0.026 4	−0.015 6	0.032 8	−0.005 8	0.019 8	−0.009 1	0.007 4	−0.005 8	0.018 6
霍家溜	−0.008 2	0.020 3	−0.003 8	0.022 1	0.003 3	0.005 6	−0.015 3	0.015 1	−0.011 9	0.019 5
王家梨行	−0.011 7	0.017 8	−0.002 0	0.028 2	0.013 2	0.001 7	−0.017 6	0.018 4	−0.009 2	0.018 5
传辛庄	0.001 6	0.008 6	0.005 2	0.011 4	0.013 9	0.000 8	0.028 2	−0.003 9	0.011 2	−0.008 4
刘家园	0.006 6	0.004 0	0.003 6	0.007 6	0.001 2	0.007 3	0.009 6	0.001 9	0.002 1	0.002 4
王家圈	−0.001 4	0.029 6	0.000 7	0.037 5	0.009 2	0.014 5	−0.014 0	0.017 8	−0.006 7	0.019 4
张　桥	−0.001 5	0.020 4	−0.002 2	0.034 7	0.007 5	0.010 0	−0.022 7	0.015 5	−0.006 7	0.015 9
梯子坝	0.009 4	0.003 4	−0.004 2	0.033 5	0.005 8	0.010 6	−0.027 9	0.021 8	−0.012 2	0.022 7
董　家	0.005 0	0.005 7	0.002 0	0.018 0	0.007 6	0.007 2	−0.007 4	0.016 4	−0.010 2	0.015 7
马扎子	0.006 6	0.014 7	0.002 5	0.009 3	0.008 1	0.008 2	0.001 2	0.006 1	−0.001 8	0.007 2
杨　房	0.015 0	0.021 0	−0.012 2	0.023 4	0.005 1	0.010 7	−0.009 5	0.009 0	−0.003 9	0.016 7
薛王邵	0.028 4	0.022 5	−0.007 7	0.026 1	0.009 7	0.011 3	0.006 5	0.006 3	0.004 4	0.021 0
齐　冯	0.003 7	0.007 1	0.012 3	0.001 8	0.004 7	0.003 8	0.015 1	0.000 4	0.001 5	0.000 1
兰　家	−0.002 9	0.005 9	0.006 5	0.002 4	−0.000 6	0.009 4	0.007 5	0.006 2	−0.002 0	0.002 8
贾　家	−0.002 8	0.005 3	0.001 5	0.002 7	0.001 1	0.006 5	0.005 1	0.006 9	−0.002 7	0.000 9
沪　家	−0.014 0	0.017 2	0.006 2	0.007 7	0.007 8	0.001 1	0.018 4	0.004 7	−0.006 8	−0.004 4
道　旭	−0.008 9	0.012 3	−0.006 9	0.017 4	0.005 2	0.002 9	−0.003 2	0.005 8	−0.001 3	0.006 0
龙王崖	−0.002 3	0.012 7	−0.011 9	0.021 4	0.004 2	0.003 7	−0.006 7	0.009 2	0.000 8	0.006 6
王旺庄	−0.002 7	0.009 1	−0.006 2	0.014 2	−0.000 6	0.003 6	−0.009 4	0.007 4	−0.001 9	0.008 0
宫　家	−0.016 5	0.035 6	−0.016 6	0.046 0	−0.001 1	0.024 3	−0.051 4	0.028 7	−0.014 2	0.038 5
张家滩	0.003 7	0.012 3	0.006 0	0.008 5	0.001 5	0.011 8	−0.005 7	0.002 9	−0.001 4	0.012 9
利津(三)	0.009 1	0.008 2	0.012 3	0.004 6	0.001 2	0.010 2	0.002 5	0.001 8	−0.000 4	0.018 6
王家庄	0.002 2	0.017 5	−0.002 2	0.018 2	−0.001 2	0.014 5	−0.022 6	0.019 0	−0.012 4	0.033 5
东　张	0.005 4	0.008 1	−0.000 3	0.007 5	−0.000 6	0.009 1	−0.006 7	0.007 6	−0.002 4	0.014 0
章邱屋子	0.007 8	0.002 9	0.010 5	−0.002 1	0.000 0	0.011 4	0.004 7	−0.005 0	0.009 2	0.006 0
一号坝	0.004 3	−0.000 6	0.010 5	−0.001 5	−0.001 0	0.009 0	0.002 2	−0.001 8	0.006 4	0.005 8
前　左	0.003 3	0.003 6	0.005 9	−0.002 8	−0.000 2	0.006 8	0.004 4	−0.003 2	0.006 9	0.001 2
朱家屋子	0.004 9	0.007 2	0.002 9	−0.000 7	−0.000 7	0.007 3	0.003 2	−0.005 8	0.009 9	−0.000 4
渔　洼	0.004 9	0.009 3	0.000 3	0.002 9	−0.001 8	0.005 5	0.000 0	−0.000 7	0.010 1	0.001 3

附录 1-5-13 黄河下游各淤积断面测次间**主槽**冲淤量成果

(1975 年 5 月 ~ 1980 年 5 月)　　　　　　　　　　　　（单位：亿 m³）

断面名称	197520 197560	197560 197620	197620 197660	197660 197720	197720 197760	197760 197820	197820 197860	197860 197920	197920 197960	197960 198020
小浪底										
铁　谢										
下古街	−0.091 6	0.004 0	−0.012 8	−0.008 8	−0.037 0	−0.005 3	0.037 2	−0.038 2	0.076 6	−0.030 6
花园镇	−0.095 3	−0.064 9	−0.035 9	−0.040 5	−0.127 2	−0.010 5	0.118 3	−0.084 2	0.169 3	−0.076 3
马峪沟	−0.086 7	−0.185 0	0.082 2	−0.067 9	−0.141 6	0.025 1	0.087 6	−0.048 3	0.133 2	−0.069 5
裴　峪	−0.034 7	−0.077 9	−0.011 3	−0.029 5	−0.037 7	0.011 9	0.023 2	−0.031 5	0.074 2	−0.060 9
伊洛河口	−0.051 7	−0.047 9	−0.051 1	−0.086 1	−0.178 1	−0.007 5	0.112 9	−0.102 8	0.184 5	−0.212 5
孤柏嘴	−0.025 2	−0.110 2	0.022 5	−0.140 0	−0.121 7	−0.045 0	0.250 7	−0.087 0	0.155 9	−0.137 6
罗村坡	−0.033 8	−0.072 6	−0.015 1	−0.096 2	0.072 4	−0.041 0	0.109 7	−0.014 4	0.072 1	−0.035 7
官庄峪	0.028 7	−0.125 2	0.058 3	−0.079 4	0.061 4	−0.052 0	−0.124 3	0.032 9	0.152 6	−0.077 6
秦　厂	0.092 3	−0.278 5	0.060 1	−0.101 7	0.168 4	−0.020 4	−0.319 9	0.112 5	0.220 1	−0.043 1
花园口	−0.054 1	−0.149 2	−0.067 6	−0.082 9	0.402 9	0.036 2	−0.063 4	−0.103 9	0.186 3	0.007 7
八　堡	−0.017 4	−0.062 3	0.018 0	−0.042 3	0.208 2	−0.024 3	0.022 8	−0.105 4	0.157 9	−0.049 5
来童寨	−0.029 7	−0.078 1	0.055 4	−0.046 0	0.175 8	−0.000 7	0.008 1	−0.016 9	0.046 7	−0.029 8
辛　寨	−0.164 1	−0.139 2	0.110 7	−0.094 8	0.477 5	0.042 4	−0.009 6	−0.051 0	0.071 1	−0.208 0
黑　石	−0.049 6	−0.016 6	−0.078 1	0.048 2	0.183 9	0.017 9	0.007 5	−0.031 5	0.115 2	−0.074 8
韦　城	−0.021 4	−0.031 1	−0.211 4	0.107 0	0.315 3	−0.032 4	0.012 7	−0.040 9	0.157 1	−0.046 0
黑岗口	−0.032 2	−0.024 2	−0.065 7	0.010 4	0.189 8	−0.009 3	0.004 0	−0.012 3	−0.002 5	−0.022 7
柳园口	−0.075 2	0.006 9	−0.029 7	0.019 2	0.158 3	−0.003 2	0.004 3	−0.023 3	0.024 1	0.003 1
古　城	−0.032 2	−0.062 6	−0.058 9	0.019 5	0.326 8	−0.073 1	0.080 0	−0.043 3	0.026 0	−0.015 6
曹　岗	0.014 3	−0.124 4	−0.008 1	−0.019 4	0.296 8	−0.015 5	0.006 4	−0.036 8	−0.034 5	−0.030 4
夹河滩	−0.057 0	−0.092 2	0.039 3	−0.027 7	0.440 2	−0.068 4	−0.003 3	−0.051 4	−0.015 6	−0.054 3
东坝头	−0.054 8	0.027 1	0.001 1	0.005 2	0.158 7	−0.040 2	0.084 9	0.006 4	−0.023 1	−0.021 8
禅　房	0.017 9	0.018 1	0.003 2	0.022 6	0.019 4	−0.001 7	0.053 6	−0.005 0	0.004 4	−0.016 3
油房寨	0.223 4	−0.145 7	0.147 5	−0.007 7	0.053 8	−0.043 0	0.046 8	−0.059 0	0.022 8	−0.003 7
马　寨	0.142 8	−0.117 2	0.015 0	0.018 8	0.186 2	−0.036 5	0.007 6	−0.024 2	−0.059 1	0.083 0
杨小寨	0.061 7	−0.040 3	−0.051 3	0.007 8	0.267 0	−0.025 2	0.015 4	0.004 9	−0.032 7	0.056 2
河　道	0.140 6	−0.142 5	0.039 9	−0.059 0	0.293 0	−0.055 9	0.127 2	−0.015 3	−0.010 1	0.053 2
高　村	0.012 5	−0.008 0	−0.001 5	0.020 9	0.041 2	−0.024 6	0.038 1	0.024 3	−0.016 3	0.024 8
南小堤	−0.020 4	0.011 5	−0.012 6	0.021 0	0.032 8	−0.013 4	−0.007 6	0.030 4	−0.017 9	0.020 4
双合岭	0.012 4	−0.079 8	0.057 6	0.013 2	0.048 4	−0.005 6	0.005 0	0.015 3	−0.000 5	0.026 6

续表

断面名称	197520 197560	197560 197620	197620 197660	197660 197720	197720 197760	197760 197820	197820 197860	197860 197920	197920 197960	197960 198020
苏泗庄	−0.003 2	−0.003 3	0.011 8	0.039 6	0.007 0	0.021 0	−0.062 3	0.080 7	−0.080 6	0.103 5
营 房	−0.015 6	0.076 6	−0.060 5	0.065 5	0.017 2	0.037 4	−0.097 3	0.106 3	−0.099 3	0.120 3
彭 楼	0.011 6	0.001 8	0.000 1	0.005 0	0.024 7	0.000 4	−0.000 3	0.007 4	0.007 1	0.006 9
大王庄	0.010 1	0.015 3	0.001 5	−0.000 7	0.025 8	−0.009 5	0.004 0	0.002 0	0.007 5	0.008 9
史 楼	0.043 7	0.028 5	0.039 0	−0.004 5	0.031 3	0.005 6	0.000 0	−0.008 1	0.009 5	0.008 8
徐码头	0.115 6	−0.000 6	0.045 5	−0.004 6	0.060 9	0.010 3	0.007 9	−0.013 3	0.013 4	0.019 0
于 庄	0.126 2	−0.021 3	0.031 0	0.006 7	0.051 2	0.007 2	0.007 6	0.019 7	−0.007 0	0.027 7
杨 集	0.103 4	−0.018 3	0.048 3	−0.002 0	0.039 3	0.007 3	0.010 9	0.028 6	−0.013 6	0.012 8
伟那里	0.066 3	0.025 3	0.044 9	0.027 6	0.002 4	0.000 8	−0.008 4	0.020 7	−0.020 7	0.031 9
龙 湾	0.015 3	0.012 0	−0.000 4	0.012 0	0.007 9	0.003 5	0.005 4	−0.005 6	0.016 7	−0.002 9
孙 口	0.012 6	−0.013 9	−0.008 7	−0.011 9	−0.009 8	0.016 5	0.002 5	0.009 5	0.004 1	0.010 1
梁 集										
大田楼	0.024 5	−0.016 7	−0.011 2	−0.000 6	0.011 1	0.004 1	0.018 0	−0.001 7	0.007 0	0.011 2
雷 口										
路那里	0.018 2	−0.001 5	−0.011 1	0.001 7	0.016 0	−0.002 2	0.006 9	0.001 4	−0.000 5	0.006 2
十里堡	0.011 9	−0.004 2	−0.007 1	−0.000 7	0.019 8	−0.001 5	0.007 1	0.000 8	0.000 8	0.004 6
白 铺										
邵 庄	−0.004 1	0.001 1	−0.017 5	0.023 3	0.004 2	0.008 5	−0.009 9	0.016 5	−0.014 0	0.016 4
李 坝										
陶成铺	−0.054 2	0.070 3	−0.079 6	0.074 7	0.000 9	0.000 2	−0.051 6	0.071 8	−0.076 7	0.078 5
黄 庄	−0.010 1	0.013 7	−0.012 3	0.010 5	0.000 3	−0.001 8	−0.006 5	0.010 2	−0.011 6	0.014 1
位 山	−0.012 6	0.010 9	−0.008 1	0.010 1	−0.004 8	0.001 8	−0.001 1	0.004 7	−0.005 3	0.009 3
阴柳科	0.000 9	0.008 6	−0.006 8	0.010 6	−0.010 3	0.006 6	−0.000 5	0.007 2	−0.007 5	0.011 0
王 坡	0.021 3	−0.009 8	−0.000 2	0.000 1	−0.006 0	0.006 6	0.004 5	0.004 3	0.000 5	0.001 7
南 桥	0.006 6	−0.010 9	−0.002 8	−0.005 4	0.003 8	0.001 5	0.005 7	0.003 1	0.006 9	−0.005 9
殷 庄	0.002 2	−0.002 5	−0.002 5	−0.002 4	0.005 4	0.000 3	0.000 0	0.006 2	0.002 6	−0.002 2
艾 山	−0.029 9	0.021 3	−0.015 6	0.010 4	0.002 1	0.004 6	−0.004 2	0.018 2	−0.015 5	0.020 5
大义屯	−0.031 9	0.021 9	−0.022 4	0.012 1	0.003 7	0.005 3	0.000 0	0.010 1	−0.016 9	0.025 5
胡溪渡	−0.003 0	0.002 3	−0.011 0	0.001 4	0.007 3	0.000 0	0.009 0	−0.000 9	−0.005 8	0.011 5
朱 圈	−0.019 6	0.020 5	−0.025 1	0.014 7	0.003 7	0.001 3	−0.001 1	0.013 0	−0.021 8	0.026 8
潘 庄	−0.035 0	0.037 4	−0.029 9	0.023 7	0.007 3	0.003 1	−0.014 7	0.021 1	−0.025 2	0.033 5
娄 集	−0.004 5	0.004 5	−0.005 5	0.006 6	0.010 1	0.001 9	0.005 3	0.006 1	−0.004 1	0.017 3
官 庄	−0.020 8	0.015 2	−0.021 2	0.012 8	−0.004 0	0.013 0	−0.004 4	0.013 0	−0.010 9	0.014 4
枯 河	−0.028 5	0.017 1	−0.030 2	0.014 1	−0.000 4	0.013 1	−0.005 6	0.012 9	−0.006 1	0.007 5
阴 河	−0.038 2	0.031 4	−0.037 3	0.017 9	0.021 1	0.003 5	−0.013 6	0.024 4	−0.018 7	0.028 6

断面名称	197520 197560	197560 197620	197620 197660	197660 197720	197720 197760	197760 197820	197820 197860	197860 197920	197920 197960	197960 198020
张　村	−0.036 4	0.022 2	−0.044 1	0.017 1	0.027 8	0.003 6	−0.009 7	0.026 3	−0.017 7	0.026 8
水牛赵	−0.010 7	0.000 0	−0.012 3	−0.000 6	0.008 0	0.006 8	−0.001 4	0.006 3	−0.000 3	0.004 9
曹家圈	−0.040 8	0.021 8	−0.022 1	−0.000 4	0.012 7	0.013 0	−0.005 1	0.012 9	−0.007 9	0.020 5
郑家店	−0.008 2	−0.005 9	−0.007 7	−0.011 5	0.017 1	−0.005 9	0.020 8	−0.003 0	0.015 6	−0.009 5
泺　口	−0.033 1	0.016 7	−0.024 9	−0.001 3	0.008 9	0.009 9	0.004 9	0.010 8	0.004 0	0.003 3
后张庄	−0.040 3	0.023 5	−0.030 8	0.019 8	0.001 4	0.016 3	−0.018 1	0.026 7	−0.016 5	0.027 1
霍家溜	−0.041 0	0.039 1	−0.035 2	0.023 5	0.008 2	0.007 3	−0.025 5	0.031 1	−0.027 1	0.035 1
王家梨行	−0.062 1	0.060 9	−0.059 8	0.027 9	0.011 1	0.010 7	−0.023 1	0.032 5	−0.032 8	0.044 9
传辛庄	0.012 8	−0.027 6	−0.013 0	−0.015 6	0.018 9	0.002 1	0.017 4	0.000 3	0.019 6	−0.006 1
刘家园	−0.005 4	−0.005 1	−0.010 7	−0.004 7	0.013 9	0.001 7	0.005 7	0.004 1	0.002 0	0.000 0
王家圈	−0.053 6	0.056 0	−0.047 7	0.022 4	0.015 3	0.005 9	−0.008 0	0.025 6	−0.032 1	0.028 6
张　桥	−0.043 7	0.056 0	−0.037 8	0.026 6	−0.001 1	0.008 2	−0.014 8	0.022 8	−0.028 4	0.033 4
梯子坝	−0.037 9	0.047 6	−0.033 7	0.022 6	−0.000 9	0.011 8	−0.026 1	0.032 7	−0.027 2	0.035 1
董　家	−0.001 4	0.001 6	−0.009 8	−0.002 4	0.004 7	0.001 4	−0.008 1	0.022 8	0.000 3	0.004 9
马扎子	−0.005 1	−0.003 8	−0.011 5	0.003 5	0.003 6	0.004 9	0.003 3	0.007 6	0.003 5	0.005 6
杨　房	−0.010 5	0.014 6	−0.019 0	0.016 0	0.011 2	0.009 9	−0.012 0	0.011 2	−0.019 1	0.031 3
薛王邵	−0.005 6	−0.006 1	−0.027 8	0.014 6	0.025 1	0.004 5	−0.007 1	0.012 9	−0.022 4	0.038 7
齐　冯	0.021 2	−0.029 8	−0.014 9	−0.008 7	0.009 5	0.000 0	0.015 4	0.002 1	0.009 3	−0.004 9
兰　家	0.001 7	−0.013 0	−0.014 9	−0.009 9	0.012 1	−0.004 0	0.016 7	−0.003 4	0.022 5	−0.010 7
贾　家	−0.016 3	0.012 1	−0.017 1	0.001 8	0.012 4	0.004 1	−0.002 4	0.003 7	0.005 7	0.002 2
沪　家	−0.024 2	0.032 2	−0.037 0	0.014 8	0.016 4	0.009 6	−0.006 6	0.014 7	−0.010 5	0.010 0
道　旭	−0.029 5	0.023 2	−0.021 8	0.013 6	0.005 2	0.003 4	0.000 0	0.001 6	−0.005 8	0.004 5
龙王崖	−0.034 3	0.024 3	−0.032 5	0.023 7	0.005 8	0.001 1	0.002 1	0.002 6	−0.009 6	0.006 7
王旺庄	−0.025 0	0.020 4	−0.023 9	0.017 6	0.002 1	0.001 2	−0.002 4	0.007 6	−0.011 8	0.012 5
宫　家	−0.103 4	0.087 5	−0.078 3	0.051 5	0.013 0	0.021 6	−0.028 8	0.029 8	−0.045 1	0.051 1
张家滩	−0.035 1	0.023 1	−0.033 6	0.010 5	0.016 7	−0.000 1	0.006 4	0.007 8	−0.007 5	0.008 4
利津(三)	−0.039 2	0.018 6	−0.042 8	0.012 1	0.019 3	−0.012 9	0.025 0	0.012 0	−0.008 6	0.005 0
王家庄	−0.083 1	0.060 2	−0.064 0	0.044 1	0.012 2	0.006 1	−0.010 2	0.030 7	−0.039 5	0.036 3
东　张	−0.031 6	0.019 6	−0.036 4	0.019 3	0.010 7	0.002 4	−0.003 2	0.014 7	−0.014 0	0.011 4
章邱屋子	−0.002 9	−0.007 5	−0.035 7	−0.001 1	0.021 3	−0.007 1	0.019 8	0.003 4	0.007 0	−0.014 2
一号坝	−0.007 7	−0.000 3	−0.027 6	−0.004 6	0.021 1	−0.004 7	0.015 6	0.001 6	0.003 9	−0.012 4
前　左	0.002 3	−0.005 2	−0.017 7	−0.005 2	0.016 6	−0.003 7	0.017 9	−0.005 6	0.005 1	−0.010 3
朱家屋子	0.007 6	−0.010 7	−0.019 6	−0.005 6	0.013 5	−0.004 5	0.021 3	−0.007 7	0.009 5	−0.016 6
渔　洼	−0.005 9	0.000 4	−0.023 9	−0.000 8	0.015 5	−0.007 4	0.016 9	−0.001 0	0.011 8	−0.022 2

附录 1-5-14 黄河下游各淤积断面测次间**主槽**冲淤量成果

(1980 年 5 月～1985 年 5 月)　　　　　　　　　　　　（单位：亿 m³）

断面名称	198020 198060	198060 198120	198120 198160	198160 198220	198220 198260	198260 198320	198320 198360	198360 198420	198420 198460	198460 198520
小浪底										
铁　谢										
下古街	0.102 0	−0.073 6	0.020 4	−0.018 9	0.016 4	−0.039 5	0.024 5	−0.063 0	0.062 2	−0.024 9
花园镇	0.117 7	0.106 8	0.092 2	−0.061 3	0.028 3	−0.110 8	0.064 8	−0.199 6	0.192 4	−0.083 4
马峪沟	0.062 0	−0.060 1	0.015 6	−0.062 4	0.076 5	−0.164 2	0.080 9	−0.177 5	0.253 1	−0.126 6
裴　峪	0.090 1	−0.049 5	−0.082 1	0.020 1	0.007 2	−0.034 2	0.026 9	−0.041 9	0.083 4	−0.056 1
伊洛河口	0.257 9	−0.133 3	−0.080 3	0.010 6	0.045 8	−0.106 2	0.093 2	−0.157 6	0.055 9	−0.046 8
孤柏嘴	0.170 5	−0.095 9	−0.026 0	−0.087 9	0.120 4	−0.174 8	0.121 1	−0.132 5	−0.043 6	−0.052 8
罗村坡	0.058 0	−0.031 6	−0.033 3	−0.048 2	−0.027 6	−0.016 2	0.030 5	−0.028 2	−0.061 0	−0.032 6
官庄峪	0.072 9	−0.018 1	−0.040 3	0.014 7	0.009 0	−0.001 5	0.020 0	−0.011 7	−0.060 2	0.003 4
秦　厂	0.068 4	0.013 0	−0.166 8	0.127 5	−0.023 7	0.074 2	−0.017 0	0.068 4	−0.055 5	0.019 9
花园口	0.023 1	−0.060 7	−0.019 0	−0.021 8	−0.111 3	0.142 8	−0.154 0	0.135 4	0.059 4	−0.079 5
八　堡	0.009 7	−0.072 5	0.073 2	−0.088 3	0.031 6	−0.009 4	−0.081 2	0.035 0	0.048 7	−0.082 7
来童寨	−0.018 9	−0.009 8	0.098 9	−0.031 7	−0.011 6	−0.048 3	0.015 9	−0.088 9	0.053 6	−0.036 5
辛　寨	0.090 4	0.055 1	0.067 7	0.049 4	−0.084 0	−0.099 8	−0.038 0	−0.429 5	0.206 4	−0.018 6
黑　石	0.059 1	0.011 1	−0.097 2	0.035 1	0.007 2	−0.005 7	−0.121 3	−0.084 9	0.067 6	−0.052 4
韦　城	0.074 6	−0.039 6	−0.041 3	0.063 1	−0.069 3	0.043 5	−0.226 0	−0.021 7	−0.020 6	−0.017 5
黑岗口	0.030 6	−0.034 8	0.054 8	0.027 3	−0.026 7	0.007 3	−0.154 2	−0.018 6	−0.037 8	0.028 5
柳园口	−0.051 0	0.070 8	−0.047 8	0.020 0	0.040 6	−0.039 3	−0.172 6	0.001 2	0.049 2	−0.018 0
古　城	−0.041 9	0.064 4	−0.105 2	0.027 5	−0.060 6	0.021 0	−0.213 2	0.027 9	0.104 6	−0.092 8
曹　岗	0.030 5	−0.031 8	−0.064 7	0.027 3	−0.086 8	0.015 7	−0.026 3	0.014 5	0.011 0	−0.056 1
夹河滩	0.030 6	−0.025 7	−0.092 4	0.028 4	−0.102 1	−0.109 6	0.100 8	−0.014 7	−0.081 0	−0.035 8
东坝头	−0.000 3	0.001 4	−0.022 4	0.006 9	−0.043 3	−0.030 0	0.002 0	0.001 0	−0.042 2	−0.007 8
禅　房	−0.012 0	0.002 9	0.003 8	−0.013 1	−0.002 4	−0.004 6	−0.022 0	0.013 2	−0.020 1	0.003 2
油房寨	−0.024 0	0.000 2	0.008 3	−0.046 1	−0.059 3	−0.137 7	0.123 3	−0.118 7	0.012 8	−0.028 5
马　寨	−0.024 0	0.021 1	−0.417 0	0.242 1	−0.120 1	−0.212 3	0.312 1	−0.250 3	0.076 5	0.012 5
杨小寨	−0.027 1	0.049 4	−0.296 4	0.127 5	−0.075 6	−0.115 6	0.205 2	−0.065 1	−0.020 7	−0.027 9
河　道	0.024 8	0.052 7	−0.012 6	−0.013 4	−0.105 3	−0.138 6	0.158 4	−0.068 1	−0.083 5	−0.055 5
高　村	0.032 3	0.004 2	0.006 7	0.045 8	0.004 0	−0.037 3	−0.024 5	−0.004 9	−0.009 9	0.000 8
南小堤	0.002 3	0.021 1	0.000 2	0.019 4	0.009 0	−0.012 8	−0.031 7	0.011 5	0.012 4	−0.011 7
双合岭	−0.020 0	0.038 2	0.013 4	−0.004 3	−0.005 8	−0.018 3	−0.010 7	−0.022 9	−0.005 8	−0.007 6

断面名称	198020 198060	198060 198120	198120 198160	198160 198220	198220 198260	198260 198320	198320 198360	198360 198420	198420 198460	198460 198520
苏泗庄	−0.112 3	0.104 4	−0.031 4	0.045 4	−0.056 9	0.017 4	−0.087 4	0.042 0	−0.065 1	0.061 8
营 房	−0.124 3	0.137 0	−0.085 5	0.098 1	−0.074 8	0.053 6	−0.158 9	0.126 0	−0.087 6	0.053 5
彭 楼	0.007 7	0.003 9	−0.005 1	0.015 2	0.010 3	−0.001 1	−0.019 6	0.024 5	−0.007 9	−0.022 4
大王庄	0.004 4	0.000 0	0.014 8	−0.009 9	0.013 2	−0.017 0	0.002 6	−0.007 2	0.008 1	−0.011 7
史 楼	−0.001 4	0.024 3	0.012 9	−0.003 4	−0.001 6	−0.009 2	−0.023 6	0.037 8	−0.016 4	−0.000 6
徐码头	−0.019 2	0.043 6	0.013 8	0.024 3	−0.019 5	−0.003 7	−0.021 2	−0.000 6	0.006 9	−0.034 7
于 庄	−0.016 2	0.029 4	0.058 1	0.020 8	−0.006 0	−0.003 6	−0.023 8	−0.024 4	0.006 3	−0.014 9
杨 集	0.002 9	0.006 6	0.063 2	0.001 2	−0.003 3	−0.010 1	−0.023 2	0.003 9	−0.016 7	−0.011 6
伟那里	−0.033 3	0.031 6	−0.028 6	0.018 3	−0.022 1	0.002 5	−0.036 7	0.035 5	−0.022 1	0.004 7
龙 湾	0.026 4	−0.015 4	0.024 9	−0.019 1	0.011 0	−0.022 5	0.003 3	−0.023 5	0.018 1	−0.015 8
孙 口	0.013 1	0.007 0	0.004 4	−0.008 4	0.003 3	−0.015 8	0.010 2	−0.011 2	−0.004 1	−0.006 5
梁 集									−0.010 6	0.004 7
大田楼	0.009 8	0.002 1	−0.022 1	0.010 7	−0.007 6	0.008 0	−0.014 1	−0.004 9	−0.004 5	0.001 8
雷 口									−0.001 2	0.000 9
路那里	0.000 4	0.004 9	0.003 7	0.003 3	−0.005 3	−0.000 1	−0.002 5	−0.003 0	−0.002 8	0.000 6
十里堡	0.002 2	0.001 0	0.008 7	0.000 7	−0.010 5	0.003 5	−0.002 2	−0.002 1	−0.002 5	0.000 5
白 铺									−0.003 3	0.001 1
邵 庄	−0.003 8	0.011 4	−0.024 4	0.013 8	−0.024 4	0.015 7	−0.014 2	0.015 7	−0.012 4	0.005 4
李 坝									−0.010 1	0.004 7
陶成铺	−0.068 4	0.075 5	−0.072 8	0.067 7	−0.083 1	0.056 8	−0.067 5	0.083 2	−0.018 5	0.013 5
黄 庄	−0.015 7	0.014 7	−0.008 0	0.012 4	−0.015 5	0.009 9	−0.015 1	0.016 8	−0.009 1	0.005 5
位 山	−0.007 8	0.006 8	−0.007 0	0.007 8	−0.010 1	0.007 3	−0.013 3	0.013 7	−0.008 6	0.004 2
阴柳科	−0.004 9	0.006 4	−0.009 4	0.008 4	−0.012 1	0.011 7	−0.017 4	0.018 6	−0.012 5	0.008 9
王 坡	0.005 6	0.001 0	−0.005 5	0.001 6	−0.007 4	0.006 8	−0.003 8	0.005 8	−0.009 1	0.007 7
南 桥	0.012 5	−0.005 6	−0.001 5	−0.006 0	0.000 7	−0.004 0	0.006 7	−0.007 5	−0.006 3	0.003 5
殷 庄	0.006 4	0.000 2	−0.002 3	−0.005 7	0.001 0	−0.001 7	0.000 5	−0.003 1	−0.004 6	0.001 5
艾 山	−0.008 2	0.019 2	−0.022 3	0.007 6	−0.017 3	0.016 2	−0.024 9	0.022 7	−0.019 4	0.012 3
大义屯	−0.010 8	0.012 9	−0.014 6	0.012 6	−0.021 6	0.015 0	−0.033 6	0.029 4	−0.014 4	0.008 9
胡溪渡	0.001 2	−0.003 8	−0.001 5	0.002 4	−0.002 2	−0.002 5	−0.004 4	−0.000 1	0.003 8	−0.003 7
朱 圈	−0.008 3	0.009 0	−0.023 3	0.017 3	−0.014 2	0.006 0	−0.015 3	0.016 4	−0.017 4	0.012 8
潘 庄	−0.012 7	0.016 4	−0.035 3	0.031 9	−0.021 8	0.014 8	−0.043 6	0.047 7	−0.034 8	0.028 7
娄 集	−0.009 1	0.009 5	−0.013 8	0.017 1	−0.004 8	0.003 9	−0.024 7	0.019 1	−0.003 7	0.003 4
官 庄	−0.008 5	0.014 2	−0.015 1	0.012 3	−0.019 1	0.011 5	−0.011 2	0.000 7	−0.003 3	0.005 0
枯 河	−0.002 3	0.008 1	−0.004 1	0.013 5	−0.021 8	0.016 8	−0.010 0	−0.004 0	−0.008 0	0.012 0
阴 河	−0.016 4	0.017 8	−0.022 9	0.035 5	−0.036 4	0.028 7	−0.035 1	0.027 0	−0.039 3	0.029 5

断面名称	198020 198060	198060 198120	198120 198160	198160 198220	198220 198260	198260 198320	198320 198360	198360 198420	198420 198460	198460 198520
张　村	−0.007 7	0.017 4	−0.030 9	0.034 4	−0.039 6	0.024 9	−0.026 3	0.022 5	−0.041 0	0.027 0
水牛赵	0.002 1	0.003 0	−0.010 8	0.010 4	−0.008 8	0.003 7	−0.010 8	0.008 5	−0.008 2	0.004 7
曹家圈	−0.002 6	0.004 5	−0.026 8	0.024 8	−0.019 3	0.016 8	−0.047 7	0.037 6	−0.029 4	0.023 7
郑家店	0.014 4	−0.010 7	0.002 1	0.001 1	0.004 3	−0.004 9	−0.006 1	−0.003 5	−0.005 0	0.004 5
泺　口	−0.003 9	0.005 8	−0.013 4	0.016 4	−0.010 2	−0.003 8	−0.016 0	0.009 1	−0.006 5	0.002 5
后张庄	−0.019 1	0.020 0	−0.036 4	0.032 3	−0.036 1	0.022 9	−0.026 8	0.021 5	−0.032 0	0.025 6
霍家溜	−0.016 7	0.021 6	−0.043 4	0.036 3	−0.050 8	0.037 2	−0.030 0	0.031 3	−0.044 1	0.032 7
王家梨行	−0.014 5	−0.006 7	−0.025 2	0.044 9	−0.064 3	0.035 8	−0.034 7	0.047 9	−0.063 4	0.034 7
传辛庄	0.007 8	0.035 0	0.031 7	−0.006 4	−0.003 1	−0.016 5	0.020 5	−0.017 7	−0.004 9	−0.011 8
刘家园	0.008 6	−0.007 0	0.001 7	−0.000 5	−0.005 8	0.000 4	−0.000 5	−0.005 7	−0.004 8	0.005 8
王家圈	0.007 7	0.006 1	−0.032 6	0.031 9	−0.033 7	0.025 5	−0.049 9	0.034 5	−0.047 8	0.047 1
张　桥	−0.015 6	0.017 7	−0.029 9	0.028 5	−0.032 6	0.027 8	−0.045 9	0.041 8	−0.040 9	0.026 9
梯子坝	−0.021 9	0.021 1	−0.028 7	0.024 2	−0.037 1	0.027 8	−0.036 9	0.036 5	−0.029 4	0.018 6
董　家	−0.003 9	0.011 5	−0.014 2	0.004 3	−0.010 8	0.000 5	−0.001 3	−0.003 0	−0.003 5	−0.002 4
马扎子	0.001 8	0.010 5	−0.023 6	0.010 6	−0.021 6	0.012 8	−0.015 3	0.006 2	−0.018 4	0.009 7
杨　房	−0.014 3	0.020 7	−0.041 3	0.031 7	−0.049 3	0.039 2	−0.047 7	0.040 2	−0.033 9	0.030 1
薛王邵	−0.007 2	0.007 4	−0.049 3	0.027 3	−0.044 8	0.037 3	−0.042 4	0.025 9	−0.028 7	0.024 7
齐　冯	0.013 1	−0.008 7	−0.016 8	−0.009 1	0.003 1	0.000 2	0.004 0	−0.020 2	0.003 1	−0.001 1
兰　家	0.011 0	−0.003 4	−0.020 1	−0.008 9	0.006 6	−0.002 9	0.002 3	−0.014 1	0.006 9	−0.004 3
贾　家	0.005 5	−0.002 2	−0.017 8	0.002 3	−0.004 5	0.005 3	−0.015 1	0.008 0	−0.005 1	0.004 2
沪　家	0.015 3	−0.016 8	−0.021 2	0.008 5	−0.011 6	0.009 4	−0.033 4	0.023 6	−0.017 9	0.022 1
道　旭	0.006 8	0.000 0	−0.015 4	0.005 7	−0.013 5	0.012 7	−0.030 7	0.024 7	−0.012 0	0.016 1
龙王崖	0.004 9	0.001 4	−0.023 9	0.016 8	−0.029 5	0.027 0	−0.045 6	0.032 8	−0.025 0	0.031 4
王旺庄	−0.007 8	0.009 6	−0.019 2	0.012 5	−0.021 9	0.020 1	−0.025 0	0.019 3	−0.016 7	0.016 1
宫　家	−0.041 1	0.048 8	−0.067 7	0.041 3	−0.071 8	0.058 1	−0.081 7	0.072 8	−0.051 3	0.044 3
张家滩	−0.004 3	−0.004 3	−0.015 8	0.008 6	−0.018 5	0.006 4	−0.023 2	0.016 0	−0.014 3	0.015 8
利津(三)	−0.001 6	−0.007 2	−0.019 9	0.002 4	−0.011 9	0.010 6	−0.036 2	0.019 5	−0.010 4	0.008 6
王家庄	−0.027 6	0.035 3	−0.062 1	0.031 1	−0.056 3	0.051 6	−0.078 1	0.065 8	−0.038 6	0.030 2
东　张	−0.008 2	0.008 6	−0.030 1	0.015 0	−0.030 8	0.022 9	−0.031 6	0.025 1	−0.018 6	0.016 0
章邱屋子	0.008 0	−0.013 1	−0.017 2	−0.006 4	0.004 3	−0.003 7	−0.006 6	−0.009 2	0.001 3	0.005 5
一号坝	0.004 9	−0.004 2	−0.020 1	−0.009 3	0.009 2	−0.005 8	−0.007 8	−0.002 0	−0.000 9	0.008 0
前　左	0.006 0	−0.009 8	−0.008 6	−0.005 5	0.004 2	−0.015 7	0.002 3	0.000 8	0.000 3	0.005 5
朱家屋子	0.011 5	−0.014 6	−0.006 3	−0.007 1	0.004 8	−0.017 8	0.006 7	−0.004 3	0.003 5	0.004 2
渔　洼	0.016 2	−0.018 6	−0.007 3	−0.012 9	0.010 2	−0.014 9	−0.016 2	0.002 3	−0.007 4	0.005 7

（1985 年 5 月 ～ 1990 年 5 月）　　　　　　　　　　　　　　（单位：亿 m³）

断面名称	198520 198560	198560 198620	198620 198660	198660 198720	198720 198760	198760 198820	198820 198860	198860 198920	198920 198960	198960 199020
小浪底										
铁　谢										
下古街	0.004 4	−0.003 4	0.048 4	−0.032 4	0.022 5	−0.006 1	0.065 9	−0.050 4	0.002 6	−0.068 4
花园镇	0.059 3	−0.035 4	0.080 2	−0.064 5	0.031 0	−0.005 1	0.187 2	−0.085 4	−0.022 8	−0.101 8
马峪沟	0.077 9	−0.107 6	0.152 5	−0.059 5	0.002 2	−0.033 2	0.368 8	−0.113 4	−0.024 1	−0.127 7
裴　峪	−0.004 8	−0.076 5	0.097 7	−0.034 2	0.025 1	−0.005 1	0.224 9	−0.087 9	0.010 4	−0.070 8
伊洛河口	−0.026 5	−0.052 3	0.115 6	−0.056 9	0.068 8	−0.038 3	0.324 3	−0.158 8	0.070 1	−0.091 0
孤柏嘴	0.035 0	0.041 6	0.127 1	−0.081 7	0.049 6	−0.059 8	0.168 7	−0.052 4	−0.005 8	−0.045 0
罗村坡	0.042 2	−0.014 0	0.052 8	−0.061 2	0.061 8	−0.025 5	0.139 8	−0.042 2	0.020 3	−0.009 1
官庄峪	0.046 9	−0.013 7	−0.001 4	−0.031 3	0.045 1	−0.024 3	0.152 2	−0.045 4	0.023 8	−0.070 2
秦　厂	0.001 3	0.060 2	−0.003 5	−0.018 6	0.074 5	−0.036 0	0.142 7	−0.090 5	0.068 5	−0.175 6
花园口	0.013 9	0.002 9	0.018 5	−0.006 8	0.176 5	−0.060 7	0.076 0	−0.101 2	0.123 2	−0.136 3
八　堡	0.007 2	−0.065 2	0.027 4	−0.047 3	0.113 9	0.000 4	0.103 7	−0.114 4	0.088 2	−0.012 2
来童寨	0.004 7	−0.064 8	−0.019 5	−0.016 5	0.089 8	0.033 0	0.120 0	−0.103 1	0.052 4	0.040 0
辛　寨	−0.027 0	0.110 5	−0.066 7	0.042 7	0.086 9	0.033 1	0.271 5	−0.023 0	0.130 7	0.057 5
黑　石	−0.019 0	0.058 1	0.055 8	−0.027 4	−0.011 1	0.002 6	0.162 7	0.001 0	0.071 6	−0.020 2
韦　城	0.025 0	−0.045 4	0.068 0	0.019 1	−0.006 0	−0.035 9	0.244 0	−0.047 7	0.064 5	−0.075 7
黑岗口	−0.040 5	0.021 6	0.003 4	0.060 9	−0.046 0	−0.019 8	0.100 7	−0.056 5	0.065 4	−0.044 1
柳园口	−0.011 6	0.040 3	0.025 6	−0.000 6	−0.047 8	−0.031 0	0.089 9	−0.056 6	0.073 3	−0.032 5
古　城	0.028 5	0.069 8	0.067 0	−0.016 9	−0.001 1	−0.052 4	0.035 2	0.012 0	0.087 4	−0.151 3
曹　岗	0.000 4	0.059 2	0.020 3	0.017 2	−0.004 4	0.011 9	0.009 8	0.055 6	−0.006 2	−0.123 3
夹河滩	0.099 7	−0.104 0	0.023 1	0.031 8	0.034 2	0.013 3	0.137 4	−0.009 1	−0.020 9	−0.095 2
东坝头	0.037 3	−0.033 8	0.009 7	0.027 8	0.016 3	0.002 4	−0.026 9	−0.006 4	0.038 1	−0.047 2
禅　房	−0.025 5	0.026 5	0.003 8	0.005 7	0.009 9	−0.001 9	−0.053 8	0.009 2	0.005 9	−0.023 0
油房寨	0.016 1	−0.000 5	0.069 7	−0.022 7	0.044 7	−0.017 2	0.127 6	−0.050 3	−0.062 8	−0.040 9
马　寨	0.044 1	−0.102 3	0.188 4	−0.007 9	0.030 1	−0.011 7	0.349 0	−0.112 8	0.003 4	−0.001 4
杨小寨	0.031 4	−0.077 3	0.106 1	−0.005 1	−0.002 7	0.002 5	0.212 3	−0.016 0	0.049 3	0.016 9
河　道	0.106 5	−0.027 4	0.035 9	−0.002 1	−0.034 9	0.028 8	0.165 2	−0.024 5	0.003 9	0.043 5
高　村	−0.019 1	0.041 5	−0.054 1	0.015 8	−0.002 4	0.014 0	0.044 9	−0.015 1	0.013 0	0.012 4
南小堤	−0.033 0	0.045 0	−0.050 5	0.010 5	0.010 2	0.007 0	0.018 8	0.014 9	−0.005 2	−0.005 2
双合岭	−0.015 5	0.036 5	0.015 9	0.009 3	0.003 5	0.008 1	0.005 2	0.041 5	−0.022 0	−0.020 7

断面名称	198520 198560	198560 198620	198620 198660	198660 198720	198720 198760	198760 198820	198820 198860	198860 198920	198920 198960	198960 199020
苏泗庄	−0.057 7	0.060 8	0.016 1	−0.009 9	0.012 9	0.005 3	0.053 0	−0.006 6	0.020 6	−0.012 2
营 房	−0.082 0	0.121 3	−0.006 5	−0.018 9	0.017 2	0.012 9	0.036 0	−0.002 0	0.028 7	0.003 3
彭 楼	0.004 3	0.004 7	0.011 0	0.004 9	−0.018 0	−0.002 6	0.013 7	0.015 9	0.005 2	−0.004 1
大王庄	−0.002 7	−0.007 9	0.021 6	0.011 0	−0.025 5	−0.003 4	0.037 0	0.010 1	0.000 4	−0.008 3
史 楼	−0.020 4	0.031 1	0.011 9	0.012 0	−0.002 7	−0.000 1	0.017 9	0.009 3	−0.017 7	0.002 0
徐码头	0.032 6	−0.035 6	0.033 2	0.008 7	−0.006 9	−0.002 3	0.037 8	−0.003 8	−0.015 5	0.003 6
于 庄	0.017 0	−0.025 9	0.024 8	0.009 3	−0.005 5	0.002 9	0.026 0	0.012 5	0.017 9	−0.015 6
杨 集	0.001 8	−0.020 4	0.023 5	0.000 2	−0.012 8	0.016 4	0.044 8	−0.009 6	0.043 6	−0.035 4
伟那里	−0.051 0	0.042 3	0.018 3	−0.007 5	−0.013 0	0.010 6	0.032 6	−0.014 0	0.020 7	−0.016 1
龙 湾	0.006 7	−0.019 3	0.036 7	0.000 3	0.003 9	−0.005 7	0.007 2	0.002 1	0.009 3	−0.008 5
孙 口	−0.001 4	0.009 7	−0.001 1	−0.002 0	0.006 8	−0.006 5	0.015 2	0.006 2	0.001 8	−0.001 3
梁 集	−0.003 7	0.002 0	0.003 8	0.001 3	0.004 5	0.002 7	0.014 6	0.000 0	0.004 4	0.000 7
大田楼	0.004 1	−0.005 7	0.002 1	0.000 3	0.005 3	0.000 0	0.009 8	0.000 1	−0.001 6	0.003 0
雷 口	0.002 0	−0.001 5	−0.001 4	0.000 9	0.001 5	0.001 8	0.002 6	0.000 7	−0.002 2	0.001 7
路那里	−0.005 3	0.008 1	−0.003 3	0.001 9	0.000 8	0.002 3	0.008 3	0.002 9	−0.005 7	0.004 3
十里堡	−0.008 3	0.006 4	0.002 3	−0.000 6	0.003 9	0.001 1	0.017 5	−0.000 1	−0.003 6	0.002 6
白 铺	0.001 9	−0.002 7	0.003 5	−0.001 2	0.004 3	0.000 2	0.003 8	0.004 2	−0.004 5	0.002 0
邵 庄	−0.001 9	0.012 5	0.002 1	0.001 4	0.002 1	−0.002 9	−0.009 7	0.012 0	−0.003 9	0.004 0
李 坝	0.000 1	0.007 8	0.002 1	0.000 0	0.005 1	−0.002 2	−0.008 4	0.008 0	−0.002 1	0.004 8
陶成铺	−0.034 3	0.036 6	0.002 5	−0.003 2	0.015 3	−0.002 7	−0.045 3	0.049 4	−0.014 3	0.016 5
黄 庄	−0.018 7	0.022 5	−0.000 6	0.000 1	0.002 4	−0.001 3	−0.016 8	0.018 8	−0.004 0	0.008 2
位 山	−0.011 1	0.014 1	−0.000 2	−0.001 3	0.002 3	0.000 3	−0.002 9	0.007 1	−0.004 9	0.008 9
阴柳科	−0.013 6	0.014 5	−0.002 3	−0.001 8	0.002 7	0.002 2	−0.000 9	0.005 9	−0.008 3	0.008 3
王 坡	−0.004 1	−0.000 2	−0.004 4	0.003 4	0.002 1	0.003 6	0.002 8	0.003 6	−0.007 3	0.008 1
南 桥	0.007 6	−0.013 8	0.004 0	0.002 5	0.000 7	0.003 7	0.002 7	0.000 7	0.000 2	0.004 5
殷 庄	0.004 2	−0.005 8	0.000 6	0.001 7	0.001 5	0.002 9	−0.002 6	0.005 6	−0.000 7	0.002 1
艾 山	−0.020 1	0.022 5	−0.002 8	0.003 1	0.005 5	0.004 5	−0.022 2	0.026 9	−0.007 7	0.006 3
大义屯	−0.021 9	0.015 2	0.011 7	−0.003 5	0.000 0	0.008 9	−0.013 4	0.018 6	−0.002 0	0.009 6
胡溪渡	−0.010 7	0.005 4	0.004 3	−0.002 5	0.001 9	0.007 4	−0.000 4	0.005 0	0.000 4	0.002 1
朱 圈	−0.034 4	0.038 6	−0.002 3	−0.001 0	0.010 7	−0.000 2	−0.020 4	0.022 2	0.001 2	0.002 2
潘 庄	−0.060 1	0.065 1	0.007 6	−0.001 6	0.008 0	−0.004 8	−0.036 3	0.038 7	0.004 5	0.003 8
娄 集	−0.014 4	0.006 3	0.013 5	0.003 9	−0.003 7	0.005 4	−0.011 6	0.026 3	−0.006 6	0.005 6
官 庄	−0.013 2	0.007 8	0.002 8	0.018 0	−0.005 0	0.004 2	−0.014 3	0.024 6	−0.014 7	0.010 3
枯 河	−0.025 3	0.018 1	0.001 6	0.017 8	0.000 2	0.006 1	−0.023 8	0.025 3	−0.017 2	0.021 6
阴 河	−0.048 4	0.053 9	−0.001 9	0.002 9	0.009 6	0.005 6	−0.049 0	0.055 1	−0.014 8	0.018 0

断面名称	198520 198560	198560 198620	198620 198660	198660 198720	198720 198760	198760 198820	198820 198860	198860 198920	198920 198960	198960 199020
张　村	−0.037 2	0.044 9	−0.001 3	0.001 9	0.008 3	−0.001 1	−0.041 4	0.060 7	−0.010 6	0.013 3
水牛赵	−0.011 2	0.009 4	0.001 2	0.002 5	0.001 7	−0.000 7	−0.003 0	0.011 0	−0.001 8	0.006 1
曹家圈	−0.051 6	0.048 7	−0.001 3	0.008 1	−0.000 8	0.007 1	−0.016 1	0.026 8	−0.007 3	0.012 8
郑家店	−0.004 3	−0.003 1	−0.002 1	0.002 6	0.003 5	0.010 4	0.016 8	−0.004 4	−0.006 6	0.014 4
泺　口	−0.010 1	0.016 3	−0.004 7	0.003 3	0.004 5	0.005 0	0.012 8	−0.003 4	−0.004 8	0.011 6
后张庄	−0.037 4	0.048 4	0.000 1	0.006 1	−0.017 1	0.015 0	−0.015 3	0.023 7	0.000 9	0.002 4
霍家溜	−0.051 9	0.062 9	0.001 4	0.002 7	−0.014 8	0.019 0	−0.028 5	0.028 3	0.002 7	0.001 7
王家梨行	−0.051 9	0.053 3	0.007 5	0.008 2	−0.000 7	0.009 0	−0.019 9	0.032 2	−0.001 2	0.008 1
传辛庄	0.031 7	−0.04 90	0.012 2	0.008 6	0.006 7	−0.015 5	0.042 9	−0.001 6	0.005 7	0.002 4
刘家园	−0.011 4	0.009 5	−0.002 3	−0.000 1	0.005 6	−0.008 8	0.017 3	0.000 4	0.004 9	−0.002 6
王家圈	−0.073 3	0.078 1	−0.005 0	−0.004 6	0.008 3	−0.012 6	0.012 2	0.022 5	−0.007 6	0.004 2
张　桥	−0.050 7	0.061 8	−0.004 4	−0.005 3	−0.000 9	0.000 6	−0.013 0	0.029 2	−0.009 9	0.008 9
梯子坝	−0.063 4	0.071 1	−0.004 1	−0.000 8	−0.002 2	0.000 9	−0.013 1	0.023 3	−0.005 6	0.007 7
董　家	−0.013 3	0.012 8	0.003 5	0.001 4	0.005 6	−0.002 8	0.002 8	0.004 6	−0.005 8	0.012 3
马扎子	−0.016 4	0.009 5	0.008 5	−0.000 3	0.007 8	0.000 9	−0.000 9	0.008 7	−0.001 1	0.008 3
杨　房	−0.065 7	0.053 2	0.008 3	0.006 4	−0.004 2	0.007 6	−0.015 5	0.026 5	−0.001 5	0.002 1
薛王邵	−0.052 5	0.042 1	−0.000 8	0.021 6	−0.013 2	0.009 3	−0.014 2	0.030 2	−0.008 4	0.007 1
齐　冯	0.021 7	−0.032 8	0.003 2	0.019 1	−0.007 2	−0.002 4	0.007 3	−0.001 5	0.008 8	0.005 2
兰　家	0.013 8	−0.024 5	0.005 3	0.011 3	0.003 3	−0.001 4	0.003 2	−0.002 4	0.007 2	0.010 3
贾　家	−0.016 4	0.013 8	0.001 6	0.005 7	0.005 0	0.001 1	−0.004 2	0.003 8	−0.001 7	0.008 8
沪　家	−0.063 5	0.050 8	0.005 2	0.008 6	0.007 1	−0.005 4	0.000 2	0.004 8	0.009 1	0.006 6
道　旭	−0.045 5	0.036 7	0.002 8	−0.001 3	0.006 6	−0.000 6	−0.004 3	0.008 4	0.005 0	0.002 7
龙王崖	−0.049 5	0.044 2	0.001 7	−0.001 0	0.005 1	0.004 5	−0.007 9	0.012 2	0.003 0	0.004 0
王旺庄	−0.027 0	0.029 9	0.000 8	0.004 1	−0.003 9	0.004 1	−0.006 9	0.005 1	0.003 0	−0.002 7
宫　家	−0.089 9	0.114 6	−0.010 2	0.023 0	−0.019 7	0.018 4	−0.041 5	0.020 2	0.004 0	0.000 7
张家滩	−0.019 1	0.024 8	−0.000 8	0.003 7	0.004 4	0.007 8	−0.014 0	0.007 2	0.002 0	0.015 6
利津(三)	−0.021 1	0.018 6	0.014 9	−0.006 4	0.014 9	0.005 4	−0.010 5	0.007 5	0.007 6	0.016 9
王家庄	−0.081 4	0.090 9	0.005 5	0.010 7	−0.001 4	0.009 4	−0.032 1	0.020 2	0.006 5	0.010 8
东　张	−0.030 5	0.035 7	−0.000 7	0.009 9	−0.001 3	0.008 2	−0.015 8	0.010 9	0.000 3	0.010 8
章邱屋子	0.005 5	−0.004 7	0.001 8	0.005 8	0.010 9	0.002 2	−0.006 7	0.003 7	0.002 7	0.012 4
一号坝	−0.000 6	−0.004 0	0.006 9	−0.005 6	0.017 6	−0.002 9	0.001 5	−0.001 3	0.006 1	0.004 5
前　左	0.000 2	−0.005 8	0.009 2	−0.008 2	0.013 2	−0.000 9	0.003 3	0.000 2	0.002 7	0.002 9
朱家屋子	0.007 2	−0.016 3	0.015 6	−0.002 7	0.007 1	0.001 4	−0.002 6	0.004 1	0.001 7	0.002 9
渔　洼	0.011 7	−0.023 3	0.023 2	−0.008 5	0.013 4	0.002 3	−0.006 5	0.007 8	0.004 3	0.008 7

附录 1-5-16 黄河下游各淤积断面测次间**主槽**冲淤量成果

(1990 年 5 月 ~ 1995 年 5 月)　　　　　　　　　　　　　　　　　（单位：亿 m³）

断面名称	199020 199060	199060 199120	199120 199160	199160 199220	199220 199260	199260 199320	199320 199360	199360 199420	199420 199460	199460 199520
小浪底										
铁　谢										
下古街	0.057 9	−0.028 8	0.030 1	−0.009 0	0.027 1	−0.043 1	0.014 0	−0.038 6	0.050 9	−0.029 7
花园镇	0.057 0	0.009 8	0.059 6	−0.027 6	0.086 3	−0.072 9	0.026 9	−0.055 4	0.076 2	−0.041 6
马峪沟	0.076 2	−0.095 7	0.103 8	−0.080 8	0.165 8	−0.077 5	0.021 4	−0.084 7	0.126 2	−0.049 3
裴　峪	0.069 5	−0.079 6	0.042 9	−0.035 5	0.100 5	−0.079 6	0.003 7	−0.062 2	0.066 1	−0.048 0
伊洛河口	0.143 0	−0.111 4	0.081 2	−0.067 3	0.184 8	−0.176 8	0.093 6	0.000 5	0.084 2	−0.133 6
孤柏嘴	0.099 4	−0.093 1	0.135 2	−0.069 3	0.222 4	−0.137 0	0.166 3	0.034 6	0.103 9	−0.130 9
罗村坡	0.023 0	−0.032 7	0.064 3	−0.016 8	0.127 0	−0.004 0	0.063 5	−0.084 9	0.095 0	−0.037 1
官庄峪	0.046 0	−0.043 6	0.041 5	−0.031 7	0.180 6	−0.017 9	0.055 5	−0.105 6	0.086 3	−0.026 8
秦　厂	0.098 9	−0.050 3	0.067 3	−0.055 1	0.182 0	−0.025 5	0.043 3	−0.123 7	0.128 5	−0.069 8
花园口	0.107 6	−0.075 5	0.153 9	−0.069 3	0.112 4	−0.196 1	0.103 5	−0.096 1	0.277 3	−0.078 1
八　堡	0.063 5	−0.055 5	0.075 8	−0.054 4	0.200 5	−0.188 3	0.111 9	−0.078 9	0.160 5	−0.011 2
来童寨	0.051 8	−0.020 6	0.040 2	−0.033 9	0.188 0	−0.090 8	0.035 9	−0.095 4	0.187 9	0.013 5
辛　寨	0.034 8	−0.036 7	0.070 0	−0.083 7	0.765 6	−0.399 6	0.036 7	−0.280 6	0.534 2	−0.163 1
黑　石	0.048 7	−0.031 9	−0.020 1	−0.010 6	0.284 1	−0.051 7	0.016 6	−0.061 2	0.118 0	−0.096 2
韦　城	0.159 3	−0.113 6	0.008 2	−0.006 6	0.409 2	−0.054 3	0.129 0	−0.061 6	0.171 0	−0.101 9
黑岗口	0.048 6	−0.039 1	0.039 6	−0.010 2	0.257 2	−0.163 3	0.148 7	−0.040 6	0.170 3	−0.061 9
柳园口	0.038 5	0.031 0	0.007 9	0.015 3	0.083 8	−0.077 7	0.085 5	0.014 0	0.181 5	−0.057 3
古　城	0.136 0	−0.014 6	0.040 0	0.027 7	0.203 1	−0.173 9	−0.000 2	0.041 9	0.240 3	−0.097 0
曹　岗	0.083 7	−0.018 3	0.080 1	−0.010 5	0.157 1	−0.124 5	−0.019 2	0.009 3	0.107 3	−0.055 8
夹河滩	0.048 9	0.018 9	0.074 5	−0.026 1	0.067 3	−0.049 5	0.061 3	−0.026 7	0.059 6	−0.032 3
东坝头	0.023 0	0.005 2	0.017 9	−0.001 2	0.007 8	−0.000 2	0.027 0	−0.021 8	0.021 7	0.007 5
禅　房	0.027 9	−0.055 9	0.034 7	−0.004 3	0.036 5	0.001 7	0.007 4	−0.020 8	0.015 7	0.018 1
油房寨	0.097 5	−0.147 4	0.073 0	0.012 6	0.197 8	−0.051 3	0.040 3	−0.087 6	0.100 5	−0.022 4
马　寨	0.102 5	−0.038 2	0.050 7	0.014 3	0.152 6	−0.051 4	0.046 1	−0.092 9	0.158 0	−0.071 5
杨小寨	0.028 4	−0.014 6	0.030 0	0.000 1	0.017 2	0.010 5	0.008 5	−0.030 0	0.038 0	0.021 4
河　道	0.019 7	−0.006 4	0.015 8	0.005 0	0.077 7	−0.030 5	−0.002 3	−0.026 9	0.032 7	0.022 3
高　村	−0.000 9	0.006 9	0.001 6	0.003 3	0.050 0	−0.024 3	−0.004 7	0.003 1	0.010 9	0.008 1
南小堤	0.000 4	0.003 5	0.011 4	0.006 9	0.031 0	0.001 2	0.001 6	0.000 1	0.000 6	0.013 2
双合岭	0.028 7	−0.005 3	0.033 4	−0.012 9	0.002 9	0.043 2	0.010 2	−0.005 9	0.001 6	0.009 5

断面名称	199020 199060	199060 199120	199120 199160	199160 199220	199220 199260	199260 199320	199320 199360	199360 199420	199420 199460	199460 199520
苏泗庄	0.000 5	0.011 2	0.018 2	0.002 8	-0.099 2	0.031 7	0.050 5	-0.046 9	0.007 0	0.054 2
营 房	-0.023 3	0.021 2	-0.004 5	0.031 1	-0.092 7	0.001 3	0.051 4	-0.057 4	0.005 2	0.076 5
彭 楼	0.022 5	-0.010 6	-0.006 9	0.005 4	0.049 8	-0.021 5	-0.007 7	0.000 3	0.003 1	0.007 7
大王庄	0.029 0	-0.010 2	-0.008 7	0.005 7	0.059 5	-0.021 9	-0.008 3	-0.001 4	0.011 7	0.004 5
史 楼	0.007 3	-0.006 0	-0.000 4	0.018 0	0.034 5	0.009 0	-0.021 6	0.000 1	0.024 0	0.007 9
徐码头	0.033 4	-0.038 4	0.020 8	0.013 2	0.049 0	0.011 2	-0.028 6	0.007 7	-0.007 4	0.042 1
于 庄	0.030 9	-0.003 5	-0.005 1	0.006 6	0.011 9	0.023 4	0.003 4	-0.011 5	-0.014 9	0.043 9
杨 集	0.008 8	0.012 8	-0.007 8	0.001 2	-0.005 5	0.015 4	0.012 1	-0.015 0	0.002 9	0.013 1
伟那里	-0.015 4	0.005 6	-0.002 1	0.001 3	-0.023 7	0.033 2	-0.004 5	-0.002 7	0.005 1	0.008 5
龙 湾	0.007 6	-0.006 8	0.006 7	-0.002 3	0.004 9	-0.030 3	0.035 5	0.004 0	-0.000 7	-0.005 6
孙 口	0.004 0	0.008 3	-0.001 1	0.002 8	0.001 0	-0.005 4	0.016 2	0.000 9	-0.001 6	-0.006 4
梁 集	0.001 0	-0.000 1	0.008 1	-0.000 7	0.015 4	0.012 4	-0.009 2	0.006 9	-0.005 3	0.004 6
大田楼	-0.002 1	0.003 2	0.001 9	0.002 5	0.015 4	0.003 8	-0.005 0	0.005 0	-0.003 4	0.006 5
雷 口	-0.000 4	0.002 4	-0.001 2	0.002 9	0.007 0	0.000 7	-0.003 0	-0.008 8	0.009 0	0.003 9
路那里	-0.005 7	0.004 4	-0.000 4	0.004 9	0.007 0	0.001 9	-0.004 5	-0.015 7	0.017 3	0.004 0
十里堡	-0.006 3	-0.000 8	0.004 7	0.002 3	0.014 4	0.003 7	-0.007 5	0.004 0	-0.002 8	0.008 6
白 铺	-0.000 1	0.000 9	0.001 6	0.001 8	0.007 2	0.002 3	-0.003 6	0.001 7	0.000 4	0.001 6
邵 庄	-0.000 1	0.008 2	0.001 9	0.002 2	0.000 1	-0.001 7	-0.003 6	0.000 6	0.010 5	-0.002 0
李 坝	0.000 2	0.010 8	-0.000 4	0.004 7	0.006 0	-0.010 7	-0.000 7	-0.002 4	0.012 6	0.000 1
陶成铺	0.004 7	0.007 0	-0.001 4	0.007 2	0.016 8	-0.012 6	0.000 0	-0.001 0	0.008 2	-0.003 0
黄 庄	-0.003 1	-0.000 7	0.001 8	0.000 0	0.000 7	0.001 6	-0.002 4	-0.000 3	-0.000 4	0.003 4
位 山	-0.004 8	0.001 1	-0.000 1	0.000 4	0.004 2	-0.001 6	0.000 2	-0.001 0	-0.004 0	0.008 0
阴柳科	0.000 7	0.005 3	-0.004 0	0.002 7	0.009 4	-0.003 9	0.001 6	-0.000 6	-0.004 4	0.009 2
王 坡	0.001 2	0.007 0	-0.002 4	0.003 2	0.012 4	-0.000 7	-0.002 8	0.001 7	0.001 1	0.007 1
南 桥	0.000 7	0.002 4	-0.000 1	0.005 0	0.005 4	0.003 6	-0.000 1	-0.002 7	-0.000 7	0.008 4
殷 庄	0.002 2	-0.001 6	0.002 3	0.006 5	-0.000 6	0.000 8	-0.002 7	-0.000 4	-0.002 8	0.007 9
艾 山	0.003 4	0.001 9	0.005 2	0.006 5	-0.010 3	0.015 0	-0.018 7	0.011 1	0.000 3	0.012 0
大义屯	-0.006 7	0.012 7	-0.003 6	0.003 3	-0.005 2	0.019 9	-0.015 1	0.006 7	-0.000 4	0.021 9
胡溪渡	-0.001 1	0.008 6	-0.002 8	0.004 4	0.000 2	0.006 0	-0.006 3	-0.001 0	0.001 8	0.008 8
朱 圈	0.000 7	0.009 5	-0.000 2	0.003 0	-0.007 7	0.012 1	-0.005 9	-0.001 0	0.008 1	-0.001 7
潘 庄	-0.004 6	0.010 0	-0.004 3	0.006 2	0.007 4	-0.010 2	-0.002 2	0.006 4	0.005 7	0.007 6
娄 集	-0.006 2	0.008 5	-0.007 7	0.012 1	0.028 6	-0.021 0	0.002 0	0.000 3	-0.001 6	0.015 0
官 庄	-0.004 1	0.012 7	-0.009 8	0.013 7	0.001 2	0.021 3	-0.014 8	0.007 7	-0.000 8	0.011 1
枯 河	-0.009 9	0.018 9	-0.015 2	0.015 8	-0.020 2	0.031 4	-0.011 3	0.017 5	-0.009 5	0.024 4
阴 河	-0.005 5	0.020 1	-0.008 3	0.009 3	-0.043 4	0.040 2	0.003 9	0.010 4	-0.013 2	0.017 6

断面名称	199020 199060	199060 199120	199120 199160	199160 199220	199220 199260	199260 199320	199320 199360	199360 199420	199420 199460	199460 199520
张　村	0.001 8	0.018 3	−0.003 3	0.005 8	−0.029 9	0.052 2	−0.014 7	0.012 0	−0.004 6	0.005 8
水牛赵	−0.004 4	0.009 0	−0.002 8	0.004 6	0.003 0	0.004 3	−0.000 5	0.004 7	0.001 7	0.002 8
曹家圈	−0.012 7	0.022 5	−0.010 6	0.007 6	0.009 2	−0.000 2	0.005 9	0.009 8	0.002 1	0.012 4
郑家店	−0.010 4	0.019 2	−0.010 5	0.005 6	0.018 0	0.001 7	−0.006 0	0.006 7	0.004 3	0.009 6
泺　口	−0.004 8	0.016 3	−0.013 6	0.016 4	−0.002 0	0.025 4	−0.010 7	0.004 3	0.004 9	0.005 7
后张庄	0.004 5	0.004 5	−0.004 1	0.010 8	−0.006 2	0.011 4	−0.002 7	0.001 6	0.004 6	0.008 4
霍家溜	0.004 0	0.003 9	0.001 6	0.004 5	−0.007 0	0.009 5	−0.001 7	0.001 9	0.010 8	−0.004 0
王家梨行	−0.003 4	0.012 2	0.000 7	0.005 5	−0.004 7	0.016 8	0.005 1	0.000 5	0.013 5	−0.001 8
传辛庄	−0.006 7	0.010 7	0.003 3	0.002 8	0.017 6	−0 006 7	0.008 3	0.004 9	0.011 9	0.005 3
刘家园	−0.001 8	0.003 8	0.002 5	0.002 4	0.009 1	−0.003 5	0.001 8	0.008 2	0.005 3	−0.004 1
王家圈	−0.003 4	−0.011 1	0.025 2	0.008 8	−0.020 1	0.018 4	0.004 1	0.020 5	0.002 3	−0.000 3
张　桥	−0.003 6	−0.002 7	0.013 1	0.002 6	−0.016 9	0.022 1	−0.004 3	0.007 9	0.001 8	0.006 8
梯子坝	−0.004 2	0.009 8	0.003 0	0.001 9	−0.010 9	0.025 4	−0.006 8	−0.000 7	0.009 3	−0.001 5
董　家	−0.000 5	0.004 4	0.000 1	0.007 4	−0.002 7	0.028 1	−0.013 9	0.004 9	0.011 2	−0.001 8
马扎子	0.000 6	0.001 2	−0.004 5	0.010 4	0.012 1	0.018 8	−0.017 1	0.013 2	0.001 9	0.007 9
杨　房	−0.001 0	0.003 9	0.000 8	0.008 4	−0.013 6	0.026 7	−0.014 4	0.017 1	−0.002 9	0.008 5
薛王邵	−0.000 6	0.016 9	−0.005 7	0.008 0	−0.002 2	0.024 3	−0.004 7	0.017 3	0.002 8	0.005 7
齐　冯	−0.001 6	0.009 8	0.001 6	0.000 4	0.014 1	0.009 8	0.002 2	0.010 6	−0.001 3	0.007 6
兰　家	−0.002 1	0.004 4	0.008 2	−0.000 4	−0.000 4	0.017 9	−0.000 7	0.020 0	−0.007 5	0.011 1
贾　家	−0.003 3	0.003 9	0.005 1	−0.003 0	0.009 8	0.007 0	0.000 0	0.014 5	−0.006 9	0.007 1
沪　家	−0.004 0	0.014 7	−0.006 7	0.001 7	0.028 2	0.013 5	−0.008 3	0.012 7	−0.003 2	0.014 1
道　旭	−0.002 5	0.007 7	−0.004 8	0.008 4	−0.005 4	0.021 2	−0.007 8	0.002 9	0.001 2	0.006 8
龙王崖	−0.001 4	0.005 4	0.002 7	0.000 8	−0.002 2	0.018 6	−0.003 9	0.002 4	−0.004 2	0.007 3
王旺庄	0.005 7	−0.000 2	0.000 8	−0.001 7	−0.001 9	0.012 4	−0.004 6	0.005 4	−0.002 9	0.003 5
宫　家	0.019 0	−0.007 7	0.007 8	−0.000 6	−0.030 4	0.048 1	−0.014 3	0.029 9	−0.011 7	0.016 6
张家滩	0.000 4	0.001 6	0.007 2	−0.006 4	−0.003 5	0.013 4	0.004 8	0.011 7	−0.005 2	0.006 8
利津(三)	−0.008 4	0.014 1	0.008 0	−0.004 7	−0.008 5	0.023 6	0.007 5	0.003 7	0.003 0	0.000 4
王家庄	−0.005 1	0.009 9	0.027 3	−0.005 6	−0.070 9	0.080 7	−0.004 8	0.005 4	0.001 7	0.009 0
东　张	−0.004 1	0.005 4	0.012 4	−0.004 7	−0.032 1	0.045 9	−0.009 3	0.001 6	−0.000 6	0.004 2
章邱屋子	−0.006 2	0.014 2	−0.011 8	0.007 1	0.005 8	0.014 6	0.002 6	0.000 8	0.000 8	0.000 9
一号坝	−0.002 0	0.011 8	−0.007 2	0.007 2	−0.001 2	0.013 0	0.009 9	0.002 7	0.001 1	0.000 8
前　左	0.001 0	0.005 5	0.002 4	0.003 5	−0.004 1	0.010 1	0.003 0	0.002 9	−0.001 0	−0.000 2
朱家屋子	0.000 6	0.006 2	0.002 0	0.004 1	0.004 0	0.002 7	0.003 7	0.002 5	−0.002 2	0.000 0
渔　洼	−0.000 8	0.009 7	−0.000 2	0.004 4	0.008 4	0.004 5	0.004 1	0.006 9	−0.002 5	0.000 1

附录 1-5-17 黄河下游各淤积断面测次间**主槽**冲淤量成果

(1995 年 5 月 ~ 2000 年 10 月)　　　　　　　　　　　　　　（单位：亿 m³）

断面名称	199520 199560	199560 199620	199620 199660	199660 199720	199720 199760	199760 199820	199820 199860	199860 199920	199920 199960	199960 200020	200020 200060
小浪底											
铁　谢											
下古街	0.038 4	−0.047 7	0.128 5	−0.072 6	0.001 2	−0.022 7	0.043 7	−0.046 2	0.025 5	−0.036 8	−0.004 9
花园镇	0.046 8	−0.040 9	0.212 1	−0.124 1	0.024 7	−0.054 2	0.050 8	−0.057 7	0.048 4	−0.046 7	−0.010 0
马峪沟	0.053 3	−0.066 3	0.281 4	−0.059 6	−0.001 2	−0.032 6	0.039 5	−0.039 3	0.037 6	−0.061 2	−0.016 3
裴　峪	0.079 5	−0.041 1	0.190 3	−0.006 5	0.014 0	−0.007 0	0.008 2	−0.015 8	0.019 7	−0.032 4	−0.009 2
伊洛河口	0.185 9	−0.086 5	0.373 2	−0.235 6	0.172 6	−0.032 8	0.084 4	−0.022 4	0.080 1	−0.090 1	−0.036 8
孤柏嘴	0.178 8	−0.210 1	0.290 3	−0.193 0	0.155 5	−0.128 3	0.150 9	−0.054 3	0.150 1	−0.183 1	0.024 7
罗村坡	0.068 4	−0.093 2	0.105 9	0.018 2	0.012 6	−0.079 9	0.047 3	−0.036 6	0.074 4	−0.067 5	0.034 6
官庄峪	0.049 0	−0.027 6	0.027 3	0.005 2	0.041 4	−0.020 9	0.014 8	−0.037 6	0.045 7	−0.025 8	0.000 0
秦　厂	0.143 7	−0.088 6	−0.011 3	0.039 4	0.070 3	−0.055 0	0.044 6	−0.145 2	0.143 3	−0.164 9	0.084 7
花园口	0.139 7	−0.089 1	0.007 2	−0.014 2	0.082 4	−0.115 4	0.063 9	−0.117 0	0.132 3	−0.236 8	0.104 9
八　堡	0.057 2	−0.024 8	0.046 7	−0.040 7	0.052 9	−0.045 5	0.011 6	0.008 4	0.049 5	−0.034 6	−0.030 4
来童寨	0.017 7	−0.013 4	0.049 6	−0.023 6	0.039 6	−0.031 4	0.003 1	0.006 2	0.041 3	−0.001 1	−0.032 5
辛　寨	0.163 4	−0.120 4	0.252 7	−0.130 0	0.052 8	−0.085 5	0.213 9	−0.067 1	0.100 0	−0.069 6	−0.048 2
黑　石	0.074 2	−0.058 4	0.133 0	−0.068 9	0.027 8	−0.028 5	0.080 5	−0.031 4	0.042 6	−0.031 5	−0.011 9
韦　城	0.093 7	−0.091 7	0.259 8	−0.049 1	0.039 7	−0.014 6	−0.015 7	−0.014 8	0.041 7	−0.021 5	−0.006 5
黑岗口	0.085 0	−0.046 0	0.179 7	−0.056 8	0.027 5	0.001 5	−0.013 8	−0.002 8	0.019 1	−0.026 2	0.003 7
柳园口	0.084 7	−0.040 7	0.078 5	−0.054 8	0.028 7	0.000 8	0.000 1	0.008 3	0.003 6	−0.013 4	0.001 7
古　城	0.137 0	−0.137 4	0.271 3	−0.053 6	0.037 8	−0.006 8	0.029 7	−0.012 4	0.006 5	−0.039 1	−0.016 3
曹　岗	0.051 2	−0.054 4	0.189 0	−0.024 7	0.058 2	−0.026 1	0.059 0	−0.016 6	0.022 6	−0.032 5	−0.013 7
夹河滩	0.011 6	0.015 2	0.190 2	0.029 3	0.060 9	−0.027 5	0.047 6	0.004 7	0.017 9	−0.001 7	−0.004 6
东坝头	−0.010 1	0.012 8	0.186 1	0.020 9	0.011 8	−0.020 8	0.027 3	0.007 2	−0.014 9	−0.006 6	0.000 1
禅　房	−0.003 7	−0.004 8	0.120 3	0.002 8	0.015 4	−0.030 4	0.021 1	0.022 7	−0.008 4	0.004 6	−0.006 3
油房寨	0.004 7	−0.244 6	0.399 8	0.054 9	0.073 4	−0.049 3	0.071 2	0.025 5	0.003 8	0.025 8	−0.020 1
马　寨	−0.020 1	−0.299 1	0.459 4	0.102 6	0.081 9	0.020 4	0.097 7	−0.026 1	0.022 6	0.015 6	−0.000 8
杨小寨	−0.025 6	0.009 6	0.122 2	0.027 1	0.013 3	0.034 1	0.022 3	−0.004 1	0.018 6	0.008 1	0.002 4
河　道	−0.032 7	0.040 0	0.129 3	0.018 8	0.030 2	0.022 3	0.036 6	−0.003 6	0.028 3	−0.003 3	−0.005 5
高　村	−0.015 7	0.025 6	0.024 3	0.011 9	0.020 8	0.001 3	0.012 1	0.003 9	0.011 7	−0.009 6	0.009 1
南小堤	−0.004 2	0.011 8	0.021 2	0.007 1	0.027 7	−0.004 6	0.015 1	−0.000 7	0.003 1	−0.002 2	−0.012 9
双合岭	0.016 1	0.008 7	0.071 7	−0.012 2	0.050 7	−0.009 9	0.027 4	0.000 5	−0.001 7	0.010 8	−0.036 3

断面名称	199520 199560	199560 199620	199620 199660	199660 199720	199720 199760	199760 199820	199820 199860	199860 199920	199920 199960	199960 200020	200020 200060
苏泗庄	−0.006 0	0.037 5	−0.017 8	−0.012 5	0.042 1	0.006 2	0.014 2	−0.005 0	−0.011 5	0.032 9	−0.002 1
营 房	−0.024 0	0.061 9	−0.057 0	0.012 1	0.037 5	0.016 3	0.007 5	−0.004 4	−0.006 1	0.035 0	0.001 4
彭 楼	0.002 1	0.012 2	−0.001 8	0.007 5	0.007 7	−0.001 0	0.012 5	0.010 2	0.009 5	0.003 0	−0.004 2
大王庄	0.000 8	0.018 4	0.002 7	0.000 9	−0.004 4	0.011 5	0.009 4	0.024 0	0.008 4	0.001 1	0.000 1
史 楼	−0.004 8	0.025 8	0.005 0	−0.002 9	−0.005 3	0.023 8	−0.008 0	0.026 0	0.017 4	−0.001 7	0.009 1
徐码头	−0.016 3	0.030 4	0.017 1	0.022 2	0.000 4	0.012 4	0.007 4	−0.009 0	0.023 0	0.003 3	0.003 0
于 庄	−0.020 0	0.032 2	0.049 7	0.028 1	−0.006 9	0.004 1	0.011 3	−0.006 0	0.009 7	−0.004 9	0.008 5
杨 集	−0.002 0	0.008 8	0.044 6	0.005 0	0.003 2	−0.002 6	0.009 6	0.001 2	0.003 5	−0.005 0	0.013 1
伟那里	0.005 5	−0.009 3	−0.001 4	0.013 1	0.009 7	0.003 2	−0.002 6	−0.001 7	0.000 8	−0.000 6	0.008 3
龙 湾	0.029 4	−0.003 2	0.002 0	−0.016 7	0.020 2	0.017 1	−0.011 2	0.001 7	0.012 5	−0.014 7	0.016 4
孙 口	0.022 3	0.001 7	0.006 4	−0.013 5	−0.017 5	0.032 4	−0.010 6	0.009 8	0.021 6	−0.013 2	0.012 2
梁 集	0.009 1	−0.003 7	0.002 9	−0.030 1	0.032 9	−0.004 0	0.012 7	0.010 2	0.005 5	−0.003 6	0.002 7
大田楼	−0.000 4	−0.001 8	−0.000 4	−0.005 8	0.017 8	−0.002 6	0.002 9	0.003 5	0.004 1	−0.003 9	0.002 4
雷 口	−0.000 5	0.001 5	−0.002 8	−0.000 5	0.008 1	0.000 5	−0.002 0	0.001 2	0.001 7	−0.002 7	0.001 2
路那里	0.000 1	0.003 6	−0.002 9	0.001 3	0.006 7	0.001 1	−0.001 1	−0.001 1	0.002 6	−0.003 5	0.002 7
十里堡	−0.008 1	0.006 5	0.003 7	−0.006 0	0.005 7	−0.001 8	0.006 7	0.000 0	0.004 4	−0.004 8	0.000 8
白 铺	−0.001 2	0.002 1	0.002 2	−0.000 2	0.005 0	−0.002 3	0.002 7	0.000 5	0.003 1	−0.003 5	−0.000 9
邵 庄	0.003 2	−0.007 3	0.000 1	0.007 3	0.006 9	−0.001 2	0.002 3	0.000 8	−0.003 4	0.001 8	−0.001 9
李 坝	−0.001 1	−0.002 1	0.005 4	−0.002 6	0.011 5	0.000 4	0.000 4	0.005 3	−0.003 3	0.000 8	−0.000 3
陶成铺	−0.003 6	0.016 8	0.004 3	−0.010 8	0.018 9	0.001 1	0.001 0	0.013 4	0.002 6	−0.007 2	0.004 3
黄 庄	−0.001 1	0.000 5	−0.001 6	0.000 8	0.002 7	0.001 5	0.000 3	0.002 1	0.000 2	0.000 7	0.000 8
位 山	−0.000 2	−0.002 1	−0.000 1	−0.000 7	0.003 5	0.001 6	0.000 8	0.000 3	0.001 0	0.001 8	0.000 0
阴柳科	0.000 6	−0.001 5	−0.001 3	−0.000 6	0.005 8	0.001 5	0.001 9	−0.002 5	0.001 0	0.002 5	−0.001 7
王 坡	0.002 0	−0.004 4	−0.000 4	−0.002 1	0.011 9	−0.000 3	−0.000 7	−0.002 0	0.007 4	−0.002 2	−0.002 2
南 桥	0.002 0	0.000 2	0.001 0	−0.002 6	0.008 8	−0.000 5	−0.003 4	0.004 6	0.012 6	−0.006 4	−0.003 4
殷 庄	−0.000 2	0.005 3	−0.003 0	0.001 3	0.004 1	0.001 6	−0.002 9	0.003 6	0.005 6	−0.004 8	0.000 4
艾 山	−0.009 4	0.013 0	−0.018 3	0.017 0	0.005 1	0.001 5	−0.001 4	0.009 8	−0.025 5	0.021 7	0.005 4
大义屯	−0.012 8	0.012 6	−0.027 5	0.020 1	0.004 5	0.002 5	0.005 3	0.017 5	−0.026 6	0.035 8	−0.001 0
胡溪渡	−0.002 6	0.004 6	−0.008 5	0.006 4	0.006 0	0.000 4	0.000 3	0.007 0	0.005 4	0.000 8	0.002 5
朱 圈	0.001 7	−0.000 1	−0.004 0	0.007 4	0.009 2	−0.000 5	−0.002 4	0.003 5	0.003 2	−0.001 8	0.007 0
潘 庄	0.002 0	0.001 6	−0.010 5	0.009 2	0.007 3	0.006 9	−0.006 2	0.006 3	−0.003 9	0.011 3	0.001 8
娄 集	−0.004 0	0.002 8	0.001 3	0.004 4	0.001 6	0.009 4	−0.007 8	0.008 9	−0.002 3	0.012 1	−0.002 1
官 庄	−0.003 2	0.004 7	−0.013 9	0.017 3	0.003 6	−0.001 9	0.000 9	0.004 2	0.004 1	0.003 6	−0.006 9
枯 河	−0.003 5	0.010 5	−0.038 1	0.027 9	0.013 3	−0.002 5	−0.011 1	0.014 7	0.000 4	0.009 6	−0.009 6
阴 河	0.002 0	0.007 3	−0.021 3	0.019 7	0.007 6	0.008 3	−0.017 6	0.023 4	−0.018 2	0.012 6	−0.002 7

续表

断面名称	199520 199560	199560 199620	199620 199660	199660 199720	199720 199760	199760 199820	199820 199860	199860 199920	199920 199960	199960 200020	200020 200060
张 村	0.002 3	0.010 4	−0.008 5	0.012 7	−0.000 1	0.009 7	−0.013 4	0.016 2	−0.008 7	0.006 8	0.001 8
水牛赵	−0.002 2	0.006 4	−0.007 1	0.004 4	0.003 6	0.002 4	−0.010 0	0.008 8	0.001 0	0.003 0	−0.001 7
曹家圈	−0.008 3	0.012 5	−0.019 1	0.011 4	0.001 4	0.009 9	−0.021 2	0.027 4	−0.010 9	0.010 0	−0.000 8
郑家店	−0.009 1	0.012 7	−0.015 2	0.005 2	0.001 1	0.008 0	−0.012 0	0.010 4	0.003 9	0.002 2	0.010 3
泺 口	−0.007 8	0.010 4	−0.039 5	0.034 3	0.003 3	0.003 1	−0.006 8	0.001 5	0.015 2	−0.003 7	0.006 7
后张庄	−0.011 0	0.015 1	−0.036 6	0.031 3	0.005 6	0.005 1	−0.013 4	0.014 2	0.000 7	0.001 6	0.001 1
霍家溜	−0.002 2	0.010 4	−0.029 2	0.026 6	0.005 5	0.003 5	−0.014 0	0.014 7	−0.011 2	0.011 5	−0.006 0
王家梨行	0.000 5	0.009 8	−0.043 5	0.041 0	0.002 5	0.004 9	−0.010 2	0.017 9	−0.014 3	0.018 6	−0.012 8
传辛庄	−0.002 4	0.010 7	0.000 9	−0.003 8	0.001 1	0.004 7	0.006 1	0.008 7	0.007 5	−0.001 1	0.000 3
刘家园	0.004 5	0.002 5	−0.002 1	0.001 5	0.000 2	0.002 2	0.002 5	0.002 6	0.007 0	−0.002 4	0.000 8
王家圈	0.003 8	0.009 7	−0.023 4	0.022 0	0.001 4	0.003 7	−0.005 2	0.011 3	0.009 1	−0.000 1	−0.008 0
张 桥	−0.000 1	0.006 9	−0.026 3	0.020 7	0.003 3	−0.000 1	−0.000 9	0.005 5	0.001 7	0.004 5	−0.003 7
梯子坝	0.004 2	0.003 9	−0.023 7	0.025 4	0.005 5	−0.001 0	−0.000 4	−0.000 2	−0.012 4	0.017 9	−0.004 7
董 家	0.002 7	0.005 1	−0.023 1	0.027 3	0.008 3	−0.000 4	−0.001 4	0.004 2	−0.011 9	0.017 0	−0.006 4
马扎子	−0.000 5	−0.001 2	−0.025 7	0.026 8	0.003 9	0.004 2	−0.003 9	0.011 1	0.003 0	0.001 0	−0.009 8
杨 房	−0.001 7	−0.005 2	0.010 9	0.011 9	−0.001 6	0.003 9	−0.004 2	0.011 3	−0.011 0	0.010 0	−0.027 5
薛王邵	0.002 2	−0.001 3	0.032 9	−0.002 0	−0.000 5	0.000 8	0.003 6	0.011 8	−0.011 6	0.011 8	−0.035 8
齐 冯	−0.003 6	0.001 0	0.005 6	−0.003 1	−0.001 2	0.002 6	0.004 0	0.005 9	0.001 3	0.002 1	−0.006 2
兰 家	0.002 0	−0.004 5	−0.005 6	−0.000 3	0.000 9	0.004 7	−0.005 7	0.010 1	−0.001 4	0.006 1	−0.000 4
贾 家	0.002 3	−0.001 1	−0.008 2	0.004 7	−0.003 0	0.002 2	−0.005 3	0.012 4	−0.001 3	0.005 9	−0.007 6
沪 家	−0.018 8	0.017 8	−0.012 2	0.001 9	−0.008 7	−0.000 7	−0.000 3	0.017 6	0.000 3	0.011 6	−0.033 5
道 旭	−0.007 1	0.006 8	−0.004 2	−0.002 1	−0.000 8	−0.001 7	0.001 1	0.002 3	0.003 3	0.005 3	−0.008 9
龙王崖	0.002 6	−0.000 7	0.001 5	−0.004 1	0.000 7	−0.000 8	−0.002 8	0.005 0	0.005 7	0.003 7	0.001 7
王旺庄	−0.001 6	0.006 4	−0.005 5	−0.001 0	−0.000 7	0.003 0	−0.004 7	0.004 5	0.003 8	−0.000 7	−0.001 5
宫 家	−0.019 9	0.039 3	−0.041 9	0.014 3	−0.012 3	0.019 6	−0.015 0	0.003 3	0.010 3	0.003 2	−0.005 7
张家滩	−0.007 7	0.011 4	−0.013 2	0.004 3	−0.002 6	0.008 4	−0.005 3	−0.001 5	0.005 3	0.003 5	−0.010 2
利津(三)	0.002 8	−0.007 4	−0.009 1	0.009 5	0.002 8	0.000 2	−0.004 6	0.002 5	0.008 3	0.000 0	−0.010 2
王家庄	−0.007 2	0.002 2	−0.030 2	0.023 3	0.009 1	0.001 4	−0.009 5	0.004 5	0.005 4	0.005 1	−0.000 8
东 张	−0.005 7	0.008 3	−0.005 8	0.003 8	0.008 3	0.001 2	−0.001 4	0.002 2	0.000 9	0.004 5	0.003 2
章邱屋子	−0.002 8	0.002 7	0.006 6	−0.007 5	0.001 9	−0.000 9	0.005 6	−0.001 0	0.009 1	−0.003 3	0.010 0
一号坝	−0.003 1	0.001 1	−0.005 5	−0.006 0	−0.001 2	−0.002 5	0.005 5	0.001 3	0.009 1	−0.001 6	−0.002 6
前 左	−0.001 0	0.000 3	−0.006 5	−0.001 4	0.000 1	0.000 8	0.003 0	0.001 8	0.002 4	0.000 8	−0.002 4
朱家屋子	−0.000 3	−0.001 0	−0.004 0	−0.002 1	0.001 0	0.004 4	−0.000 9	−0.005 0	0.007 4	−0.002 1	0.002 6
渔 洼	−0.001 4	−0.005 4	−0.002 4	−0.008 1	0.007 8	−0.004 7	0.005 3	−0.005 9	0.012 2	−0.000 2	0.000 4

附录 1-6-1 黄河河口段渔洼以下各淤积断面测次间**全断面**冲淤量成果 （单位：亿 m³）

时段		渔洼 / 河口6	河口6 / 河口7	河口7 / 河口8	河口8 / 河口9	河口9 / 罗4	罗4 / 罗5	罗5 / 罗6	罗6 / 罗7	罗7 / 罗10	罗10 / 罗11	罗11 / 罗12	小计
196420	196460	-0.023 2	-0.005 0	-0.038 4	-0.024 1								-0.091
196460	196520	0.020 6	0.005 8	0.044 1	0.022 9	-0.002 3							0.091
196520	196560	0.013 7	0.003 7	0.010 4	0.005 9	0.028 1	0.037 2	0.030 9	0.010 2				0.140
196560	196620	-0.003 9	0.000 5	-0.001 1	-0.001 0	-0.000 4	-0.018 8	-0.034 8	-0.037 6				-0.097
196620	196660	0.027 4	0.004 7	0.007 8	0.001 2	0.038 4	0.100 8	0.106 0	0.431 0				0.717
196660	196820	0.012 4	-0.000 8	-0.000 5	0.005 6	0.051 6	0.069 6	0.085 1	0.268 4	0.161 0			0.652
196820	196860	-0.036 7	-0.004 3	-0.023 4	-0.019 8	-0.052 5	-0.030 0	-0.024 0	-0.021 7	-0.003 1	-0.016 9	0.019 5	-0.213
196860	196920	0.022 4	0.000 7	0.016 7	0.013 8	0.014 1	-0.022 0	0.000 6	0.035 6	0.012 1	-0.005 9	-0.019 3	0.069
196920	196960	0.011 7	0.000 6	0.000 4	0.001 8	0.013 1	0.010 6	0.004 0	0.017 7	0.013 1	0.028 2	0.020 4	0.122
196960	197020	0.008 6	0.002 4	0.005 2	-0.000 1	-0.037 1	-0.042 6	-0.023 7	-0.065 1	-0.029 1	-0.034 1	-0.041 6	-0.257
197020	197060	0.006 5	0.001 3	0.001 1	0.005 5	0.032 7	0.024 1	0.005 1	-0.006 9	0.016 3	0.039 5	0.055 8	0.181
197060	197121	0.000 9	-0.001 4	-0.004 9	-0.000 8	-0.002 3	-0.015 1	-0.007 3	0.007 8	0.001 2	-0.007 3	0.026 4	-0.003
197121	197160	0.005 1	0.001 1	0.002 8	-0.000 8	-0.001 4	0.009 3	-0.005 5	-0.028 4	-0.004 0	0.002 2	0.003 3	-0.016
197160	197320	0.006 7	0.003 6	0.011 4	0.006 9	0.021 1	0.020 4	0.024 1	0.027 4	0.026 1	0.047 5	0.056 3	0.252
197320	197520	0.014 7	0.002 9	0.004 4	0.000 9	-0.013 1	-0.020 5	0.000 9	0.069 5	0.081 7	0.168 8		0.310
197520	197560	0.082 2	0.011 7	0.015 8	0.011 2	0.095 9	0.143 1	0.096 7	0.190 7	0.081 8	-0.038 5		0.691
197560	197620	-0.009 9	-0.002 8	-0.007 7	-0.003 4	0.000 0	-0.011 2	-0.006	-0.007 1	-0.003	-0.001 0		-0.052
合计		0.159 2	0.024 7	0.044 1	0.025 7	0.185 9	0.254 9	0.252 0	0.891 5	0.354 1	0.182 5	0.120 8	2.495 0

附录 1-6-2 黄河河口段渔洼以下各淤积断面测次间**主槽**冲淤量成果 （单位：亿 m³）

时段		渔洼 / 河口6	河口6 / 河口7	河口7 / 河口8	河口8 / 河口9	河口9 / 罗4	罗4 / 罗5	罗5 / 罗6	罗6 / 罗7	罗7 / 罗10	罗10 / 罗11	罗11 / 罗12	小计
196420	196460	-0.029 2	-0.005 9	-0.040 1	-0.024 8								-0.100
196460	196520	0.023 6	0.006 1	0.044 4	0.023 4	0.032 7							0.130
196520	196560	0.013 8	0.003 7	0.010 3	0.005 4	0.024 2	0.030 0	0.026 8	0.010 4				0.125
196560	196620	0.001 9	0.000 9	-0.000 9	-0.001 2	-0.000 6	-0.018 6	-0.036 8	-0.039 6				-0.095
196620	196660	0.023 9	0.004 1	0.005 4	-0.000 7	0.026 4	0.053 0	0.071 5	0.425 1				0.609
196660	196820	0.001 3	-0.001 1	-0.001 4	0.003 8	0.026 4	0.043 3	0.076 0	0.268 1	0.161 0			0.577
196820	196860	-0.036 7	-0.004 3	-0.023 4	-0.019 8	-0.052 5	-0.029 9	-0.023 9	-0.021 7	-0.003 1	-0.016 9	0.019 5	-0.213
196860	196920	0.021 0	0.001 1	0.017 5	0.014 1	0.016 3	-0.020 8	0.000 3	0.034 1	0.012 1	-0.005 9	-0.019 3	0.070
196920	196960	0.011 7	0.000 6	0.000 8	0.002 0	0.013 4	0.011 1	0.004 3	0.017 7	0.013 1	0.028 2	0.020 4	0.123
196960	197020	0.007 7	0.002 3	0.006 6	0.001 4	-0.015 6	-0.024 8	-0.016 6	-0.058 3	-0.029 1	-0.034 1	-0.041 6	-0.202
197020	197060	0.006 5	0.001 3	0.001 0	0.004 4	0.026 8	0.024 1	0.005 1	-0.006 9	0.016 3	0.039 5	0.055 8	0.174
197060	197121	0.000 9	-0.001 6	-0.005 2	-0.000 4	-0.000 2	-0.014 4	-0.007 7	0.007 8	0.001 2	-0.007 3	0.026 4	-0.001
197121	197160	0.005 1	0.001 1	0.002 8	-0.000 8	0.000 3	0.009 3	-0.005 5	-0.028 4	-0.004 0	0.002 2	0.003 3	-0.014
197160	197320	0.006 7	0.003 6	0.011 4	0.006 6	0.019 5	0.020 4	0.024 1	0.027 4	0.026 1	0.047 5	0.056 3	0.250
197320	197520	0.011 8	0.003 1	0.004 4	0.001 2	0.006 2	0.008 1	0.001 0	0.069 6	0.081 7	0.168 8		0.366
197520	197560	0.034 4	0.011 1	0.005 6	-0.000 4	0.001 1	0.090 7	0.100 5	0.194 5	0.081 8	-0.038 5		0.481
197560	197620	-0.007 7	-0.002 8	-0.007 7	-0.003 9	-0.003 4	-0.011 2	-0.006	-0.007 1	-0.003 0	-0.001 0		-0.054
合计		0.096 7	0.023 3	0.031 8	0.010 6	0.121 2	0.170 3	0.222 6	0.892 7	0.354 1	0.182 5	0.120 8	2.226 1

附录 1-6-3　黄河河口段渔洼以下各淤积断面测次间**全断面**冲淤量成果　（单位：亿 m³）

时　段		渔洼 河口6	河口6 河口7	河口7 清1	清1 清2	清2 清3	清3 清4	清4 清6	清6 清7			小计
197620	197660	−0.030 9	−0.008 2	0.067 8	0.472 6	0.597 1						1.098
197660	197720	−0.001 8	0.000 5	0.009 6	−0.005 1	0.014 6						0.018
197720	197760	0.026 2	0.006 7	0.053 6	0.158 0	0.191 9	0.163 3					0.600
197760	197820	−0.004 4	0.000 3	−0.000 2	0.009 2	0.009 9	−0.007 1					0.008
197820	197860	0.015 6	0.002 4	0.048 7	0.215 1	0.370 4	0.464 5					1.117
197860	197920	0.008 3	0.001 8	−0.010 1	−0.031 4	−0.022 1	−0.022 6					−0.076
197920	197960	0.005 2	−0.000 3	0.021 8	0.082 7	0.078 6	0.055 5					0.244
197960	198020	−0.011 3	−0.000 8	−0.004 5	−0.014 6	−0.003 5	−0.010 4					−0.045
198020	198060	0.012 0	0.001 6	0.004 3	0.004 3	0.004 4	0.007 7	0.013 9				0.048
198060	198120	−0.015 5	−0.001 5	−0.007 1	−0.007 5	−0.005 6	−0.018 3	−0.017 0				−0.073
198120	198160	−0.013 0	−0.004 1	−0.023 0	−0.053 2	−0.082 7	−0.059 0	−0.066 4				−0.301
198160	198220	−0.012 8	−0.000 2	0.004 2	0.017 9	0.032 2	0.024 0	0.009 7				0.075
198220	198260	−0.002 6	−0.003 5	−0.042 4	−0.055 7	−0.003 6	−0.010 8	−0.009 5	0.000 0			−0.128
198260	198320	−0.015 3	0.001 0	0.046 9	0.055 8	−0.000 5	0.007 3	−0.007 4	−0.015 3			0.073
198320	198360	−0.019 7	−0.004 9	−0.072 1	−0.113 4	−0.053 9	−0.032 3	−0.013 6	0.000 0			−0.310
198360	198420	0.001 7	0.002 9	0.051 9	0.085 7	0.049 1	0.015 6	0.022 1	0.023 9			0.253
198420	198460	−0.008 6	−0.003 0	−0.048 8	−0.067 5	−0.022 9	−0.007 5	0.000 6	0.000 0			−0.158
198460	198520	0.004 1	0.005 0	0.049 1	0.065 6	0.037 0	0.012 2	−0.001 8	0.008 4			0.180
198520	198560	−0.008 6	−0.006 5	−0.020 5	−0.044 6	−0.032 9	0.017 7	0.059 3	0.030 1			−0.006
198560	198620	0.004 1	0.007 8	0.032 2	0.047 6	0.033 9	−0.015 0	−0.023 0	−0.000 5			0.087
198620	198660	0.013 1	0.000 2	0.011 1	0.007 3	−0.006 0	0.006 7	0.005 4	0.003 6			0.041
198660	198720	−0.003 3	0.000 2	−0.001 3	0.014 5	0.015 4	0.006 3	0.007 0	0.001 2			0.040
198720	198760	0.017 7	0.002 0	−0.000 7	−0.011 6	0.001 2	0.008 6	0.023 0	0.010 7			0.051
198760	198820	−0.002 2	−0.001 4	0.010 0	0.022 8	0.003 0	−0.005 8	−0.008 3	−0.002 0			0.016
198820	198860	−0.002 8	−0.000 1	−0.023 1	−0.039 9	−0.011 1	0.000 3	0.001 7	0.001 2			−0.074

时 段		渔 洼	河口 6	河口 7	清 1	清 2	清 3	清 4	清 6				小计
		河口 6	河口 7	清 1	清 2	清 3	清 4	清 6	清 7				
198860	198920	0.006 2	0.003 0	0.009 8	0.023 6	0.038 4	0.033 9	0.045 7	0.031 3				0.192
198920	198960	−0.006 2	−0.001 8	0.015 9	0.022 5	0.012 0	0.018 2	0.022 0	0.008 4				0.091
198960	199020	0.011 5	0.001 0	0.023 2	0.044 8	−0.013 1	−0.022 8	0.009 9	0.014 3				0.069
199020	199060	0.023 2	0.005 1	−0.001 3	−0.004 5	0.006 6	0.010 3	0.020 0	0.009 3				0.069
199060	199120	0.001 5	−0.000 5	0.005 6	0.012 0	0.004 7	0.008 4	0.000 7	0.000 2				0.033
199120	199160	0.002 9	0.000 2	−0.001 6	0.000 3	−0.006 8	−0.000 6	0.017 9	0.007 8				0.020
199160	199220	0.005 8	0.001 9	0.006 2	0.000 6	0.006 9	0.007 6	0.004 7	0.005 3				0.039
199220	199260	−0.011 7	−0.004 6	−0.010 4	−0.006 3	−0.000 5	0.007 6	0.018 9	0.009 0				0.002
199260	199320	0.021 6	0.004 5	0.012 3	0.019 4	0.015 6	0.003 5	−0.000 3	0.008 6				0.085
199320	199360	0.019 1	0.001 1	−0.010 4	0.026 9	0.021 2	0.012 0	0.028 4	0.005 4				0.104
199360	199420	0.001 8	0.000 2	0.015 0	0.002 9	−0.003 5	0.004 1	0.004 5	0.005 0				0.030
199420	199460	0.004 8	0.003 1	0.012 7	0.013 3	0.011 6	0.002 6	0.001 0	0.002 7				0.052
199460	199520	0.004 3	0.002 5	0.013 9	0.012 1	0.002 0	−0.000 9	0.006 5	−0.000 3				0.040
199520	199560	−0.008 2	0.000 2	−0.005 7	−0.019 4	0.000 4	−0.000 4	0.002 7	0.004 3				−0.026
199560	199620	0.002 5	0.003 7	0.020 9	0.023 3	0.000 6	−0.001 9	−0.001 1	0.000 8				0.049
199620	199660	−0.014 9	−0.006 4	−0.040 1	−0.040 9	−0.010 1	−0.012 2	−0.027 9	−0.020 7				−0.173
199660	199720	−0.005 5	−0.003 2	−0.010 5	0.019 2	0.006 6	−0.002 7	−0.008 5	−0.010 1				−0.015
199720	199760	0.029 1	0.001 5	0.040 1	0.052 8	−0.006 9	−0.038 6	−0.109 2	−0.040 7				−0.072
199760	199820	−0.003 7	0.001 9	0.004 3	0.002 3	−0.001 3	−0.001 2	−0.001 3	−0.000 9				0.000
199820	199860	0.003 6	−0.002 6	−0.011 9	−0.009 8	−0.001 8	0.003 1	0.009 4	0.008 1				−0.002
199860	199920	0.014 0	0.003 9	0.011 7	0.015 2	0.008 2	−0.000 1	−0.002 4	−0.004 5				0.046
199920	199960	−0.003 2	−0.001 1	0.001 3	−0.011 8	−0.005 0	0.006 6	0.011 7	0.009 2				0.008
199960	200020	0.007 0	0.002 6	0.010 8	0.016 1	0.009 7	0.000 1	−0.009 7	−0.003 3				0.033
200020	200060	−0.019 4	−0.001 6	−0.017 0	−0.038 3	−0.053 6	−0.018 8	0.030 8	0.003 8				−0.114
合计		0.041 3	0.012 5	0.252 2	0.990 9	1.235 8	0.618 7	0.070 1	0.114 3	0.000 0	0.000 0	0.000 0	3.335 8

附录 1-6-4　黄河河口段渔洼以下各淤积断面测次间**主槽**冲淤量成果　　（单位：亿 m³）

时　段		渔　洼 河口 6	河口 6 河口 7	河口 7 清 1	清 1 清 2	清 2 清 3	清 3 清 4	清 4 清 6	清 6 清 7			小计
197620	197660	−0.023 7	−0.008 2	0.067 8	0.472 6	0.597 1						1.106
197660	197720	0.002 0	0.000 8	0.009 8	−0.005 1	0.014 6						0.022
197720	197760	0.027 8	0.006 7	0.053 6	0.158 0	0.191 9	0.163 3					0.601
197760	197820	−0.006 9	0.000 2	−0.000 4	0.009 2	0.009 9	−0.007 1					0.005
197820	197860	0.014 7	0.002 4	0.048 7	0.215 1	0.370 4	0.464 5					1.116
197860	197920	0.008 1	0.001 5	−0.010 1	−0.031 4	−0.022 1	−0.022 6					−0.077
197920	197960	0.006 4	−0.000 3	0.021 8	0.082 6	0.078 6	0.055 6					0.245
197960	198020	−0.019 8	−0.001 6	−0.004 6	−0.014 6	−0.003 5	−0.010 4					−0.055
198020	198060	0.012 8	0.001 6	0.004 3	0.004 3	0.004 4	0.007 7	−0.025 4				0.010
198060	198120	−0.016 7	−0.001 4	−0.007 1	−0.007 5	−0.005 6	−0.018 3	−0.017 0				−0.074
198120	198160	−0.009 6	−0.004 5	−0.023 1	−0.053 2	−0.082 7	−0.059 0	−0.065 3				−0.297
198160	198220	−0.010 6	0.000 2	0.004 3	0.017 9	0.032 2	0.024 0	0.009 7				0.078
198220	198260	0.001 5	−0.003 4	−0.042 4	−0.055 7	−0.003 6	−0.010 8	−0.009 5	0.000 0			−0.124
198260	198320	−0.022 5	0.000 9	0.046 9	0.055 8	−0.000 5	0.007 3	−0.004 0	−0.007 2			0.077
198320	198360	−0.022 7	−0.004 9	−0.072 1	−0.113 4	−0.053 9	−0.032 3	−0.018 0	0.000 0			−0.317
198360	198420	−0.000 1	0.002 5	0.050 6	0.085 7	0.049 1	0.015 6	0.022 1	0.016 4			0.242
198420	198460	−0.012 7	−0.003 0	−0.048 8	−0.067 5	−0.022 9	−0.007 5	0.001 6	0.000 0			−0.161
198460	198520	0.008 7	0.004 9	0.049 1	0.065 6	0.037 0	0.012 2	−0.000 1	0.006 0			0.183
198520	198560	−0.012 9	−0.008 1	−0.026 9	−0.044 6	−0.032 9	0.017 7	0.053 9	0.024 3			−0.030
198560	198620	0.003 4	0.007 8	0.032 6	0.047 6	0.033 9	−0.015 0	−0.023 0	−0.000 5			0.087
198620	198660	0.013 1	0.000 2	0.011 2	0.007 3	−0.006 0	0.006 7	0.005 4	0.003 5			0.041
198660	198720	−0.009 1	−0.000 4	−0.001 4	0.014 5	0.015 4	0.006 3	0.006 8	0.000 6			0.033
198720	198760	0.019 2	0.002 1	−0.000 7	−0.011 6	0.001 2	0.008 6	0.023 0	0.010 7			0.053
198760	198820	−0.004 0	−0.001 5	0.010 0	0.022 8	0.003 0	−0.005 8	−0.009 4	−0.002 9			0.012
198820	198860	−0.002 8	−0.000 1	−0.023 1	−0.039 9	−0.011 1	0.000 3	0.001 7	0.001 2			−0.074
198860	198920	0.019 4	0.003 4	0.009 3	0.023 6	0.038 4	0.033 9	0.033 8	0.017 9			0.180

时 段		渔 洼\n河口6	河口6\n河口7	河口7\n清1	清1\n清2	清2\n清3	清3\n清4	清4\n清6	清6\n清7				小计
198920	198960	-0.008 0	-0.001 8	0.015 9	0.022 5	0.012 0	0.018 2	0.022 0	0.008 4				0.089
198960	199020	0.011 8	0.001 0	0.023 3	0.044 8	-0.013 2	-0.022 7	0.003 8	0.007 1				0.056
199020	199060	0.024 2	0.005 1	-0.001 3	-0.004 5	0.006 6	0.010 3	0.020 0	0.009 3				0.070
199060	199120	0.001 5	-0.000 5	0.005 6	0.012 0	0.004 7	0.008 4	-0.000 3	-0.000 5				0.031
199120	199160	0.002 9	0.000 2	-0.001 6	0.000 3	-0.006 8	-0.000 6	0.017 9	0.007 8				0.020
199160	199220	0.005 8	0.001 9	0.006 2	0.000 6	0.006 9	0.007 6	0.004 7	0.005 3				0.039
199220	199260	-0.012 7	-0.004 7	-0.010 4	-0.006 3	-0.000 5	0.007 6	0.018 9	0.008 2				0.000
199260	199320	0.022 1	0.004 5	0.012 3	0.019 4	0.015 6	0.003 5	-0.000 3	0.008 6				0.086
199320	199360	0.012 9	-0.002 1	-0.019 0	0.026 9	0.021 2	0.012 0	0.028 4	0.005 4				0.086
199360	199420	0.002 0	0.000 3	0.015 0	0.002 9	-0.003 5	0.004 1	0.004 5	0.004 8				0.030
199420	199460	0.001 9	0.002 6	0.012 1	0.013 3	0.011 6	0.002 6	0.001 0	0.002 7				0.048
199460	199520	0.003 5	0.002 4	0.013 8	0.012 1	0.002 0	-0.000 9	0.006 5	-0.000 3				0.039
199520	199560	-0.007 5	0.000 3	-0.005 7	-0.019 4	0.000 4	-0.000 4	0.002 7	0.004 3				-0.025
199560	199620	0.001 7	0.003 6	0.020 9	0.023 3	0.000 6	-0.001 9	-0.001 1	0.000 8				0.048
199620	199660	-0.015 3	-0.006 4	-0.040 1	-0.040 9	-0.010 1	-0.012 2	-0.027 9	-0.020 7				-0.174
199660	199720	-0.005 5	-0.003 2	-0.010 5	0.019 2	0.006 6	-0.002 7	-0.008 5	-0.010 1				-0.015
199720	199760	0.014 7	0.000 6	0.035 8	0.052 8	-0.007 0	-0.039 3	-0.065 6	-0.017 9				-0.026
199760	199820	-0.003 7	0.001 9	0.004 3	0.002 3	-0.001 3	-0.001 2	-0.001 3	-0.000 9				0.000
199820	199860	0.003 6	-0.002 6	-0.011 9	-0.009 8	-0.001 8	0.003 1	0.009 4	0.008 1				-0.002
199860	199920	0.014 0	0.003 9	0.011 7	0.015 2	0.008 2	-0.000 1	-0.002 4	-0.004 5				0.046
199920	199960	-0.003 2	-0.001 1	0.001 3	-0.011 8	-0.005 0	0.006 6	0.011 7	0.009 2				0.008
199960	200020	0.007 1	0.002 6	0.010 8	0.016 1	0.009 7	0.000 1	-0.009 7	-0.003 3				0.033
200020	200060	-0.005 1	-0.001 7	-0.016 8	-0.038 3	-0.053 6	-0.018 8	0.015 1	0.000 7				-0.119
合 计		0.031 7	0.004 6	0.231 0	0.990 8	1.235 6	0.618 2	0.036 0	0.102 5	0.0000	0.0000	0.0000	3.2504

附录 1-6-5　黄河河口段渔洼以下测次间冲淤量统计　　　　(单位：亿 m³)

时　段		主槽	全断面	时　段		主槽	全断面
196420	196460	−0.100	−0.091	198420	198460	−0.161	−0.158
196460	196520	0.130	0.091	198460	198520	0.183	0.180
196520	196560	0.125	0.140	198520	198560	−0.030	−0.006
196560	196620	−0.095	−0.097	198560	198620	0.087	0.087
196620	196660	0.609	0.717	198620	198660	0.041	0.041
196660	196820	0.577	0.652	198660	198720	0.033	0.040
196820	196860	−0.213	−0.213	198720	198760	0.053	0.051
196860	196920	0.070	0.069	198760	198820	0.012	0.016
196920	196960	0.123	0.122	198820	198860	−0.074	−0.074
196960	197020	−0.202	−0.257	198860	198920	0.180	0.192
197020	197060	0.174	0.181	198920	198960	0.089	0.091
197060	197121	−0.001	−0.003	198960	199020	0.056	0.069
197121	197160	−0.014	−0.016	199020	199060	0.070	0.069
197160	197320	0.250	0.252	199060	199120	0.031	0.033
197320	197520	0.366	0.310	199120	199160	0.020	0.020
197520	197560	0.481	0.691	199160	199220	0.039	0.039
197560	197620	−0.054	−0.052	199220	199260	0.000	0.002
197620	197660	1.106	1.098	199260	199320	0.086	0.085
197660	197720	0.022	0.018	199320	199360	0.086	0.104
197720	197760	0.601	0.600	199360	199420	0.030	0.030
197760	197820	0.005	0.008	199420	199460	0.048	0.052
197820	197860	1.116	1.117	199460	199520	0.039	0.040
197860	197920	−0.077	−0.076	199520	199560	−0.025	−0.026
197920	197960	0.245	0.244	199560	199620	0.048	0.049
197960	198020	−0.055	−0.045	199620	199660	−0.174	−0.173
198020	198060	0.010	0.048	199660	199720	−0.015	−0.015
198060	198120	−0.074	−0.073	199720	199760	−0.026	−0.072
198120	198160	−0.297	−0.301	199760	199820	0.000	0.000
198160	198220	0.078	0.075	199820	199860	−0.002	−0.002
198220	198260	−0.124	−0.128	199860	199920	0.046	0.046
198260	198320	0.077	0.073	199920	199960	0.008	0.008
198320	198360	−0.317	−0.310	199960	200020	0.033	0.033
198360	198420	0.242	0.253	200020	200060	−0.119	−0.114
196420	197620	2.226	2.495				
197620	198720	2.711	2.784				
198720	199760	0.572	0.581				
199760	200060	−0.033	−0.029				

附录 1-6-6　黄河河口段渔洼以下**全断面**冲淤量统计　　　（单位：亿 m³）

年　份	日历年冲淤量	水文年冲淤量
1964		0.000
1965	0.231	0.043
1966	0.620	
1967		1.370
1968	0.440	−0.144
1969	0.191	−0.136
1970	−0.076	0.178
1971	−0.019	
1972		0.235
1973		
1974		0.310
1975	1.252	0.639
1976	1.046	1.116
1977	0.618	0.607
1978	1.124	1.041
1979	0.167	0.198
1980	0.003	−0.024
1981	−0.374	−0.226
1982	−0.053	−0.056
1983	−0.237	−0.057
1984	0.095	0.022
1985	0.174	0.081
1986	0.129	0.081
1987	0.091	0.067
1988	−0.058	0.118
1989	0.283	0.160
1990	0.138	0.101
1991	0.053	0.059
1992	0.041	0.087
1993	0.189	0.134
1994	0.082	0.092
1995	0.014	0.023
1996	−0.124	−0.188
1997	−0.087	−0.072
1998	−0.002	0.044
1999	0.054	0.041
2000	−0.081	
1965 ~ 1975	2.638	2.495
1976 ~ 1986	2.692	2.784
1987 ~ 1997	0.621	0.581
1998 ~ 1999	0.052	0.085

附录 1-7-1　黄河下游各淤积断面测次间**全断面**冲淤面积成果

(1951 年 10 月至 1960 年 5 月)　　　　　　　　　　　　　　　　(单位：m²)

断面编号	地名	195160	195260	195360	195460	195560	195660	195760	195820	195860	195920	195960
		195260	195360	195460	195560	195660	195760	195820	195860	195920	195960	196020
000	小浪底大坝											
041	铁　谢	135	1 211	663	79	868	411		605	0	1 326	82
045	下古街		1 344	736	88	964	456		672		1 473	82
049	小　集		1 128	618	74	810	383		564		1 236	71
055	花园镇		150	82	10	108	51		75		165	28
059	扣　马		985	540	64	707	334		492		1 080	71
063	塌坡村		1 312	718	86	941	445		656		1 436	97
067	于　沟		1 210	663	79	868	410		605		1 326	92
073	裴　峪		922	505	60	661	312		729	−302	616	−712
079	东寺湾		1 236	677	80	886	419		618		1 354	97
083	神　堤		1 302	713	84	934	441		651		1 426	101
084	伊洛河口		551	301	35	395	186		2 289	−928	1 239	
089	英　峪		1 968	1 078	128	1 412	667		984		2 156	131
095	汜水口东		2 006	1 099	130	1 439	680		1 005		2 199	175
098	孤柏嘴		1 803	987	118	1 293	611		−440	−244	806	
107	石　槽		370	203	24	265	125		185		406	6
108	枣树沟		−573	−314	−37	−411	−194		−180	680	240	
111	官庄峪东		1 815	994	118	1 302	615		908	440	2 400	−30
113	刘　沟									−670	2 680	
115	刘沟东									−250	2 160	610
119	陈　沟		1 828	1 004	118	1 308	618		914	−1 070	640	260
125	寨子峪		1 330	730	87	957	450		667	−510	630	−350
129	王　沟		1 676	918	109	1 202	568		838	−435	2 765	−990
131	张沟西		413	226	27	296	140		206	420	1 770	120
133	张　沟									1 140	525	
135	秦厂2	532	290	6 245	−1 081	−1 232	634	525	−1 950	1 445	1 100	−320
137	薛　沟		546	299	36	392	185		273	−1 800	3 350	−940
141	黄门村										1 190	−1 560
143	京广老桥									720	915	1420

断面编号	地名	195160 195260	195260 195360	195360 195460	195460 195560	195560 195660	195660 195760	195760 195820	195820 195860	195860 195920	195920 195960	195960 196020
147	邵 庄		2 735	1 499	178	1 963	105	−1 057	−477	742	−413	335
149	程 庄		2 218	1 215	145	1 591	752		1 109		960	353
151	保合寨		2 637	1 444	172	1 992	872	918	−2 087	193	2 696	−134
153	保合寨东						520	1 255	−3 203	420	1 618	−176
155	白 庙						−395	700	−2 189	1 053	3 442	−1 981
157	西牛庄西						1 792	−1 381	−630	700	1 602	−323
159	小刘庄		−193	−106	−12	−139	2 400	593	−1 000	−594	2 472	−184
161	后刘西											0
163	东风渠口						737	−450	45	247	1 669	109
164	花(9)						1 500	400	−1 080	−360	2 710	
165	李西河西						−564	−888	1 441	105	1 388	
167	李西河		821	449	54	589	278		−263	−61	1 165	31
169	冯 庄						749	269	254	−489	1 237	−125
200	花园口1	−524	3 180	985	−229	117	1 876	−416	−193	639	735	281
207	核桃园西						784	1 012	−1 650	306	−167	585
209	核桃园东						172	389	489	−1 136	348	643
211	八卦亭						−814	1 319	−63	−106	365	−100
212	东大坝						−1 015	525	207	839	−283	−178
213	南北堤						−124	329	49	220	929	−508
214	张兰庄						−315	−139	363	−343	807	441
216	吴 厂		−298	−113	−21	−51	1 110	−866	773	−165	1 072	−244
217	东六堡						−747	605	222	819	577	−266
218	七堡东						−194	945	−575	420	42	695
220	八 堡						−572	746	−326	42	1 088	−205
221	于庄西						152	468	−753	99	95	92
222	申 庄						−80	947	−502	−172	533	−106
224	石桥西		−1 330	−500	−91	−229	233	−137	−1 124	806	812	−834
225	石桥(豫)						393	219	411	−197	−518	481
226	刘 窑						71	−115	1 666	−587	−1 456	1 187
227	马 渡						−155	1 114	760	84	−841	555

续表

断面编号	地名	195160 195260	195260 195360	195360 195460	195460 195560	195560 195660	195660 195760	195760 195820	195820 195860	195860 195920	195920 195960	195960 196020
229	马渡东						−546	252	154	536	−654	768
230	来童寨		−1 010	−381	−70	−175	−1 266	702	1 099	206	49	380
239	孙 庄		−35	−14	−3	−6	−2		−1		−245	419
233	三坝村										1 674	62
235	杨桥西										−501	714
236	杨桥东										4 385	−6
237	永定庄										2 426	38
239	孙 庄										2 875	−589
241	孙庄东										2 859	621
242	黄练集										3 825	−7
243	万滩西										3 484	119
245	万 滩										3 379	418
246	三刘寨西										2 720	571
247	三刘寨		−1 270	−479	−88	−217	−58		−23		1 177	878
249	刘 庄										1 399	637
251	六 堡		451	171	31	78	21		8		1 588	259
253	辛 庄	151	926	−1 780	246	983	−662				2 689	−326
257	辛 寨		670	−1 749	1 528	−31	−446	−525	495		220	1 509
265	黑 石 1		2 144	812	148	368	97		−440	1 079		1 149
269	韦城(旧)		8 197	3 105	566	1 408	373		152			
275	黑岗口	776										
277	柳园口	−205	22	1 893	−812		−70	22	3 321	−5 047	−1 079	
290	曹 岗			−2 367	1 264	−2 078	4 369	−78	−797	1 037	728	64
300	夹河滩	421	−92	−520	−50	982	26	−796	1 586	140	141	598
310	东坝头 1			−455	−1 959	2 530	2 121					1 113
325	马 寨	−539	67	−2 887	6 028	−1 313	1 460	−3 194	9 044	−1 431	3 110	0
327	石头庄 2		114	1 630	227	1 550	−227	104	123	−485	2 140	−69
330	杨小寨						906	360	4 215	−122		724
400	高 村	−40	1 793	589	380	217	1 877	607	2 927	95	1 162	157
408	刘 庄	72	−324	492	18	78	−36	92		−102	−272	288

断面编号	地　名	195160 195260	195260 195360	195360 195460	195460 195560	195560 195660	195660 195760	195760 195820	195820 195860	195860 195920	195920 195960	195960 196020
415	苏泗庄	145	290	454	113	−158	88	−6	−233	−25	567	−25
433	邢庙					−312	175	165	−840	24	861	61
450	杨集				165	−98	90	320	242	−360	451	148
499	孙口	−220	3 472	1 917	60	614	19	100	617	−37	716	130
512	路那里	87	6	273	−80	−25	263			124	0	
535	陶成铺	394	−219	219	−96	−157	−18	84	231	−77	326	
551	位 1											161
552	位 2											169
553	位 3											131
555	位 山											191
556	位山 1											−12
558	位 5											9
560	位 6											28
561	位 7											−26
563	位 9											−27
564	位 10											−263
569	西八里河									−22	193	47
571	范坡险工 14									−587	−81	801
572	范坡险工 15									−690	343	271
573	范坡险工 16									26	130	−181
574	范坡险工 17									47	100	−188
575	王 坡									349	43	−169
577	位 19									143	111	−9
578	庞 口									27	−32	153
582	南 桥	−48	285	237	−95	−257	−104	126	120	−39	491	17
585	北南桥									359	−25	−23
586	于 楼									265	155	35
588	前殷庄									81	362	232
589	殷 庄									64	364	−29
591	铁 杨									−69	185	193
592	旧 城									−297	245	327
593	苏 桥									11	154	70
594	小桃园									−36	261	64

断面编号	地 名	195160 195260	195260 195360	195360 195460	195460 195560	195560 195660	195660 195760	195760 195820	195820 195860	195860 195920	195920 195960	195960 196020
595	桃 园									71	80	−236
596	丁 口									−110	166	12
597	汝道口									−144	97	147
598	艾 山	−17	92	4	50	−30	−360	17	21	−50	50	10
599	井 圈									88	79	
606	李 坡									105	53	
610	大义屯									129	−151	
612	生 邓	−248	−74	−50						112		
621	朱 圈 1									191	262	
630	潘 庄 1									299	58	
645	官 庄	−49	−98	226	−317	61	−207	201	−256	−165	113	216
670	水牛赵				−110	460	−390					
677	北店子	−82	139	76	−246	−113	6	−82	−252	227	88	126
700	泺口(三)	−84	167	−370	94	156	−148	260	−205	337	−113	310
705	霍家溜	−137	35	−386								
707	王家梨行				−167	−145	−44	−84				
708	胡家岸	−442	361	188								
715	刘家园	105	−117	0	−82	82	−140	−90	0	0	552	−50
740	马扎子	95	420	−74	−357	−234	−182					
745	杨 房	78	−26	−39	−442		−311	80	486	−392	828	−120
747	清河镇	668	−220	−82		−70	−75	0	−240	126	0	63
766	刘春家	122	174	−46	−313	−87	−75		70	−116	232	−139
768	张肖堂	139	122	−128	−162	−72	−53	93				
775	道 旭	163	−38	−91	−76			224	−114	−76	0	76
787	麻 湾	47	76	−180		209	−106	110	−109	139	0	12
800	利津(三)	442	26	−661	103	103	17	106	−117	248	151	27
815	前 左	125	103	−285	−103	138	101	143	228	−234	473	−250
817	朱家屋子							−120	265	−50	359	−302
820	渔 洼	0	0									

附录 1-7-2 黄河下游各淤积断面测次间全断面冲淤面积成果

(1960 年 10 月至 1965 年 5 月) （单位：m²）

编号	断面名称	196020 196060	196060 196120	196120 196160	196160 196220	196220 196260	196260 196320	196320 196360	196360 196420	196420 196460	196460 196520
400	高 村	−346	212	−473	−55	−501	−665	−266	0	−1 051	−584
405	南小堤					−720	−605	−464	803	−340	−101
408	刘 庄	−160	264	−208	−172	−208			−306	−336	36
410	双合岭					−561	443	−228	−361	668	
415	苏泗庄	−32	183	290	0	286	−366	−1 089	1 365	−1 981	1 091
420	营 房						366	−513	91	−794	211
425	彭 楼					−317	−394	−362	−42	−958	448
430	大王庄								−327	212	−94
433	邢 庙	221	−259	798	−555	−158	75	0	−202	−525	146
435	史 楼					−697	658	−430	−396	−1 168	624
440	徐码头					−269	−984		−720	−327	1 053
445	于 庄								−704	−97	−654
450	杨 集	1 400	370	−500	−30	−1 040	360	−690	−169	−110	−380
453	油 房	2 210	830	320	330	340	−390	−170			
457	席胡同 1	900	−300	−1 400	1 860	350	160	−1 500			
461	李胡子 1	460	−470	330	−420	−60	140	460			
465	伟那里 1	562	−1 260	770	−2 090	1 880	410	−80	−230	−1 120	290
468	仲 谭	306	250	20	−1 190	−240	40	690			
473	陈 垓 1	319	−80	−310	160	−580	300	−260			
475	龙 湾 1	312	190	180	−50	−860	−100	−560	230	−1 880	380
478	尚 岭	276	0	−30	330	−250	−470	440			
500	孙口(二)	857	211	220	138	−159	−271	327	−361	−618	−458
502	吴那里	376	212	−83	799	−278	−737	−133			
504	影 南	551	461	−64	151	−140	−452	103			
506	刘山东	679	−89	−560	999	−545	−199	−43			
508	大田楼	754	−162	−453	713	−110	−662	−4 462	471	1 227	226
509	张 庄	682	−226	160	376	−313	26	243			
512	路那里	222	−333	−243	461	254	−465	−218	−1 045	−1 665	1 520
513	孙 楼	41	−600	−564	751	−139	57	−269			
514	十里堡	774	7	−28	−547	−37	−40	303	−496	−316	−548
516	姜 庄	1 105	364	−429	−733	49	−35	253			
518	白 铺	1 100	144	180	−582	−510	64	69			
520	邵 庄	717	553	−375	−567	−199	−212	69	1 493	−670	−1 492
522	耿山口	754	−162	−453	713	−110	−662	−4 462			
524	银 山	693	609	−1 277	1 309	−412	163	−252			

编号	断面名称	196020 196060	196060 196120	196120 196160	196160 196220	196220 196260	196260 196320	196320 196360	196360 196420	196420 196460	196460 196520
525	石桥(鲁)	2 661	−343	−419	−684	−96	168	−955			
530	菠萁王	1 106	20	−1 580	988	30	−20				
537	陶城铺2	1 194	−709	−1 077	1 276	−161	−186	−233	−924	−476	
538	船闸河口	1 072	−447	−242	44	68					
543	黄 庄	−124	−249	−666	374	−76					
545	马家庄	−16	−151	−363	28	−226					
546	涝 山	399	−170	−719	476	−348	−197	−409			
547	防沙闸	−274	−1 269	630	−646						
552	位2	−877	177	−1 064	−228	1 421					
557	位山2								−619		
557	位山2	−926									
560	位6	−955	184	−1 327	859	−164					
566	阴柳科1	−1 508	422	−465	−307	250		−351	428	62	3
568	阴柳科3	−952	199	−266							
569	西八里河	−464	−200	−364	−128	72					
571	范坡险工	128	246	−624							
572	范坡险工	−702	234	−1 179	1 209	−878					
573	范坡险工	−110	−588	−28							
574	范坡险工	−155	325	−529							
576	王坡1	−7	230	−155	−290	−93	73	−323	137	124	−686
577	位19	−243	149	−78							
578	庞 口	−208	320	−381	14	−8					
579	鱼 山	−124	16	−567	423	−24					
583	南桥1	−171	198	−674	286	−122					
585	北南桥	−75	122	−37							
586	于 楼	−217	411	−61							
588	前殷庄	−423	173	75							
590	殷庄13	−23	118	−393	90	−304					
591	铁 杨	−228	−356	−218	132	−299					
592	旧 城	−684	168	−305							
593	苏 桥	−103	82	−582							
594	小桃园	−201	301	−544	218	−237					
595	桃 园	168	97	−372							
596	丁 口	−18	−90	−697							
597	汝道口	−223	92	−650							
598	艾 山	−111	135	−455	291	−111	85	−321	129	−67	392

编号	断面名称	196020 196060	196060 196120	196120 196160	196160 196220	196220 196260	196260 196320	196320 196360	196360 196420	196420 196460	196460 196520
599	井圈	−80	16	−810							
606	李坡	−95	16	−330							
607	滑口	−306	45	−1 179							
609	鱼窝	107	−35	153							
610	大义屯	54	143	−137		−206	−47	10	−6	−265	151
616	胡溪渡1	−3	−277	−631							
618	周门前	−188	−125	−1 216							
620	朱圈	−173	−94	−798		−449	266	−701	414	−331	218
622	下沟村	−229	544	405							
624	付家岸	91	50	−244							
630	潘庄1	35	−102	−526		36	−59	−858	447	−209	−380
632	许道口	−165	44	−275							
634	五哥庙	−7	152	−337							
636	西顾道口	192	−5	2							
642	刘庄(鲁)	40	−94	−1							
650	官庄1	−25	−360	−285		−988	570	−1 028	330	−470	405
660	阴河					−543	336	−1 153	573	30	696
670	水牛赵					−402	26	−811	828	−498	973
675	曹家圈					−131	183	−906	782	−439	400
677	北店子	126	139	−315	−120	−158	−13	−378	321	−32	−126
700	泺口(三)	−43	−131	−352	341	−271	239	−446	345	−944	861
702	后张庄						−133	−336	204	−640	570
705	霍家溜						−145	155	−276	−86	−614	907
715	刘家园	368	170	92	−375	−960	−24	−568	398	−919	30
730	梯子坝							−163	5	−2	43	−782
745	杨房	522	48	0	−544	−366	−65	−500	495	−765	290
747	清河镇	300	145	−36	−384	−108	176	−204			
750	薛王邵					−87	159	−327	31	−611	525
760	兰家					56	−237	152	165	−741	384
768	张肖堂	261	−145	−46	−267	273	−93	0	133	−35	−157
775	道旭	190	57	0	−353	−377	11	−1 639	1 723	−1 829	1 879
785	王旺庄					−408	306	−487	252	−1 079	926
787	麻湾	137	53	−55	−130	−43	72	−86	127	−93	−34
790	宫家					259	263	−657	−561	−1 334	1 297
800	利津(三)	−235	214	−126	−101	48	64	−300	456	−788	742
805	东张								120	−320	190
812	一号坝	−154	−74	−148	0	302					
815	前左						−57	599	210	−290	120
817	朱家屋子	−69	208	−76	−126	302	−132	813			
820	渔洼								130	−490	420

附录 2

附录 2-1　黄河下游各淤积断面**深槽**特征值统计

断面	高程 (m)	宽度 (m)	各典型年深槽断面面积(m²)					
			1960.09	1964.10	1973.10	1980.10	1985.10	1997.10
铁谢1	119	750			1 941	2 132	3 565	3 292
铁　谢	120.8	830	1 227	4 655	3 893			
下古街	119	2 350	1 366	8 307	5 637	8 221	10 539	7 479
花园镇	116	1 700	587	6 292	2 848	5 163	5 910	4 319
马峪沟	113	2 116		7 080	4 786	5 506	6 047	3 382
裴　峪	111.8	1 798	3 201	6 883	5 222	5 440	6 809	4 295
伊洛河口	108	1 800	2 316	6 720	3 727	3 260	5 363	3 455
孤柏嘴	104.5	1 895	5 135	9 722	4 489	3 474	6 251	3 141
罗村坡	103	2 300		8 960	5 026	4 590	6 390	2 526
官庄峪	101	1 560	3 050	5 577	3 180	3 570	4 010	2 270
秦　厂	99	1 620	4 000	7 360	4 320	3 820	5 240	2 340
花园口	94	1 800	4 010	5 080	3 170	2 290	3 200	1 006
八堡寨	93	2 300	6 395	9 440	4 810	3 663	5 904	2 215
来童寨	92	2 200	6 520	9 110	6 150	6 140	7 080	2 420
辛　寨	88	2 210	6 215	9 229	6 877	5 546	6 430	4 133
黑　石	87	2 570	8 941	11 524	8 204	6 334	9 688	4 990
韦　城	85	3 000	10 715	18 409	7 671	7 953	9 553	4 566
黑岗口	83	2 240	7 385	9 633	5 493	5 118	7 081	2 359
柳园口	82	1 700	7 295	8 270	4 916	6 350	6 025	3 000
古　城	81	2 800	11 861	15 074	9 957	10 368	13 613	8 034
曹　岗	78	2 406	8 301	10 437	5 241	5 195	6 363	3 369
夹河滩	76	2 000	6 291	9 298	5 399	5 291	5 883	3 169
东坝头	74	870	3 152	4 343	2 278	2 723	3 585	1 033
禅　房	73.25	2 661		11 180	5 781	4 690	6 929	2 704
油房寨	72	2 650	9 500	13 160	7 387	8 500	8 067	5 451
马　寨	69.15	3 056	9 849	14 220	6 484	6 116	9 112	3 433
杨小寨	67	2 230	6 667	9 152	5 602	4 003	4 901	2 528
河　道	65	1 700			4 753	4 030	4 882	2 820
高　村	63.75	1 405	4 732	7 471	4 061	3 381	4 002	2 331
南小堤	63	1 030		5 976	3 815	3 322	2 929	1 951

断面	高程(m)	宽度(m)	各典型年深槽断面面积(m²)					
			1960.09	1964.10	1973.10	1980.10	1985.10	1997.10
双合岭	62	1 000		7 149	4 273	4 107	4 647	2 856
苏泗庄	60.2	943		5 964	3 794	4 429	4 715	2 150
营 房	58.75	1 089		7 241	4 523	3 333	3 615	2 234
彭 楼	57.25	1 466		8 616	4 682	3 927	4 331	2 724
大王庄	56	700		3 860	2 272	2 047	2 507	1 514
史 楼	54	820		4 872	2 242	1 920	2 162	911
徐码头	53	1 000		5 914	3 324	2 816	2 855	1 436
于 庄	53	1 080		6 517	4 506	3 906	4 538	2 300
杨 集	52	1 100	4 914	5 358	4 057	3 618	4 190	2 994
伟那里	50.55	1 208		6 358	4 041	2 852	3 690	2 037
龙 湾	50.5	1 157	5 114	7 120	4 600	4 248	4 486	3 322
孙 口	49.45	996	4 587	5 887	3 888	3 345	3 780	2 967
梁 集	48	820					3 046	1 596
大田楼	49.25	893	6 028	7 072	4 485	4 202	4 357	3 038
雷 口	47	740					2 520	1 180
路那里	47	700	2 578	4 261	3 629	2 805	3 434	1 853
十里堡	47.25	1 000	5 274	5 641	4 175	3 719	4 116	2 938
白 铺	47.00	905	3 571	4 382			3 280	2 029
邵 庄	46.35	691	3 536	4 023	2 726	2 632	3 145	1 679
李 坝	46.50	808					3 735	2 277
陶城铺	46.35	989	5 474	6 425	4 597	4 909	5 359	3 294
黄 庄	45.9	446	3 182	4 093	2 652	2 791	3 069	2 158
位 山	45.25	525		4 046	2 703	2 471	3 018	1 900
阴柳科	44	520		3 479	2 196	2 186	2 575	1 503
王 坡	44	752	4 133	4 434	3 218	2 778	3 002	2 123
南 桥	44.25	800	4 792	5 630	3 653	3 429	3 747	2 951
殷 庄	44	667	4 649	4 981	3 282	2 868	3 155	2 515
艾 山	42.25	419	2 936	3 649	2 291	2 377	2 777	1 689
大义屯	41.45	605	3 423	4 085	2 694	2 585	2 794	2 303
湖溪渡	40.95	523	2 990	3 993	2 596	2 464	3 118	1 836
朱 圈	41.5	420	3 496	3 890	2 975	2 702	3 451	2 019
潘 庄	40	527	3 748	3 974	2 986	2 747	3 305	2 194
娄 集	38	640		4 473	2 786	2 698	2 480	1 710
官 庄	38.65	593	4 412	5 298	3 726	3 596	4 371	2 501

断面	高程 (m)	宽度 (m)	各 典 型 年 深 槽 断 面 面 积(m²)					
			1960.09	1964.10	1973.10	1980.10	1985.10	1997.10
枯 河	38	720		5 968	4 020	3 887	3 936	2 987
阴 河	36	475		3 900	2 690	2 330	3 595	1 404
张 村	35.25	712		5 735	3 192	2 903	2 667	2 101
水牛赵	35	436		4 772	2 659	2 400	3 430	1 592
曹家圈	32.05	444		3 296	1 690	1 518	1 974	1 185
郑家店	33	561		4 488	2 884	2 646	2 768	2 038
泺 口	32.85	305	2 524	3 773	2 116	2 142	2 518	1 625
后张庄	31.65	444		4 403	2 710	2 447	3 134	1 688
霍家溜	30	310		3 587	1 632	1 551	2 230	968
王家梨行	28	470		3 220	1 883	1 822	1 950	1 414
传辛庄	28.25	859		6 064	3 562	3 281	3 104	2 576
刘家园	28.35	482		3 761	2 730	2 386	3 522	2 046
王家圈	26	420		2 924	1 962	1 848	2 281	1 253
张 桥	26.65	333		2 924	2 230	2 044	3 112	1 761
梯子坝	24	450		2 141	1 964	1 764	2 539	757
董 家	24	606		3 662	2 381	2 220	2 382	1 665
马扎子	22	390		2 318	1 427	1 343	2 131	1 014
杨 房	23.8	333		3 085	2 227	2 136	3 060	1 592
薛王邵	21.25	585		4 301	2 038	2 059	2 563	1 878
齐 冯	21	700		4 515	2 940	2 757	2 849	2 233
兰 家	19	390		2 490	1 428	1 225	1 689	1 108
贾 家	19	460		3 011	1 963	1 804	2 695	1 472
沪 家	18	420		2 836	1 613	1 459	2 502	1 322
道 旭	18.65	400		3 645	1 980	1 830	2 599	1 562
龙王崖	17.75	590		3 987	2 481	2 338	3 267	1 973
王旺庄	17.50	320		3 155	2 104	2 018	2 904	1 484
宫 家	16.9	450		4 278	2 484	2 462	3 426	2 138
张家滩	15	520		3 213	1 832	1 731	1 944	1 513
利 津	14	380	2 211	2 477	1 465	1 522	2 339	1 058

附录 2-2 黄河下游各淤积断面计算用滩槽位置 （单位：m）

断面编号	起迄时段		左边起点距	左滩起点距	右滩起点距	右边起点距	全断面宽	主槽宽
032	196020	196160	0	0	1 904	1 904	1 904	1 904
037	196020	196160	0	0	3 887	3 887	3 887	3 887
041	196020	197460	0	2 979	6 356	6 356	6 356	3 377
040	197460	199760	1 500	3 652	4 420	4 803	3 303	768
043	196420	196560	0	4 058	7 016	7 016	7 016	2 958
045	196007	199760	0	3 740	7 730	8 280	8 280	3 990
047	196420	196560	0	6 202	7 574	7 754	7 754	1 372
049	196007	196760	1 145	1 850	7 175	7 513	6 368	5 325
053	196420	196560	0	2 720	8 113	8 384	8 384	5 393
055	196007	199760	0	4 208	7 550	7 550	7 550	3 342
057	196420	196560	0	1 400	9 050	9 208	9 208	7 650
059	196007	196460	0	2 686	8 945	9 052	9 052	6 259
061	196420	196760	0	4 700	7 608	7 608	7 608	2 908
063	196020	196760	0	4 000	6 553	6 553	6 553	2 553
065	196420	199760	7	1 903	6 298	6 298	6 291	4 395
067	196020	196760	0	2 552	6 160	6 160	6 160	3 608
069	196420	196560	0	3 491	6 262	6 262	6 262	2 771
073	195820	196021	0	3 275	6 071	6 071	6 071	2 796
075	196007	199760	−1 584	−700	4 493	4 692	6 276	5 193
077	196420	196560	0	2 543	6 434	6 434	6 434	3 891
079	196007	196760	0	0	6 683	6 683	6 683	6 683
081	196420	196560	0	0	7 409	7 409	7 409	7 409
083	196007	196760	0	1 160	7 984	7 984	7 984	6 824
084	195820	195960	0	2 500	9 996	12 140	12 140	7 496
085*	196020	196760	−1 460	0	5 871	10 761	12 221	5 871
085*	196820	199760	−1 460	5 885	10 464	10 761	12 221	4 579
087	196420	196760	0	6 150	11 307	11 350	11 350	5 157
089	196007	196760	0	0	10 554	10 554	10 554	10 554
091	196420	196560	0	2 900	8 816	9 657	9 657	5 916
093	196420	196560	0	224	9 196	9 196	9 196	8 972
094	196620	196760	0	2 390	9 076	9 076	9 076	6 686
095	196007	196760	0	1 714	9 565	9 565	9 565	7 851
097	196420	196560	0	3 364	7 027	7 027	7 027	3 663
098	195820	195960	−123	2 200	7 048	7 048	7 171	4 848
100	196620	199760	−1 664	1 958	5 313	5 313	6 977	3 355
101	196007	196560	0	3 222	8 760	8 760	8 760	5 538
103	196420	196560	0	3 700	9 567	9 690	9 690	5 867
105	196420	196560	0	5 213	10 110	10 110	10 110	4 897
106*	196620	197460	0	3 634	10 079	10 079	10 079	6 445
106*	197520	199760	0	1 984	8 632	10 079	10 079	6 648
107	196020	196760	0	3 952	9 750	9 750	9 750	5 798
108	195820	196560	0	3 414	8 149	8 149	8 149	4 735

断面编号	起迄时段		左边起点距	左滩起点距	右滩起点距	右边起点距	全断面宽	主槽宽
110	196007	199760	0	1 681	6 930	6 930	6 930	5 255
111	196020	196160	0	3 902	6 321	6 321	6 321	2 419
113	196101	196560	0	3 097	5 966	5 966	5 966	2 869
115	196020	196160	0	1 151	5 908	5 908	5 908	4 757
119	196007	196760	0	2 488	6 114	6 114	6 114	3 626
123	196020	196160	0	1 500	6 267	6 267	6 267	4 767
125	196020	196560	0	3 220	5 962	5 962	5 962	2 742
129	196020	196760	0	0	6 412	6 412	6 412	6 412
131	196020	196560	0	4 750	6 837	6 837	6 837	2 087
133	196120	196160	0	0	6 574	6 574	6 574	6 574
135	195120	199760	−651	0	5 784	5 784	6 435	5 784
137	196020	196160	0	0	4 569	4 569	4 569	4 569
139	196420	196560	0	0	3 924	3 924	3 924	3 924
141	196020	196160	0	0	3 319	3 319	3 319	3 319
143	196020	196760	0	0	2 780	2 978	2 978	2 780
145	196020	196160	0	41	2 890	2 890	2 890	2 849
147	196007	196560	0	782	6 650	6 725	6 725	5 868
149	195909	196160	0	0	7 744	7 744	7 744	7 744
151	195720	196760	0	0	8 745	8 777	8 777	8 745
153	195720	196160	0	0	8 391	8 391	8 391	8 391
155	195720	196560	0	0	7 851	7 851	7 851	7 851
157	195720	196160	0	0	6 893	6 893	6 893	6 893
159	195720	196760	0	0	6 637	6 637	6 637	6 637
161	196020	196160	0	0	3 858	3 858	3 858	3 858
163	195720	196560	−4 460	−4 460	2 253	2 253	6 713	6 713
165	195720	196160	−1 119	350	4 854	4 873	5 992	4 504
167	195820	196760	−145	1 146	5 811	5 909	6 054	4 665
169	195720	196160	0	3 000	5 585	5 612	5 612	2 585
200	195420	199760	−4 358	1 108	5 408	5 408	9 766	4 300
207	195720	196160	0	2 970	5 430	5 474	5 474	2 460
209	195720	196560	−10	2 084	5 116	5 130	5 140	3 032
211	195720	196160	0	1 963	4 948	4 948	4 948	2 985
212	195720	196760	0	1 990	4 660	4 660	4 660	2 670
213	195720	196160	0	1 696	4 960	4 960	4 960	3 264
214	195720	196560	0	1 583	5 502	5 502	5 502	3 919
216	195720	196560	325	1 621	5 656	5 656	5 331	4 035
217	195720	196160	0	0	5 677	5 677	5 677	5 677
218	195720	196160	0	117	5 525	5 525	5 525	5 408
220	195720	199760	−4 869	0	5 757	5 757	10 626	5 757
221	195720	196160	0	372	5 865	5 865	5 865	5 493
222	195720	196160	0	0	5 351	5 351	5 351	5 351
224	195720	196760	0	390	4 767	4 767	4 767	4 377

断面编号	起迄时段		左边起点距	左滩起点距	右滩起点距	右边起点距	全断面宽	主槽宽
225	195720	196160	−22	380	4 584	4 584	4 606	4 204
226	195720	196560	0	0	4 678	4 678	4 678	4 678
227	195720	196160	0	227	4 993	4 993	4 993	4 766
229	195720	196160	0	491	5 181	5 181	5 181	4 690
230	195720	199760	−4 104	344	5 194	5 194	9 298	4 850
231	195907	196160	0	0	5 825	6 286	6 286	5 825
233	195901	196560	0	0	6 604	6 668	6 668	6 604
235	195907	196160	0	0	4 890	6 703	6 703	4 890
236	195901	196560	0	260	6 151	6 151	6 151	5 891
237	195907	196160	0	186	5 460	6 310	6 310	5 274
239	195901	196760	0	350	6 627	6 627	6 627	6 277
241	195907	196160	0	151	6 691	6 691	6 691	6 540
242	195901	196560	0	0	6 937	6 937	6 937	6 937
243	195907	196160	0	0	6 818	6 818	6 818	6 818
245	195901	196560	0	0	7 065	7 446	7 446	7 065
246	195907	196160	0	0	6 693	6 693	6 693	6 693
247	195901	196760	0	180	6 202	6 202	6 202	6 022
249	195907	196120	0	72	5 378	5 378	5 378	5 306
251	195901	196560	0	1 870	5 142	5 142	5 142	3 272
255	195907	196560	0	96	5 268	5 268	5 268	5 172
257	195420	196361	0	0	4 190	4 190	4 190	4 190
260	196360	199760	−1 254	0	4 220	4 220	5 474	4 220
265*	196023	198060	21	1 330	8 600	12 000	11 979	7 270
265*	198120	199760	21	3 650	11 110	12 000	11 979	7 460
267	195820	196021	0	2 000	6 400	11 441	11 441	4 400
269	196023	196620	0	4 436	10 932	13 132	13 132	6 496
270	196620	199760	19	2 893	9 718	12 663	12 644	6 825
275	196023	199760	−9	5 000	7 949	7 949	7 958	2 949
277	195220	195960	0	2 530	8 300	8 300	8 300	5 770
280	196023	199760	49	1 700	5 100	5 290	5 241	3 400
285	196020	199760	22	980	7 620	8 830	8 808	6 640
290	195420	199760	17	17	2 700	7 820	7 803	2 683
295	196323	196525	0	1 692	5 240	10 206	10 206	3 548
300	195220	199760	−203	500	4 300	8 040	8 243	3 800
305	196320	196760	0	0	5 041	5 041	5 041	5 041
310	196220	199720	0	1 316	5 246	5 661	5 661	3 930
312	195420	196160	315	315	5 438	5 438	5 123	5 123
315*	196320	197620	0	338	6 828	12 694	12 694	6 490
315*	197660	199760	0	2 148	5 812	12 694	12 694	3 664
321	195960	199760	0	1 830	7 636	14 526	14 526	5 806
325	195220	199760	0	4 330	8 700	15 442	15 442	4 370
330	195720	199760	0	4 920	9 400	9 410	9 410	4 480

断面编号	起迄时段		左边起点距	左滩起点距	右滩起点距	右边起点距	全断面宽	主槽宽
335	196620	199760	0	3 800	6 354	9 300	9 300	2 554
400	195120	199760	0	2 820	4 978	4 978	4 978	2 158
405	196520	199760	0	0	2 060	5 277	5 277	2 060
410	196520	199760	0	3 700	5 500	6 215	6 215	1 800
415	196520	199760	0	7 180	8 190	8 190	8 190	1 010
420	196520	199760	0	7 070	8 550	8 550	8 550	1 480
425	196520	199760	0	310	2 500	4 733	4 733	2 190
430	196520	199760	0	2 300	3 550	4 810	4 810	1 250
435	196520	199760	0	0	2 510	4 870	4 870	2 510
440	196520	199760	0	4 630	7 800	8 988	8 988	3 170
445	196520	199760	0	880	4 560	6 214	6 214	3 680
450*	196202	199060	0	3 720	5 860	6 214	6 214	2 140
450*	199120	199760	0	1 780	3 140	6 214	6 214	1 360
451	196060	196160	0	0	1 920	2 031	2 031	1 920
452	196110	196120	−258	−258	582	2 030	2 288	840
453	196060	196164	−15	−15	2 610	2 610	2 625	2 625
454	196220	196364	0	3 620	5 870	6 370	6 370	2 250
457	196060	196364	26	4 190	7 010	7 450	7 424	2 820
461	196060	196364	0	5 490	7 076	7 897	7 897	1 586
465	196060	199760	30	6 000	7 650	7 650	7 620	1 240
468	196030	196262	0	2 300	3 320	3 320	3 320	1 020
469	196204	196364	0	6 690	7 930	8 390	8 390	1 240
473	196030	196364	0	3 000	3 645	3 800	3 800	645
475*	196030	196720	0	0	2 131	2 768	2 768	2 131
475*	196760	199760	0	1 267	2 420	2 768	2 768	1 153
478	196030	196262	0	355	1 230	2 858	2 858	875
479	196302	196364	11	2 100	3 120	4 600	4 589	1 020
499	195222	195960	0	140	2 100	6 153	6 153	1 960
500	196020	199760	0	1 170	2 590	6 130	6 130	1 420
502	196020	196364	0	1 260	1 880	5 600	5 600	620
504	196020	196364	0	1 000	1 720	5 740	5 740	720
505	198420	199760	0	1 060	1 944	5 364	5 364	884
506	196020	196364	0	1 180	2 180	4 380	4 380	1 000
508	196020	199760	26	990	3 530	4 590	4 564	2 540
509	196020	196364	0	470	2 170	4 430	4 430	1 700
510	198420	199760	0	1 720	2 510	4 820	4 820	790
512	196020	199760	14	1 980	3 470	3 470	3 456	1 490
513	196020	196364	33	2 110	2 760	2 760	2 727	650
514	196020	196462	0	600	1 470	1 470	1 470	870
515	196520	199760	6	450	1 470	1 470	1 464	1 020
516	196020	196364	0	320	1 220	1 220	1 220	900
518	196022	199760	0	300	1 080	3 510	3 510	780

断面编号	起迄时段		左边起点距	左滩起点距	右滩起点距	右边起点距	全断面宽	主槽宽
520	196020	199760	0	121	1 020	4 200	4 200	899
521	198420	199760	0	2 390	3 210	4 340	4 340	820
522	196020	196364	0	1 030	1 900	2 720	2 720	870
524	196022	196364	0	2 120	3 310	4 820	4 820	1 190
525	196020	196364	0	56	1 690	2 990	2 990	1 634
526	196020	196030	−618	19	680	820	1 438	661
527	196020	196060	−386	0	880	3 260	3 646	880
528	196020	196060	−363	140	790	2 950	3 313	650
529	196020	196038	−443	16	760	2 809	3 252	744
530	196020	196102	−560	0	710	2 908	3 468	710
531	196104	196304	0	530	1 260	3 400	3 400	730
532	196020	196060	−418	−40	780	2 780	3 198	820
533	196020	196060	−180	0	600	2 540	2 720	600
535	196520	199760	0	0	1 040	2 810	2 810	1 040
536	196020	196060	−96	30	700	2 670	2 766	670
537	196102	196462	10	10	990	2 800	2 790	980
538	196022	196262	0	0	810	2 570	2 570	810
540	196520	197161	0	0	501	501	501	501
543	196020	196262	0	0	493	493	493	493
544	196402	199760	30	520	1 042	1 042	1 012	522
545	196020	196262	0	0	517	517	517	517
546	196020	196364	0	0	530	530	530	530
547	196020	196262	0	0	577	577	577	577
548	196020	196104	0	0	503	503	503	503
551	196002	196060	0	0	220	322	322	220
552	196034	196262	0	0	422	422	422	422
553	196034	196260	0	0	260	477	477	260
555	196520	199760	0	40	580	1 500	1 500	540
556	196002	196060	0	0	240	390	390	240
557	196402	196462	0	50	550	1 575	1 575	500
558	196002	196060	0	41	250	425	425	209
560	196002	196262	0	0	483	483	483	483
561	196002	196060	0	0	288	491	491	288
562	196030	196060	0	0	300	520	520	300
563	196002	196060	0	0	340	604	604	340
565	196320	199760	0	950	2 237	2 400	2 400	1 287
566	196020	196262	0	0	1 159	1 159	1 159	1 159
568	196020	196164	−30	−30	1 030	1 030	1 060	1 060
569	195904	196262	−77	−77	744	744	821	821
571	195904	196164	0	22	810	954	954	788
572	195904	196262	0	22	480	651	651	458
573	195902	196164	0	22	600	649	649	578

断面编号	起迄时段		左边 起点距	左滩 起点距	右滩 起点距	右边 起点距	全断面宽	主槽宽
574	195902	196164	0	20	620	678	678	600
575	195902	199760	0	0	860	6 000	6 000	860
576	196104	196462	0	0	760	6 020	6 020	760
577	195902	196164	0	44	830	890	890	786
578	195902	196260	0	175	820	1 050	1 050	645
579	196020	196260	0	20	580	839	839	560
582	196520	199760	15	250	1 135	1 300	1 285	885
583	195902	196260	0	240	1 130	1 130	1 130	890
585	195902	196164	107	107	956	956	849	849
586	195904	196164	102	102	978	978	876	876
588	195904	196164	170	170	1 060	1 060	890	890
589	196520	199760	24	24	800	2 900	2 876	776
590	195904	196260	0	20	700	740	740	680
591	195904	196164	30	30	530	530	500	500
592	195904	196164	57	57	342	342	285	285
593	195904	196164	102	150	750	750	648	600
594	195904	196260	138	138	837	837	699	699
595	195904	196164	0	30	610	681	681	580
596	195904	196164	0	0	403	403	403	403
597	195904	196164	0	0	454	454	454	454
598	195460	196760	−46	−46	440	4 630	4 676	486
599	195904	196164	0	0	420	420	420	420
600	196820	199760	−26	0	430	502	528	430
606	195904	196164	0	0	550	701	701	550
607	196020	196164	0	0	460	480	480	460
609	196020	196164	0	0	710	710	710	710
610	196520	199760	0	120	750	1 184	1 184	630
611	195904	196164	0	0	761	761	761	761
613	196020	196164	0	66	660	660	660	594
615	196520	199760	−1	500	1 100	1 148	1 149	600
616	196020	196162	0	190	592	592	592	402
618	196020	196164	0	0	588	588	588	588
620	196002	199760	0	240	750	983	983	510
621	195906	196164	0	260	764	764	764	504
622	196020	196164	0	0	946	946	946	946
624	196020	196164	0	0	702	702	702	702
625	196520	199760	0	0	800	5 534	5 534	800
630	195904	196164	0	0	679	679	679	679
632	196020	196164	0	22	566	566	566	544
634	196020	196164	0	0	742	742	742	742
636	196020	196164	0	0	907	907	907	907
640	196520	199760	0	480	1 530	3 329	3 329	1 050

断面编号	起迄时段		左边起点距	左滩起点距	右滩起点距	右边起点距	全断面宽	主槽宽
642	196020	196164	0	0	741	741	741	741
645	196520	199760	0	0	610	1 600	2 900	610
650	195904	196164	0	0	609	609	609	609
655	196520	199760	0	40	830	6 600	6 600	790
660	196520	199760	0	0	600	5 969	5 969	600
665	196520	199760	0	250	970	4 150	4 150	720
670	196520	199760	0	0	440	4 370	4 370	440
675	196520	199760	0	0	480	480	480	480
680	196520	199760	0	30	630	820	820	600
700	195120	199760	10	1 120	1 430	1 430	1 420	310
702	196520	199760	0	920	1 360	1 370	1 370	440
705	196520	199760	0	860	1 200	1 200	1 200	340
707	196520	199760	0	1 030	1 700	1 700	1 700	670
710	196520	199760	0	680	1 560	2 200	2 200	880
715	196520	199760	0	1 340	1 820	2 226	2 226	480
720	196520	199760	0	1 500	2 350	4 040	4 040	850
725	196520	199760	0	760	1 200	2 149	2 149	440
730	196520	199760	0	1 800	3 040	4 162	4 162	1 240
735	196520	199760	0	0	650	2 500	2 500	650
740	196520	199760	0	1 500	2 180	2 500	2 500	680
745	196520	199760	0	0	1 050	1 750	1 750	1 050
750	196520	199760	0	0	1 000	1 858	1 858	1 000
755	196520	199760	0	800	1 580	2 184	2 184	780
760	196520	199760	9	9	560	2 183	2 174	551
765	196520	199760	0	590	1 310	2 023	2 023	720
770	196520	199760	0	1 750	2 350	3 550	3 550	600
775	198460	199760	0	4 720	5 172	5 172	5 172	452
780	196520	199760	0	1 550	2 100	3 463	3 463	550
785	196520	199760	0	3 940	4 280	4 280	4 280	340
790	196520	199760	0	0	300	606	606	300
795	196520	199760	0	280	1 090	1 490	1 490	810
800	195120	199760	10	10	576	631	621	566
802	197120	199760	0	0	489	1 656	1 656	489
805	197120	199760	0	1 180	1 950	2 170	2 170	770
810	197120	199760	0	2 140	2 840	3 427	3 427	700
812	197120	199760	0	1 980	2 580	3 440	3 440	600
815	197120	199760	0	1 450	2 230	2 870	2 870	780
817	197120	199760	0	2 930	3 750	4 257	4 257	820
820	197120	199760	0	2 150	2 800	3 427	3 427	650

附录 2-3　黄河下游河道淤积断面间距成果 （单位：km）

断面编号	断面名称	主槽				深槽					滩地	
		间距			距坝里程	间距				距坝里程	间距	距坝里程
		94年图	72年图	平均		94年图	72年图	86年图	平均		(94年图)	
000	小浪底大坝			0.00	0.00				0.00	0.00		0.00
040	铁谢1			1.70	25.75				1.70	25.75		25.75
041	铁谢	1.30	1.30	1.30	27.05	1.30	1.30	1.30	1.30	27.05	0.95	26.70
045	下古街	4.10	4.39	4.25	31.30	3.92	4.55	3.80	4.09	31.14	4.35	31.05
055	花园镇	8.83	8.71	8.77	40.07	9.28	9.05	9.46	9.26	40.40	8.50	39.55
065	马峪沟	12.42	12.78	12.60	52.67	15.42	13.05	13.55	14.01	54.41	10.90	50.45
073	裴峪	6.18	6.25	6.22	58.89	7.67	6.15	6.33	6.72	61.13	6.13	56.58
075	裴峪1	0.00	0.00	0.00	58.89	0.00	0.00	0.00	0.00	61.13	0.00	56.58
084	伊洛河口	12.35	12.36	12.36	71.25	13.35	12.05	12.95	12.78	73.91	12.18	68.76
085	伊洛河口1	0.00	0.00	0.00	71.25	0.00	0.00	0.00	0.00	73.91	0.00	68.76
098	孤柏嘴	15.07	15.85	15.46	86.71	16.80	17.48	16.33	16.87	90.78	12.78	81.54
100	孤柏嘴2	0.32	0.32	0.32	87.03	0.32	0.32	0.32	0.32	91.10	0.32	81.86
105	罗村坡	7.21	6.49	6.85	93.88	8.70	8.25	8.40	8.45	99.55	6.43	88.29
108	枣树沟	5.08	4.64	4.86	98.74	4.69	3.77	4.46	4.31	103.86	3.40	91.69
109	枣树沟1	0.00	0.00	0.00		0.00	0.00	0.00	0.00		0.00	
110	官庄峪	2.68	2.68	2.68	101.42	2.68	2.68	2.68	2.68	106.54	2.68	94.37
135	秦厂2	12.08	13.05	12.57	113.99	10.97	14.25	12.80	12.67	119.21	13.80	108.17
200	花园口	18.21	17.66	17.94	131.93	18.89	18.05	19.29	18.74	137.95	15.83	124.00
205	花园口1	0.00	0.00	0.00	131.93	0.00	0.00	0.00	0.00	137.95	0.00	124.00
	合计	131.58	132.23	131.93		139.74	136.70	137.42	137.95		124.00	
220	八堡	9.45	8.79	9.12	141.05	9.20	8.80	9.18	9.06	147.01	8.70	132.70
230	来童寨	8.04	7.72	7.88	148.93	9.55	7.60	8.64	8.60	155.61	7.85	140.55
253H	辛庄	18.04	17.87	17.96	166.89	17.66	18.26	18.01	17.98	173.59	15.01	155.56
257	辛寨	3.24	3.22	3.23	170.12	3.24	3.24	3.24	3.24	176.83	2.70	158.26
260	辛寨1	0.15	0.15	0.15	170.27	0.15	0.15	0.15	0.15	176.98	0.15	158.41
265	黑石1	7.25	7.03	7.14	177.41	6.93	7.05	7.98	7.32	184.30	6.58	164.99
267	黑石	1.25	1.25	1.25	178.66	1.25	1.25	1.25	1.25	185.55	1.25	166.24
269	韦城(旧)	6.01	6.40	6.21	184.87	6.47	6.00	7.20	6.56	192.11	5.58	171.82
270	韦城1	2.40	2.40	2.40	187.27	2.40	2.40	2.40	2.40	194.51	2.40	174.22
275	黑岗口	8.46	8.53	8.50	195.77	8.62	10.20	9.81	9.54	204.05	7.33	181.55
277	柳园口	4.86	4.85	4.86	200.63	5.92	5.40	5.20	5.51	209.56	4.90	186.45
280	柳园口1	3.85	3.85	3.85	204.48	3.85	3.85	3.85	3.85	213.41	3.85	190.30
285	古城	9.94	10.08	10.01	214.49	9.98	9.85	11.18	10.34	223.75	9.63	199.93
290	曹岗	8.41	8.42	8.42	222.91	8.37	8.00	8.88	8.42	232.17	8.03	207.96
295	常堤	6.59	7.00	6.80	229.71	7.03	7.00	7.00	7.01	239.18	6.33	214.29
300	夹河滩	6.49	6.27	6.38	236.09	6.67	6.35	6.94	6.65	245.83	6.08	220.37
	合计	104.43	103.83	104.16		107.29	105.40	110.91	107.88		96.37	
305	丁圪垱	4.85	5.06	4.96	241.05	9.23	5.25	6.65	7.04	252.87	4.65	225.02
310	东坝头1	2.15	2.15	2.15	243.20	2.15	2.15	2.15	2.15	255.02	2.15	227.17
312	东坝头	0.50	0.50	0.50	243.70	0.50	0.50	0.50	0.50	255.52	0.50	227.67
315	禅房	4.26	4.59	4.43	248.13	5.15	4.85	4.55	4.85	260.37	4.50	232.17
321	油房寨	10.27	11.22	10.75	258.88	13.05	9.75	11.08	11.29	271.66	10.28	242.45

断面编号	断面名称	主槽				深槽					滩地	
		间距			距坝里程	间距				距坝里程	间距 (94年图)	距坝里程
		94年图	72年图	平均		94年图	72年图	86年图	平均			
325	马寨	15.34	14.59	14.97	273.85	18.24	18.55	17.80	18.20	289.86	13.50	255.95
327H	石头庄2	3.35	3.17	3.26	277.11	3.88	3.40	3.83	3.70	293.56	3.01	258.96
330	杨小寨	7.90	7.47	7.69	284.80	9.14	8.00	9.02	8.72	302.28	7.07	266.03
335	河道	15.25	15.43	15.34	300.14	17.17	15.60	16.54	16.44	318.72	13.88	279.91
400	高村	8.95	8.89	8.92	309.06	10.42	10.10	9.94	10.15	328.87	8.60	288.51
	合计	72.82	73.07	72.97		88.93	78.15	82.06	83.04		68.14	
405	南小堤	7.66	7.86	7.76	316.82	8.17	8.30	7.90	8.12	336.99	7.55	296.06
408H	刘庄	10.79	10.65	10.72	327.54	11.67	11.59	11.29	11.52	348.51	9.57	305.63
415	苏泗庄	9.68	10.11	9.90	339.30	9.88	10.85	9.95	10.23	360.74	6.58	313.87
420	营房	12.25	13.68	12.97	352.27	13.25	13.70	12.70	13.22	373.96	10.48	324.35
425	彭楼	6.05	6.28	6.17	358.44	6.07	6.25	6.15	6.16	380.12	5.68	330.03
430	大王庄	7.50	8.02	7.76	366.20	8.43	8.25	8.20	8.29	388.41	7.00	337.03
433H	邢庙	10.87	11.37	11.12	377.32	12.39	11.53	11.73	11.88	400.29	8.94	345.97
435	史楼	0.49	0.52	0.51	377.83	0.56	0.52	0.53	0.54	400.83	0.41	346.38
440	徐码头	11.25	11.18	11.22	389.05	11.25	12.05	11.10	11.47	412.30	9.08	355.46
445	于庄	8.95	8.91	8.93	397.98	10.12	8.20	10.25	9.52	421.82	7.48	362.94
450	杨集	8.71	9.68	9.20	407.18	11.35	11.35	10.45	11.05	432.87	5.20	368.14
465	伟那里1	9.60	9.16	9.38	416.56	10.18	9.75	10.00	9.98	442.85	9.78	377.92
475	龙湾1	7.23	7.50	7.37	423.93	7.15	7.65	7.35	7.38	450.23	4.15	382.07
500	孙口	6.30	6.71	6.51	430.44	7.05	7.00	6.85	6.97	457.20	3.80	385.87
501	孙口(二)	0.00	0.00	0.00	430.44	0.00	0.00	0.00	0.00	457.20	0.00	385.87
	合计	119.20	123.48	121.38		129.55	129.00	126.41	128.33		97.36	
505	梁集	6.39	6.33	6.36	436.80	6.65	6.75	6.75	6.72	463.92	4.45	390.32
508	大田楼	3.60	3.65	3.63	440.43	3.60	3.60	3.65	3.62	467.54	3.55	393.87
510	雷口	1.64	1.67	1.66	442.09	1.75	1.70	1.70	1.72	469.26	1.50	395.37
512	路那里	2.85	3.17	3.01	445.10	2.80	3.20	2.85	2.95	472.21	2.68	398.05
515	十里堡1	4.03	4.13	4.08	449.18	4.42	4.25	4.25	4.31	476.52	2.53	400.58
518	白铺	2.44	2.50	2.47	451.65	2.40	2.50	2.50	2.47	478.99	2.40	402.98
520	邵庄	3.03	3.00	3.02	454.67	3.05	3.05	3.00	3.03	482.02	2.55	405.53
521	李坝	3.31	3.32	3.32	457.99	3.40	3.35	3.35	3.37	485.39	3.45	408.98
535	陶城铺	6.24	6.48	6.36	464.35	6.55	6.60	6.30	6.48	491.87	4.68	413.66
540	一道坝	1.32	1.23	1.28	465.63	1.28	1.24	1.14	1.22	493.09	1.34	415.00
542H	牛屯	0.41	0.40	0.41	466.04	0.42	0.41	0.42	0.42	493.51	0.53	415.53
543	黄庄	0.35	0.35	0.35	466.39	0.35	0.35	0.35	0.35	493.86	0.26	415.79
555	位山	2.58	2.48	2.53	468.92	2.65	2.60	2.30	2.52	496.38	2.26	418.05
565	阴柳科	3.30	3.30	3.30	472.22	3.67	3.60	3.55	3.61	499.99	2.83	420.88
575	王坡	4.17	4.43	4.30	476.52	4.48	4.75	4.40	4.54	504.53	3.38	424.26
582	南桥	4.16	4.21	4.19	480.71	4.47	4.20	4.40	4.36	508.89	3.99	428.25
590	殷庄	3.50	3.48	3.49	484.20	3.47	3.40	3.35	3.41	512.30	3.20	431.45
600	艾山	6.04	6.14	6.09	490.29	6.01	6.19	5.94	6.05	518.35	5.79	437.24
602	艾山(二)	1.68	1.68	1.68	491.97	1.68	1.68	1.68	1.68	520.03	1.68	438.92
	合计	61.04	61.95	61.53		63.10	63.42	61.88	62.83		53.05	

续表

| 断面编号 | 断面名称 | 主槽 | | | | 深槽 | | | | | 滩地 | |
| | | 间距 | | | 距坝里程 | 间距 | | | | 距坝里程 | 间距(94年图) | 距坝里程 |
		94年图	72年图	平均		94年图	72年图	86年图	平均			
610	大义屯	9.23	9.18	9.21	501.18	9.22	9.15	9.25	9.21	529.24	8.55	447.47
612H	生邓	0.50	0.51	0.51	501.69	0.52	0.52	0.52	0.52	529.76	0.42	447.89
615	湖溪渡	4.75	4.90	4.82	506.51	4.93	4.93	4.98	4.95	534.71	4.00	451.89
620	朱圈	6.04	5.99	6.02	512.53	6.45	6.35	6.30	6.37	541.08	4.58	456.47
625	潘庄	9.28	9.25	9.27	521.80	9.28	9.25	9.15	9.23	550.31	6.87	463.34
640	娄集	8.19	8.29	8.24	530.04	8.58	8.55	8.40	8.51	558.82	9.07	472.41
645	官庄	5.80	5.78	5.79	535.83	6.25	5.90	5.95	6.03	564.85	3.81	476.22
655	枯河	7.08	7.14	7.11	542.94	7.65	7.55	7.45	7.55	572.40	2.70	478.92
660	阴河	7.95	7.85	7.90	550.84	8.10	8.05	8.00	8.05	580.45	6.10	485.02
665	张村	9.69	9.61	9.65	560.49	10.07	9.95	9.95	9.99	590.44	8.25	493.27
670	水牛赵	4.11	4.38	4.25	564.74	4.55	4.55	4.55	4.55	594.99	4.46	497.73
675	曹家圈	9.19	9.44	9.32	574.06	10.02	9.65	9.15	9.61	604.60	8.10	505.83
677H	北店子	1.79	1.81	1.80	575.86	1.80	1.81	1.92	1.84	606.44	1.73	507.56
680	郑家店	6.54	6.62	6.58	582.44	6.60	6.64	7.03	6.76	613.20	6.33	513.89
700	泺口(三)	9.66	9.79	9.73	592.17	10.15	10.00	10.00	10.05	623.25	9.13	523.02
	合计	99.80	100.54	100.20		104.17	102.85	102.60	103.22		84.10	
702	后张庄	8.60	8.85	8.73	600.90	9.35	9.25	9.25	9.28	632.53	7.10	530.12
705	霍家溜	6.76	6.93	6.85	607.75	6.85	7.00	6.80	6.88	639.41	5.91	536.03
707	王家梨行	10.59	10.42	10.51	618.26	10.67	10.20	10.65	10.51	649.92	9.74	545.77
708H	胡家岸	3.29	3.31	3.30	621.56	3.35	3.33	3.40	3.36	653.28	3.17	548.94
710	传辛庄	5.82	5.84	5.83	627.39	5.90	5.87	6.00	5.92	659.20	5.60	554.54
715	刘家园	5.03	5.12	5.08	632.47	5.07	5.15	5.00	5.07	664.27	4.54	559.08
720	王家圈	11.51	11.66	11.59	644.06	11.98	11.75	11.80	11.84	676.11	10.13	569.21
725	张桥	7.64	7.65	7.65	651.71	7.95	7.95	8.00	7.97	684.08	6.78	575.99
730	梯子坝	6.71	6.72	6.72	658.43	6.88	6.90	6.85	6.88	690.96	6.52	582.51
735	董家	6.79	6.86	6.83	665.26	7.12	7.00	7.00	7.04	698.00	6.36	588.87
740	马扎子	8.88	8.91	8.90	674.16	9.12	9.05	9.10	9.09	707.09	8.66	597.53
745	杨房	8.28	8.42	8.35	682.51	8.65	8.60	8.50	8.58	715.67	8.10	605.63
747H	清河镇	8.33	8.36	8.35	690.86	9.06	8.52	9.06	8.73	724.40	7.31	612.94
750	薛王邵	3.95	3.96	3.95	694.81	3.62	4.03	4.29	4.13	728.53	3.46	616.40
755	齐冯	6.98	6.95	6.97	701.78	7.08	7.05	7.00	7.04	735.57	7.32	623.72
760	兰家	6.40	6.60	6.50	708.28	6.52	6.70	6.45	6.56	742.13	5.69	629.41
765	贾家	5.18	5.04	5.11	713.39	5.25	5.15	5.35	5.25	747.38	4.53	633.94
766H	刘春家	0.93	0.93	0.93	714.32	0.97	0.94	0.97	0.96	748.34	0.91	634.85
768H	张肖堂	5.28	5.27	5.28	719.60	5.48	5.31	5.50	5.43	753.77	5.14	639.99
770	沪家	3.72	3.72	3.72	723.32	3.87	3.75	3.88	3.83	757.60	3.63	643.62
775	道旭	5.94	6.00	5.97	729.29	6.17	6.05	6.10	6.11	763.71	4.99	648.61
780	龙王崖	6.90	6.85	6.88	736.17	6.95	6.85	6.95	6.92	770.63	6.80	655.41
785	王旺庄	3.41	3.50	3.46	739.63	3.53	3.50	3.60	3.54	774.17	2.68	658.09
787H	麻湾	7.99	7.99	7.99	747.62	8.20	8.04	8.12	8.12	782.29	7.03	665.12
790	宫家	2.20	2.20	2.20	749.82	2.26	2.21	2.23	2.24	784.53	1.93	667.05
795	张家滩	6.40	6.45	6.43	756.25	6.45	6.40	6.35	6.40	790.93	6.30	673.35
800	利津(三)	7.94	8.06	8.00	764.25	7.95	8.00	8.00	7.98	798.91	7.35	680.70
	合计	171.45	172.57	172.08		176.25	174.55	176.20	175.66		157.68	

续表

断面编号	断面名称	主槽				深槽					滩地	
		间距			距坝里程	间距				距坝里程	间距	距坝里程
		94年图	72年图	平均		94年图	72年图	86年图	平均		(94年图)	
802	王家庄	9.10	9.21	9.16	773.41	9.02	9.10		9.06	807.97	8.57	689.27
805	东　张	5.79	5.79	5.79	779.20	5.75	5.80		5.78	813.75	5.85	695.12
810	章邱屋子	6.63	6.57	6.60	785.80	6.60	6.50		6.55	820.30	6.53	701.65
812	一号坝	5.92	5.94	5.93	791.73	6.12	6.05		6.09	826.39	5.37	707.02
815	前　左	4.05	3.96	4.01	795.74	4.00	3.95		3.98	830.37	4.00	711.02
817	朱家屋子	3.84	3.80	3.82	799.56	3.75	3.80		3.78	834.15	3.56	714.58
820	渔　洼	5.64	5.57	5.61	805.17	5.60	5.60		5.60	839.75	5.50	720.08
	合计	40.97	40.84	40.92		40.84	40.80	40.82	40.84		39.38	
	总计	801.29	808.51	805.17		849.87	830.87	838.30	839.75		820.08	
820	渔　洼				805.17					839.75		720.08
822	6	5.33	5.16	5.25	810.42	5.42	5.15		5.29	845.04	5.14	725.22
825	7	1.23	1.31	1.27	811.69	2.88	1.30		2.09	847.13	1.12	726.34
870	清1	5.29		5.29	816.98	4.60			4.60	851.73	4.89	731.23
872	清2	6.96		6.96	823.94	7.95			7.95	859.68	6.30	737.53
874	清3	6.13		6.13	830.07	6.15			6.15	865.83	6.13	743.66
876	清4	5.11		5.11	835.18	5.08			5.08	870.91	4.73	748.39
878	清6	7.11		7.11	842.29	7.60			7.60	878.51	7.74	756.13
880	清7	5.16		5.16	847.45	5.15			5.15	883.66	5.15	761.28
882	清8	6.43		6.43	853.88	6.25			6.25	889.91	6.08	767.36
884	清9	3.60		3.60	857.48	3.75			3.75	893.66	3.58	770.94
	合计	52.35		52.31		54.83			53.91		50.86	
820	渔　洼				805.17					839.75		720.08
822	6	5.33	5.16	5.25	810.42	5.42	5.15		5.29	846.72	5.14	725.22
825	7	1.23	1.31	1.27	811.69	2.88	1.30		2.09	848.81	1.12	726.34
827	7-1		1.91	1.91	813.60		2.15		2.15	850.96	1.40	727.74
830	8		1.44	1.44	815.04		1.70		1.70	852.66	1.00	728.74
835	9		1.71	1.71	816.75		1.80		1.80	854.46	1.43	730.17
840	罗4		4.32	4.32	821.07		4.20		4.20	858.66	5.65	735.82
841	罗5		4.40	4.40	825.47		4.35		4.35	863.01	4.13	739.95
842	罗6		3.71	3.71	829.18		3.70		3.70	866.71	3.57	743.52
843	罗6-1		4.71	4.71	833.89		4.65		4.65	871.36	4.40	747.92
844	罗7		5.02	5.02	838.91		5.60		5.60	876.96	4.60	752.52
845	罗10		6.54	6.54	845.45		6.65		6.65	883.61	6.35	758.87
846	罗11		6.30	6.30	851.75		6.85		6.85	890.46	5.85	764.72
847	罗12		5.74	5.74	857.49		5.85		5.85	896.31	5.53	770.25
848	罗13		6.55	6.55	864.04		6.70		6.70	903.01	5.96	776.21
	合计		58.82	58.87			60.65		61.58		56.13	

附录2-4 年引沙量分配计算(设计院系列)

(单位:引水量,亿m³;引沙量,亿t)

年份	引水量 花—夹	引水量 夹—高	比值(%) 花—夹	比值(%) 夹—高	引沙量 花—高	引沙量 花—夹	引沙量 夹—高	引水量 高—孙	引水量 孙—艾	比值(%) 高—孙	比值(%) 孙—艾	引沙量 高—艾	引沙量 高—孙	引沙量 孙—艾	引水量 艾—泺	引水量 泺—利	比值(%) 艾—泺	比值(%) 泺—利	引沙量 艾—利	引沙量 艾—泺	引沙量 泺—利
1960	23.4	21.8	0.52	0.48	0.638	0.332	0.306	10.24	15.39	0.40	0.60	0.152	0.061	0.091	0.07	14.6	0.00	1.00	0.08	0.000	0.080
1961	18.1	3.16	0.85	0.15	0.111	0.095	0.016	6.42	12.4	0.34	0.66	0.092	0.031	0.061	0.01	8.38	0.00	1.00	0.046	0.000	0.046
1962	0.2	0	1.00	0.00	0	0.000	0.000	0	0	0.00	0.00	0	0.000	0.000	0	0	0.00	0.00	0	0.000	0.000
1963	0	0	0.00	0.00	0	0.000	0.000	0	0	0.00	0.00	0	0.000	0.000	0	0	0.00	0.00	0	0.000	0.000
1964	0	0	0.00	0.00	0	0.000	0.000	0	0	0.00	0.00	0	0.000	0.000	0.01	0	1.00	0.00	0	0.000	0.000
1965	0	0	0.00	0.00	0	0.000	0.000	0	0	0.00	0.00	0	0.000	0.000	0.1	0	1.00	0.00	0	0.000	0.000
1966	5.17	2.91	0.64	0.36	0.175	0.112	0.063	10.98	2.75	0.80	0.20	0.179	0.143	0.036	1.82	10.73	0.15	0.85	0.186	0.027	0.159
1967	6.08	2.29	0.73	0.27	0.174	0.126	0.048	3.56	2.8	0.56	0.44	0.13	0.073	0.057	1	6.78	0.13	0.87	0.141	0.018	0.123
1968	4.55	1	0.82	0.18	0.102	0.084	0.018	3.39	1.84	0.65	0.35	0.334	0.216	0.118	2.46	11.76	0.17	0.83	0.36	0.062	0.298
1969	7.67	1.8	0.81	0.19	0.298	0.241	0.057	2.65	0.05	0.98	0.02	0	0.000	0.000	1.1	5.53	0.17	0.83	0	0.000	0.000
1970	10.3	8.19	0.56	0.44	0.667	0.372	0.295	8.02	3.94	0.67	0.33	0.244	0.164	0.080	2.52	9.89	0.20	0.80	0.227	0.046	0.181
1971	7.56	6.2	0.55	0.45	0.377	0.207	0.170	11.38	4.76	0.71	0.29	0.301	0.212	0.089	2.79	10.9	0.20	0.80	0.261	0.053	0.208
1972	10.8	15.66	0.41	0.59	0.455	0.186	0.269	14.96	9.78	0.60	0.40	0.361	0.218	0.143	10.8	17.92	0.38	0.62	0.358	0.135	0.223
1973	12.4	12.64	0.50	0.50	0.532	0.263	0.269	10.32	6.79	0.60	0.40	0.299	0.180	0.119	15.56	16.19	0.49	0.51	0.299	0.147	0.152
1974	14.6	4.19	0.78	0.22	0.334	0.260	0.074	9.36	8.88	0.51	0.49	0.174	0.089	0.085	16.58	11.34	0.59	0.41	0.226	0.134	0.092
1975	18.6	13.29	0.58	0.42	0.722	0.421	0.301	8.22	4.74	0.63	0.37	0.32	0.203	0.117	12.56	11.45	0.52	0.48	0.392	0.205	0.187
1976	18.1	13.23	0.58	0.42	0.436	0.252	0.184	12.38	4.79	0.72	0.28	0.204	0.147	0.057	14.84	15.04	0.48	0.52	0.23	0.111	0.119
1977	18.6	13.25	0.58	0.42	0.693	0.405	0.288	13.73	9.76	0.58	0.42	0.494	0.289	0.205	20.51	22.52	0.48	0.52	0.508	0.242	0.266
1978	18.2	15.71	0.54	0.46	0.814	0.437	0.377	14.94	12.78	0.54	0.46	0.366	0.197	0.169	15.43	17.57	0.47	0.53	0.346	0.162	0.184
1979	14.6	8.3	0.64	0.36	0.586	0.374	0.212	13.63	10.54	0.56	0.44	0.951	0.536	0.415	16.49	27.45	0.38	0.62	1.03	0.387	0.643

续表

年份	引水量 花—夹	引水量 夹—高	比值(%) 花—夹	比值(%) 夹—高	引沙量 花—高	引沙量 花—夹	引沙量 夹—高	引水量 高—孙	引水量 孙—艾	比值(%) 高—孙	比值(%) 高—孙—艾	引沙量 高—艾	引沙量 高—孙	引沙量 高—孙—艾	引水量 艾—涨—利	引水量 涨—利	比值(%) 艾—涨—利	比值(%) 涨—利	引沙量 艾—利	引沙量 艾—涨—利	引沙量 涨—利
1980	16.5	8.42	0.66	0.34	0.512	0.339	0.173	15.14	9.28	0.62	0.38	0.44	0.273	0.167	17.41	22.68	0.43	0.57	0.432	0.188	0.244
1981	13	12.36	0.51	0.49	0.638	0.327	0.311	19.63	9.27	0.68	0.32	0.465	0.316	0.149	22.81	17.36	0.57	0.43	0.466	0.265	0.201
1982	9.69	11.79	0.45	0.55	0.143	0.065	0.078	16.54	13.91	0.54	0.46	0.381	0.207	0.174	25.21	28.87	0.47	0.53	0.458	0.214	0.244
1983	10.7	11.59	0.48	0.52	0.281	0.135	0.146	17.21	16.05	0.52	0.48	0.336	0.174	0.162	23.69	21.21	0.53	0.47	0.409	0.216	0.193
1984	10.6	9.62	0.52	0.48	0.257	0.135	0.122	14.56	11.97	0.55	0.45	0.213	0.117	0.096	16.46	24.14	0.41	0.59	0.253	0.103	0.150
1985	10.7	6.87	0.61	0.39	0.293	0.178	0.115	10.93	10.21	0.52	0.48	0.204	0.105	0.099	15.64	20.05	0.44	0.56	0.256	0.112	0.144
1986	11.5	7.27	0.61	0.39	0.188	0.115	0.073	13.74	14.24	0.49	0.51	0.285	0.140	0.145	29.8	33.5	0.47	0.53	0.31	0.146	0.164
1987	11	10.16	0.52	0.48	0.173	0.090	0.083	16.56	13.37	0.55	0.45	0.192	0.106	0.086	28.4	24.6	0.54	0.46	0.204	0.109	0.095
1988	12.2	12.33	0.50	0.50	0.546	0.272	0.274	18.59	17.57	0.51	0.49	0.364	0.187	0.177	27.87	30.28	0.48	0.52	0.369	0.177	0.192
1989	8.42	11.07	0.43	0.57	0.31	0.134	0.176	17.81	20.97	0.46	0.54	0.438	0.201	0.237	39.17	54.55	0.42	0.58	0.968	0.405	0.563
1990	9.2	10.04	0.48	0.52	0.218	0.104	0.114	11.64	12.62	0.48	0.52	0.324	0.155	0.169	21.02	29.87	0.41	0.59	0.408	0.169	0.239
1991	12.41	11.98	0.51	0.49	0.245	0.125	0.120	12.8	7.33	0.64	0.36	0.184	0.117	0.067	20.8	28	0.43	0.57	0.492	0.210	0.282
1992	7.85	9.78	0.45	0.55	0.289	0.129	0.160	10.78	19	0.36	0.64	0.384	0.139	0.245	23.2	32.4	0.42	0.58	0.663	0.277	0.386
1993	8.05	7.51	0.52	0.48	0.141	0.073	0.068	10.52	15.5	0.40	0.60	0.243	0.098	0.145	23.9	29	0.45	0.55	0.491	0.222	0.269
1994	7.46	9.14	0.45	0.55	0.277	0.124	0.153	9.36	18.7	0.33	0.67	0.116	0.039	0.077	19.8	29	0.41	0.59	0.377	0.153	0.224
1995	8.72	12.48	0.41	0.59	0.337	0.139	0.198	9.71	16.6	0.37	0.63	0.168	0.062	0.106	18.7	27.1	0.41	0.59	0.294	0.120	0.174
1996	8.68	12.58	0.41	0.59	0.275	0.112	0.163	10.64	18.7	0.36	0.64	0.248	0.090	0.158	18.8	29	0.39	0.61	0.263	0.103	0.160
合计					12.24	6.76	5.48					9.59	5.29	4.30					11.80	4.91	6.89

附录 2-5　黄河下游吸泥淤堤量统计及区段分配　　　　　　　　　　（单位：亿 m³）

年份	河南	分配数			小计	山东	分配数				小计
		花—上	花—夹	夹—高			高—孙	孙—艾	艾—泺	泺—利	
		(0.17)	(0.49)	(0.34)			(0.31)	(0.13)	(0.15)	(0.41)	
1974	0.012 2	0.002	0.006	0.004	0.012	0.027 4	0.008	0.004	0.004	0.011	0.027
1975	0.005 3	0.001	0.003	0.002	0.005	0.022 2	0.007	0.003	0.003	0.009	0.022
1976	0.006 6	0.001	0.003	0.002	0.007	0.049 9	0.015	0.006	0.007	0.020	0.050
1977	0.022	0.004	0.011	0.007	0.022	0.128 5	0.040	0.017	0.019	0.053	0.129
1978	0.071 5	0.012	0.035	0.024	0.072	0.567 7	0.176	0.074	0.085	0.233	0.568
1979	0.098 3	0.017	0.048	0.033	0.098	0.206 6	0.064	0.027	0.031	0.085	0.207
1980	0.038 5	0.007	0.019	0.013	0.039	0.367 1	0.114	0.048	0.055	0.151	0.367
1981	0.059 3	0.010	0.029	0.020	0.059	0.254 5	0.079	0.033	0.038	0.104	0.255
1982	0.038 8	0.007	0.019	0.013	0.039	0.175 5	0.054	0.023	0.026	0.072	0.176
1983	0.035 9	0.006	0.018	0.012	0.036	0.226 7	0.070	0.029	0.034	0.093	0.227
1984	0.047 3	0.008	0.023	0.016	0.047	0.210 6	0.065	0.027	0.032	0.086	0.211
1985	0.043 9	0.007	0.022	0.015	0.044	0.113 1	0.035	0.015	0.017	0.046	0.113
1986	0.037 1	0.006	0.018	0.013	0.037	0.091	0.028	0.012	0.014	0.037	0.091
1987	0.029 7	0.005	0.015	0.010	0.030	0.086 6	0.027	0.011	0.013	0.036	0.087
1988	0.032 5	0.006	0.016	0.011	0.033	0.064 8	0.020	0.008	0.010	0.027	0.065
1989	0.026 4	0.004	0.013	0.009	0.026	0.060 2	0.019	0.008	0.009	0.025	0.060
1990	0.027	0.005	0.013	0.009	0.027	0.077 9	0.024	0.010	0.012	0.032	0.078
1991	0.035 3	0.006	0.017	0.012	0.035	0.068	0.021	0.009	0.010	0.028	0.068
1992	0.071 1	0.012	0.035	0.024	0.071	0.072 9	0.023	0.009	0.011	0.030	0.073
1993	0.056 4	0.010	0.028	0.019	0.056	0.100 6	0.031	0.013	0.015	0.041	0.101
1994	0.054 5	0.009	0.027	0.019	0.055	0.073 3	0.023	0.010	0.011	0.030	0.073
1995	0.052 8	0.009	0.026	0.018	0.053	0.057 8	0.018	0.008	0.009	0.024	0.058
1996	0.034	0.006	0.017	0.012	0.034	0.042	0.013	0.005	0.006	0.017	0.042
1997	0.057 4	0.010	0.028	0.020	0.057	0.055 4	0.017	0.007	0.008	0.023	0.055
合计	0.993 8	0.169	0.487	0.338	0.994	3.200 3	0.99 2	0.416	0.480	1.312	3.200

附录 2-6-1　小浪底站较三门峡站实测悬沙量系统偏差计算　　（单位：亿 t）

| 年份 | 三门峡实测(1) | 区 1(三门峡—小浪底) | | | | | | | 三门峡+区 1(9) | 三门峡+区 1@(10) | 小浪底实测(11) | 偏差 1(引 1)(12) | 偏差 2(引 2)(13) |
		加入(2)	引出 1(3)	引出 2(4)	淤背引(5)	断面法冲淤量(6)	区 1 合(7)	区 1 合@(8)					
1952	8.44	0.05	—	—	—	—	0.05	—	8.49	—	7.93	−0.56	—
1953	18.10	0.07	—	—	—	—	0.07	—	18.17	—	18.00	−0.17	—
1954	26.40	0.07	—	—	—	—	0.07	—	26.47	—	25.10	−1.37	—
1955	12.90	0.03	—	—	—	—	0.03	—	12.93	—	15.50	2.57	—
1956	16.70	0.07	—	—	—	—	0.07	—	16.77	—	17.20	0.43	—
1957	10.30	0.04	—	—	—	—	0.04	—	10.34	—	10.00	−0.34	—
1958	29.90	0.37	—	—	—	—	0.37	—	30.27	—	29.80	−0.47	—
1959	28.50	0.03	—	—	—	—	0.03	—	28.53	—	26.70	−1.83	—
1960	7.51	0.03	—	—	—	—	0.03	—	7.54	—	7.27	−0.27	—
1961	1.16	0.04	—	—	—	—	0.04	—	1.20	—	1.46	0.26	—
1962	3.52	0.08	—	—	—	—	0.08	—	3.60	—	3.65	0.05	—
1963	6.71	0.12	—	—	—	—	0.12	—	6.83	—	6.42	−0.41	—
1964	14.80	0.17	—	—	—	—	0.17	—	14.97	—	15.10	0.13	—
1965	7.98	0.01	—	—	—	—	0.01	—	7.99	—	7.42	−0.57	—
1966	21.10	0.08	—	—	—	—	0.08	—	21.18	—	20.00	−1.18	—
1967	22.50	0.03	—	—	—	—	0.03	—	22.53	—	22.70	0.17	—
1968	15.60	0.06	—	—	—	—	0.06	—	15.66	—	15.70	0.04	—
1969	13.60	0.07	—	—	—	—	0.07	—	13.67	—	13.40	−0.27	—
1970	21.10	0.04	—	—	—	—	0.04	—	21.14	—	21.60	0.46	—
1971	15.70	0.13	—	—	—	—	0.13	—	15.83	—	15.50	−0.33	—
1972	7.16	0.04	—	—	—	—	0.04	—	7.20	—	6.67	−0.53	—
1973	17.60	0.20	—	—	—	—	0.20	—	17.80	—	17.50	−0.30	—
1974	6.54	0.04	—	—	—	—	0.04	—	6.58	—	6.64	0.06	—
1975	13.80	0.03	—	—	—	—	0.03	—	13.83	—	14.80	0.97	—
1976	10.90	0.05	—	—	—	—	0.05	—	10.95	—	10.90	−0.05	—
1977	20.80	0.09	—	—	—	—	0.09	—	20.89	—	20.20	−0.69	—

| 年份 | 三门峡实测 (1) | 区1(三门峡—小浪底) | | | | | | | 三门峡+区1 (9) | 三门峡+区1@ (10) | 小浪底实测 (11) | 偏差1 (引1) (12) | 偏差2 (引2) (13) |
		加入 (2)	引出1 (3)	引出2 (4)	淤背引 (5)	断面法冲淤量 (6)	区1合 (7)	区1合@ (8)					
1978	14.60	0.06	—	—	—	—	0.06	—	14.66	—	14.60	−0.06	—
1979	11.60	0.06	—	—	—	—	0.06	—	11.66	—	10.80	−0.86	—
1980	7.05	0.03	—	—	—	—	0.03	—	7.08	—	6.53	−0.55	—
1981	14.20	0.03	—	—	—	—	0.03	—	14.23	—	13.30	−0.93	—
1982	5.63	0.36	—	—	—	—	0.36	—	5.99	—	5.93	−0.06	—
1983	9.34	0.08	—	—	—	—	0.08	—	9.42	—	8.98	−0.44	—
1984	10.30	0.07	—	—	—	—	0.07	—	10.37	—	9.24	−1.13	—
1985	8.85	0.04	—	—	—	—	0.04	—	8.89	—	8.63	−0.26	—
1986	4.00	0.02	—	—	—	—	0.02	—	4.02	—	3.54	−0.48	—
1987	2.88	0.03	—	—	—	—	0.03	—	2.91	—	2.80	−0.11	—
1988	15.50	0.07	—	—	—	—	0.07	—	15.57	—	15.60	0.03	—
1989	8.12	0.01	—	—	—	—	0.01	—	8.13	—	8.20	0.07	—
1990	7.34	0.03	—	—	—	—	0.03	—	7.37	—	7.28	−0.09	—
1991	4.98	0.07	—	—	—	—	0.07	—	5.05	—	4.89	−0.16	—
1992	11.20	0.07	—	—	—	—	0.07	—	11.27	—	11.40	0.13	—
1993	6.17	0.07	—	—	—	—	0.07	—	6.24	—	5.58	−0.66	—
1994	12.40	0.07	—	—	—	—	0.07	—	12.47	—	11.20	−1.27	—
1995	8.36	0.07	—	—	—	—	0.07	—	8.43	—	8.12	−0.31	—
1996	11.40	0.07	—	—	—	—	0.07	—	11.47	—	11.00	−0.47	—
1997	4.39	0.07	—	—	—	—	0.07	—	4.46	—	3.96	−0.50	—
1952~1960	158.75	0.76	—	—	—	—	0.76	—	159.51	—	157.50	−2.01	—
1961~1964	26.19	0.41	—	—	—	—	0.41	—	26.60	—	26.63	0.03	—
1965~1973	142.34	0.66	—	—	—	—	0.66	—	143.00	—	140.49	−2.51	—
1974~1985	133.61	0.94	—	—	—	—	0.94	—	134.55	—	130.55	−4.00	—
1986~1997	96.74	0.65	—	—	—	—	0.65	—	97.39	—	93.57	−3.82	—
合计	557.63	3.42					3.42		561.05		548.74	−12.31	

附录 2-6-2 花园口站较三门峡站实测悬沙量系统偏差计算　　　　　　（单位：亿 t）

| 年份 | 三门峡+区 1 (1) | 区 2(小浪底—花园口) | | | | | | | 三门峡+区 1-2 (9) | 三门峡+区 1-2 @ (10) | 花园口实测 (11) | 偏差 1 (引 1) (12) | 偏差 2 (引 2) (13) |
		加入 (2)	引出 1 (3)	引出 2 (4)	淤背引 (5)	断面法冲淤量 (6)	区 2 合 (7)	区 2 合@ (8)					
1952	8.49	0.16	—	—	—	0.48	−0.32	−0.32	8.17	8.17	8.15	−0.02	−0.02
1953	18.17	0.61	—	—	—	2.16	−1.55	−1.55	16.62	16.62	15.30	−1.32	−1.32
1954	26.47	0.92	—	—	—	1.33	−0.41	−0.41	26.06	26.06	24.20	−1.86	−1.86
1955	12.93	0.42	—	—	—	0.11	0.31	0.31	13.24	13.24	12.80	−0.44	−0.44
1956	16.77	0.68	—	—	—	1.48	−0.80	−0.80	15.97	15.97	15.50	−0.47	−0.47
1957	10.34	0.52	0.18	0.18	—	0.80	−0.46	−0.46	9.88	9.88	9.21	−0.67	−0.67
1958	30.27	1.25	0.89	0.89	—	1.08	−0.71	−0.71	29.56	29.56	28.50	−1.06	−1.06
1959	28.53	0.09	2.16	2.16	—	2.12	−4.19	−4.19	24.34	24.34	21.00	−3.34	−3.34
1960	7.54	0.14	1.19	1.00	—	0.24	−1.29	−1.10	6.25	6.44	5.94	−0.31	−0.50
1961	1.20	0.23	0.44	0.27	—	−4.37	4.16	4.34	5.36	5.54	4.43	−0.93	−1.11
1962	3.60	0.32	0.02	0.02	—	−1.54	1.85	1.85	5.45	5.45	4.87	−0.58	−0.58
1963	6.83	0.41	0.00	0.00	—	−1.62	2.03	2.03	8.86	8.86	7.97	−0.89	−0.89
1964	14.97	0.62	0.00	0.00	—	−2.42	3.04	3.03	18.01	18.00	16.40	−1.61	−1.60
1965	7.99	0.14	0.04	0.04	—	1.81	−1.71	−1.71	6.28	6.29	6.81	0.53	0.52
1966	21.18	0.25	0.28	0.26	—	−0.11	0.08	0.10	21.26	21.28	19.10	−2.16	−2.18
1967	22.53	0.17	0.11	0.12	—	−1.00	1.06	1.06	23.59	23.59	20.50	−3.09	−3.09
1968	15.66	0.16	0.07	0.02	—	−0.26	0.35	0.40	16.01	16.06	15.10	−0.91	−0.96
1969	13.67	0.14	0.23	0.15	—	2.70	−2.79	−2.71	10.88	10.96	10.20	−0.68	−0.76
1970	21.14	0.15	0.24	0.19	—	2.98	−3.06	−3.01	18.08	18.13	17.80	−0.28	−0.33
1971	15.83	0.21	0.32	0.16	—	1.98	−2.09	−1.93	13.74	13.90	13.00	−0.74	−0.90
1972	7.20	0.04	0.14	0.09	—	−0.48	0.39	0.43	7.59	7.63	6.04	−1.55	−1.59
1973	17.80	0.11	0.35	0.12	—	0.52	−0.77	−0.53	17.03	17.27	15.80	−1.23	−1.47
1974	6.58	0.06	0.18	0.07	0.00	−0.72	0.59	0.71	7.17	7.29	6.31	−0.86	−0.98
1975	13.83	0.15	0.23	0.12	0.00	−1.89	1.81	1.92	15.64	15.75	15.20	−0.44	−0.55
1976	10.95	0.16	0.17	0.11	0.00	−1.67	1.65	1.72	12.60	12.67	9.81	−2.79	−2.86
1977	20.89	0.09	0.18	0.11	0.01	−1.04	0.95	1.02	21.84	21.91	17.50	−4.34	−4.41

| 年份 | 三门峡+区1 (1) | 区2(小浪底—花园口) | | | | | | | 三门峡+区1-2 (9) | 三门峡+区1-2 @ (10) | 花园口实测 (11) | 偏差1(引1) (12) | 偏差2(引2) (13) |
		加入 (2)	引出1 (3)	引出2 (4)	淤背引 (5)	断面法冲淤量 (6)	区2合 (7)	区2合 @ (8)					
1978	14.66	0.11	0.36	0.21	0.02	0.21	-0.47	-0.32	14.19	14.34	12.40	-1.79	-1.94
1979	11.66	0.09	0.24	0.15	0.03	1.70	-1.88	-1.80	9.78	9.86	9.75	-0.03	-0.11
1980	7.08	0.06	0.26	0.17	0.01	0.45	-0.65	-0.56	6.43	6.52	5.51	-0.92	-1.01
1981	14.23	0.04	0.34	0.27	0.02	-1.43	1.10	1.18	15.33	15.41	12.80	-2.53	-2.61
1982	5.99	0.44	0.12	0.09	0.01	0.12	0.18	0.21	6.17	6.20	6.26	0.09	0.06
1983	9.42	0.17	0.08	0.07	0.01	-0.21	0.29	0.30	9.71	9.72	8.82	-0.89	-0.90
1984	10.37	0.16	0.10	0.11	0.01	-0.05	0.10	0.10	10.47	10.47	8.73	-1.74	-1.74
1985	8.89	0.10	0.09	0.08	0.01	-0.35	0.35	0.36	9.24	9.25	7.94	-1.30	-1.31
1986	4.02	0.01	0.67	0.10	0.01	0.76	-1.42	-0.86	2.60	3.16	3.34	0.74	0.18
1987	2.91	0.06	0.15	0.11	0.01	0.17	-0.27	-0.23	2.64	2.68	2.48	-0.16	-0.20
1988	15.57	0.12	0.15	0.17	0.01	2.40	-2.43	-2.46	13.14	13.11	12.80	-0.34	-0.31
1989	8.13	0.04	0.16	0.11	0.01	-0.86	0.74	0.79	8.87	8.92	8.77	-0.10	-0.15
1990	7.37	0.02	0.16	0.06	0.01	-0.18	0.03	0.13	7.40	7.50	6.61	-0.79	-0.89
1991	5.05	0.00	0.15	0.13	0.01	0.26	-0.42	-0.40	4.63	4.65	4.56	-0.07	-0.09
1992	11.27	0.01	0.16	0.14	0.02	1.30	-1.47	-1.45	9.80	9.82	9.93	0.13	0.11
1993	6.24	0.01	0.08	0.07	0.01	-0.37	0.29	0.30	6.53	6.54	5.68	-0.85	-0.86
1994	12.47	0.01	0.18	0.15	0.01	1.05	-1.23	-1.20	11.24	11.27	10.60	-0.64	-0.67
1995	8.43	0.01	0.21	0.18	0.01	0.52	-0.73	-0.70	7.70	7.73	7.47	-0.23	-0.26
1996	11.47	0.10	0.18	0.15	0.01	1.33	-1.42	-1.39	10.05	10.08	9.53	-0.52	-0.55
1997	4.46	0.00	0.17	0.17	0.01	-0.11	-0.07	-0.07	4.39	4.39	3.72	-0.67	-0.67
1952~1960	159.5	4.78	4.42	4.23	0.00	9.79	-9.43	-9.24	150.08	150.27	140.60	-9.48	-9.67
1961~1964	26.60	1.58	0.47	0.29	0.00	-9.95	11.07	11.24	37.67	37.84	33.67	-4.00	-4.17
1965~1973	143.0	1.38	1.78	1.13	0.00	8.14	-8.55	-7.89	134.45	135.11	124.35	-10.10	-10.76
1974~1985	134.6	1.62	2.35	1.56	0.12	-4.88	4.03	4.82	138.58	139.37	121.03	-17.55	-18.34
1986~1997	97.39	0.40	2.41	1.54	0.13	6.26	-8.40	-7.53	88.99	89.86	85.49	-3.50	-4.37
合计	561.05	9.75	11.42	8.75	0.25	9.35	-11.28	-8.60	549.77	552.45	505.14	-44.63	-47.31

附录 2-6-3　夹河滩站较三门峡站实测悬沙量系统偏差计算　　　（单位：亿 t）

年份	三门峡+区1-2 (1)	三门峡+区1-2@ (2)	区3(花园口—夹河滩)							三门峡+区1-3 (10)	三门峡+区1-3@ (11)	夹河滩实测 (12)	偏差1(引1) (13)	偏差2(引2) (14)
			加入(3)	引出1(4)	引出2(5)	淤背引(6)	断面法冲淤量(7)	区3合(8)	区3合@(9)					
1952	8.17	8.17	—	—	—	—	0.18	−0.18	−0.18	7.99	7.99	7.96	−0.03	−0.03
1953	16.62	16.62	—	—	—	—	1.57	−1.57	−1.57	15.05	15.05	12.40	−2.65	−2.65
1954	26.06	26.06	—	—	—	—	0.23	−0.23	−0.23	25.84	25.84	23.10	−2.74	−2.74
1955	13.24	13.24	—	—	—	—	0.31	−0.31	−0.31	12.93	12.93	13.60	0.67	0.67
1956	15.97	15.97	—	—	—	—	−0.20	0.20	0.20	16.17	16.17	15.00	−1.17	−1.17
1957	9.88	9.88	—	—	—	—	1.09	−1.09	−1.09	8.78	8.78	9.08	0.30	0.30
1958	29.56	29.56	—	0.23	0.23	—	0.90	−1.13	−1.13	28.43	28.43	28.30	−0.13	−0.13
1959	24.34	24.34	—	1.96	1.96	—	−0.44	−1.52	−1.52	22.82	22.82	20.20	−2.62	−2.62
1960	6.25	6.44	—	0.72	0.33	—	1.01	−1.72	−1.34	4.53	5.10	5.75	1.22	0.65
1961	5.36	5.54	—	0.17	0.10	—	−3.12	2.94	3.02	8.30	8.56	6.19	−2.11	−2.37
1962	5.45	5.45	—	0.00	0.00	—	−1.28	1.28	1.28	6.72	6.72	5.50	−1.22	−1.22
1963	8.86	8.86	—	0.00	0.00	—	−0.29	0.29	0.29	9.15	9.15	7.96	−1.19	−1.19
1964	18.01	18.00	—	0.00	0.00	—	−3.28	3.28	3.28	21.29	21.28	17.00	−4.29	−4.28
1965	6.28	6.29	—	0.00	0.00	—	2.46	−2.46	−2.46	3.82	3.83	5.90	2.08	2.08
1966	21.26	21.28	—	0.15	0.11	—	0.98	−1.13	−1.09	20.13	20.19	17.70	−2.43	−2.49
1967	23.59	23.59	—	0.16	0.13	—	0.21	−0.37	−0.34	23.22	23.25	21.90	−1.32	−1.35
1968	16.01	16.06	—	0.10	0.08	—	0.15	−0.25	−0.23	15.76	15.83	14.80	−0.96	−1.03
1969	10.88	10.96	—	0.26	0.24	—	2.37	−2.63	−2.61	8.25	8.35	8.51	0.26	0.16
1970	18.08	18.13	—	0.44	0.37	—	3.43	−3.88	−3.81	14.20	14.32	15.70	1.50	1.38
1971	13.74	13.90	—	0.31	0.21	—	0.97	−1.28	−1.18	12.45	12.72	12.10	−0.35	−0.62
1972	7.59	7.63	—	0.25	0.19	—	−0.17	−0.08	−0.02	7.50	7.61	6.18	−1.32	−1.43
1973	17.03	17.27	—	0.53	0.26	—	1.54	−2.07	−1.80	14.97	15.47	15.40	0.43	−0.07
1974	7.17	7.29	—	0.35	0.26	0.01	−0.59	0.24	0.32	7.41	7.61	5.61	−1.80	−2.00
1975	15.64	15.75	—	0.56	0.42	0.00	−0.61	0.04	0.18	15.68	15.93	14.50	−1.18	−1.43
1976	12.60	12.67	—	0.35	0.25	—	−1.28	0.93	1.02	13.53	13.69	10.60	−2.93	−3.09
1977	21.84	21.91	—	0.90	0.41	0.02	4.71	−5.63	−5.13	16.21	16.78	14.90	−1.31	−1.88
1978	14.19	14.34	—	0.70	0.44	0.05	−0.04	−0.71	−0.45	13.48	13.90	11.60	−1.88	−2.30
1979	9.78	9.86	—	0.44	0.37	0.07	0.18	−0.70	−0.63	9.08	9.23	9.72	0.64	0.49

年份	三门峡+区1-2 (1)	三门峡+区1-2@ (2)	区3(花园口—夹河滩)							三门峡+区1-3 (10)	三门峡+区1-3@ (11)	夹河滩实测 (12)	偏差1(引1) (13)	偏差2(引2) (14)
			加入 (3)	引出1 (4)	引出2 (5)	淤背引 (6)	断面法冲淤量 (7)	区3合 (8)	区3合@ (9)					
1980	6.43	6.52	—	0.35	0.34	0.03	−0.48	0.10	0.11	6.53	6.63	5.09	−1.44	−1.54
1981	15.33	15.41	—	0.42	0.33	0.04	−0.14	−0.33	−0.23	15.01	15.17	12.60	−2.41	−2.57
1982	6.17	6.20	—	0.14	0.07	0.03	−0.29	0.12	0.19	6.29	6.40	6.16	−0.13	−0.24
1983	9.71	9.72	—	0.16	0.14	0.03	−1.59	1.41	1.43	11.11	11.15	8.82	−2.29	−2.33
1984	10.47	10.47	—	0.17	0.14	0.03	−0.25	0.04	0.08	10.51	10.54	8.15	−2.36	−2.39
1985	9.24	9.25	—	0.18	0.18	0.03	−0.43	0.22	0.22	9.46	9.47	7.47	−1.99	−2.00
1986	2.60	3.16	—	0.13	0.12	0.03	0.43	−0.59	−0.57	2.01	2.59	2.92	0.91	0.33
1987	2.64	2.68	—	0.15	0.09	0.02	0.40	−0.58	−0.52	2.06	2.17	1.95	−0.11	−0.22
1988	13.14	13.11	—	0.41	0.27	0.02	1.86	−2.30	−2.16	10.84	10.95	10.80	−0.04	−0.15
1989	8.87	8.92	—	0.17	0.13	0.02	0.44	−0.62	−0.59	8.25	8.33	7.96	−0.29	−0.37
1990	7.40	7.50	—	0.20	0.10	0.02	0.34	−0.56	−0.47	6.84	7.03	5.96	−0.88	−1.07
1991	4.63	4.65	—	0.16	0.13	0.03	0.26	−0.45	−0.41	4.19	4.24	3.82	−0.37	−0.42
1992	9.80	9.82	—	0.20	0.13	0.05	3.88	−4.13	−4.06	5.67	5.76	7.95	2.28	2.19
1993	6.53	6.54	—	0.10	0.07	0.04	−1.07	0.93	0.96	7.46	7.50	5.35	−2.11	−2.15
1994	11.24	11.27	—	0.18	0.12	0.04	2.05	−2.27	−2.21	8.98	9.05	9.43	0.45	0.38
1995	7.70	7.73	—	0.21	0.14	0.04	0.17	−0.42	−0.35	7.28	7.38	6.91	−0.37	−0.47
1996	10.05	10.08	—	0.18	0.11	0.02	1.56	−1.76	−1.70	8.29	8.38	7.91	−0.38	−0.47
1997	4.39	4.39	—	0.17	0.17	0.04	0.05	−0.26	−0.26	4.13	4.13	2.78	−1.35	−1.35
1952~1960	150.08	150.27	—	2.90	2.52	0.00	4.66	−7.56	−7.17	142.52	143.09	135.39	−7.13	−7.70
1961~1964	37.67	37.84	—	0.18	0.10	0.00	−7.96	7.79	7.87	45.46	45.71	36.65	−8.81	−9.06
1965~1973	134.45	135.11	—	2.20	1.59	0.00	11.94	−14.14	−13.54	120.31	121.57	118.19	−2.12	−3.38
1974~1985	138.58	139.37	—	4.71	3.33	0.35	−0.79	−4.28	−2.89	134.31	136.48	115.22	−19.09	−21.26
1986~1997	88.99	89.86	—	2.24	1.58	0.38	10.38	−13.00	−12.34	75.99	77.52	73.74	−2.25	−3.78
合计	549.77	552.45		12.23	9.12	0.73	18.23	−31.19	−28.08	518.58	524.38	479.19	−39.39	−45.19

| 年份 | 三门峡+区1-3 (1) | 三门峡+区1-3 @ (2) | 区4(夹河滩—高村) | | | | | | | 三门峡+区1-4 (10) | 三门峡+区1-4 @ (11) | 高村实测 (12) | 偏差1(引1) (13) | 偏差2(引2) (14) |
			加入 (3)	引出1 (4)	引出2 (5)	淤背引 (6)	断面法冲淤量 (7)	区4合 (8)	区4合 @ (9)					
1952	7.99	7.99	—	—	—	—	−0.19	0.19	0.19	8.17	8.17	7.13	−1.04	−1.04
1953	15.05	15.05	—	—	—	—	0.46	−0.46	−0.46	14.59	14.59	12.60	−1.99	−1.99
1954	25.84	25.84	—	0.01	0.01	—	−0.32	0.31	0.31	26.15	26.15	20.00	−6.15	−6.15
1955	12.93	12.93	—	0.01	0.01	—	1.13	−1.14	−1.14	11.79	11.79	13.20	1.41	1.41
1956	16.17	16.17	—	0.01	0.01	—	0.90	−0.91	−0.91	15.26	15.26	14.30	−0.96	−0.96
1957	8.78	8.78	—	0.00	0.00	—	1.52	−1.53	−1.53	7.26	7.26	9.24	1.98	1.98
1958	28.43	28.43	—	0.38	0.38	—	3.81	−4.18	−4.18	24.25	24.25	25.60	1.35	1.35
1959	22.82	22.82	—	1.26	1.26	—	1.40	−2.66	−2.66	20.16	20.16	17.50	−2.66	−2.66
1960	4.53	5.10	—	0.67	0.31	—	1.08	−1.75	−1.39	2.78	3.71	4.65	1.87	0.94
1961	8.30	8.56	—	0.04	0.02	—	−1.80	1.76	1.78	10.06	10.34	7.72	−2.34	−2.62
1962	6.72	6.72	—	0.00	0.00	—	−1.57	1.57	1.57	8.29	8.30	6.66	−1.63	−1.64
1963	9.15	9.15	—	0.00	0.00	—	−0.85	0.85	0.85	10.00	10.00	8.32	−1.68	−1.68
1964	21.29	21.28	—	0.00	0.00	—	−1.11	1.11	1.11	22.40	22.40	17.50	−4.90	−4.90
1965	3.82	3.83	—	0.00	0.00	—	0.82	−0.82	−0.82	3.00	3.01	5.48	2.48	2.48
1966	20.13	20.19	—	0.11	0.06	—	0.54	−0.65	−0.60	19.48	19.59	17.20	−2.28	−2.39
1967	23.22	23.25	—	0.07	0.05	—	0.14	−0.21	−0.19	23.02	23.06	21.40	−1.62	−1.66
1968	15.76	15.83	—	0.03	0.02	—	0.32	−0.35	−0.34	15.42	15.49	14.30	−1.12	−1.19
1969	8.25	8.35	—	0.05	0.06	—	0.29	−0.34	−0.35	7.91	8.00	7.34	−0.57	−0.66
1970	14.20	14.32	—	0.33	0.30	—	2.85	−3.18	−3.14	11.03	11.18	13.80	2.77	2.62
1971	12.45	12.72	—	0.12	0.17	—	0.29	−0.41	−0.46	12.05	12.27	11.20	−0.85	−1.07
1972	7.50	7.61	0.01	0.25	0.27	—	0.63	−0.86	−0.89	6.64	6.73	5.88	−0.76	−0.85
1973	14.97	15.47	0.02	0.36	0.27	—	2.71	−3.06	−2.96	11.91	12.50	13.30	1.39	0.80
1974	7.41	7.61	0.01	0.08	0.07	0.01	−0.35	0.28	0.28	7.69	7.89	5.78	−1.91	−2.11
1975	15.68	15.93	0.02	0.35	0.30	0.00	1.75	−2.09	−2.04	13.59	13.89	14.20	0.61	0.31
1976	13.53	13.69	0.01	0.26	0.18	0.00	−0.23	−0.02	0.06	13.51	13.74	10.60	−2.91	−3.14
1977	16.21	16.78	0.01	0.54	0.29	0.01	2.75	−3.29	−3.04	12.92	13.74	12.90	−0.02	−0.84
1978	13.48	13.90	0.02	0.54	0.38	0.04	0.33	−0.88	−0.72	12.60	13.18	11.50	−1.10	−1.68

年份	三门峡+区1-3 (1)	三门峡+区1-3 @ (2)	区4(夹河滩—高村)							三门峡+区1-4 (10)	三门峡+区1-4 @ (11)	高村实测 (12)	偏差1(引1) (13)	偏差2(引2) (14)
			加入 (3)	引出1 (4)	引出2 (5)	淤背引 (6)	断面法冲淤量 (7)	区4合 (8)	区4合 @ (9)					
1979	9.08	9.23	0.01	0.21	0.21	0.05	-0.37	0.13	0.12	9.21	9.36	9.45	0.24	0.09
1980	6.53	6.63	0.02	0.14	0.17	0.02	0.35	-0.50	-0.53	6.03	6.10	4.44	-1.59	-1.66
1981	15.01	15.17	0.02	0.31	0.31	0.03	-0.96	0.64	0.64	15.64	15.81	12.00	-3.64	-3.81
1982	6.29	6.40	0.01	0.17	0.08	0.02	-0.18	0.00	0.08	6.28	6.48	6.31	0.03	-0.17
1983	11.11	11.15	0.00	0.18	0.15	0.02	0.10	-0.30	-0.26	10.82	10.88	9.46	-1.36	-1.42
1984	10.51	10.54	0.01	0.15	0.12	0.02	-0.87	0.71	0.73	11.22	11.28	8.51	-2.71	-2.77
1985	9.46	9.47	0.01	0.11	0.11	0.02	0.14	-0.27	-0.27	9.19	9.20	7.61	-1.58	-1.59
1986	2.01	2.59	0.01	0.07	0.07	0.02	0.28	-0.37	-0.36	1.65	2.23	2.88	1.23	0.65
1987	2.06	2.17	0.01	0.09	0.08	0.02	0.11	-0.21	-0.20	1.85	1.96	1.69	-0.16	-0.27
1988	10.84	10.95	0.02	0.42	0.27	0.02	1.26	-1.67	-1.53	9.17	9.42	10.10	0.93	0.68
1989	8.25	8.33	0.01	0.20	0.18	0.01	-0.23	0.03	0.06	8.27	8.38	7.20	-1.07	-1.18
1990	6.84	7.03	0.02	0.16	0.11	0.01	0.37	-0.52	-0.48	6.32	6.55	5.33	-0.99	-1.22
1991	4.19	4.24	—	0.13	0.12	0.02	-0.03	-0.12	-0.11	4.07	4.13	3.29	-0.78	-0.84
1992	5.67	5.76	—	0.15	0.16	0.04	0.86	-1.04	-1.06	4.63	4.70	6.58	1.95	1.88
1993	7.46	7.50	—	0.07	0.07	0.03	-0.02	-0.07	-0.07	7.39	7.43	4.89	-2.50	-2.54
1994	8.98	9.05	—	0.15	0.15	0.03	0.20	-0.38	-0.38	8.59	8.67	8.01	-0.58	-0.66
1995	7.28	7.38	—	0.18	0.20	0.03	-0.18	-0.03	-0.05	7.25	7.34	5.85	-1.40	-1.49
1996	8.29	8.38	—	0.14	0.16	0.02	1.95	-2.11	-2.13	6.18	6.25	5.30	-0.88	-0.95
1997	4.13	4.13	—	0.19	0.19	0.03	0.79	-1.01	-1.01	3.12	3.12	2.07	-1.05	-1.05
1952~1960	142.52	143.09	0.00	2.32	1.96	0.00	9.79	-12.11	-11.75	130.41	131.34	124.22	-6.19	-7.12
1961~1964	45.46	45.71	0.00	0.04	0.02	0.00	-5.34	5.30	5.32	50.75	51.03	40.20	-10.55	-10.83
1965~1973	120.31	121.57	0.03	1.31	1.19	0.00	8.58	-9.86	-9.74	110.45	111.83	109.90	-0.55	-1.93
1974~1985	134.31	136.48	0.15	3.04	2.38	0.24	2.46	-5.60	-4.94	128.71	131.54	112.76	-15.95	-18.78
1986~1997	75.99	77.52	0.06	1.95	1.78	0.26	5.35	-7.50	-7.33	68.48	70.19	63.19	-5.29	-7.00
合计	518.58	524.38	0.24	8.66	7.33	0.51	20.85	-29.78	-28.45	488.80	495.93	450.27	-38.53	-45.66

附录 2-6-5　孙口站较三门峡站实测悬沙量系统偏差计算　（单位：亿 t）

年份	三门峡+区1-4 (1)	三门峡+区1-4@ (2)	区5(高村—孙口) 加入 (3)	引出1 (4)	引出2 (5)	淤背引 (6)	断面法冲淤量 (7)	区5合 (8)	区5合@ (9)	三门峡+区1-5 (10)	三门峡+区1-5@ (11)	孙口实测 (12)	偏差1 (引1) (13)	偏差2 (引2) (14)
1952	8.17	8.17	—	—	—	—	−0.03	0.03	0.03	8.20	8.20	7.87	−0.33	−0.33
1953	14.59	14.59	—	—	—	—	2.72	−2.72	−2.72	11.87	11.87	12.20	0.33	0.33
1954	26.15	26.15	—	—	—	—	1.82	−1.82	−1.82	24.33	24.33	20.70	−3.63	−3.63
1955	11.79	11.79	—	—	—	—	0.24	−0.24	−0.24	11.55	11.55	13.60	2.05	2.05
1956	15.26	15.26	—	—	—	—	−0.10	0.10	0.10	15.36	15.36	13.50	−1.86	−1.86
1957	7.26	7.26	—	—	—	—	0.40	−0.40	−0.40	6.85	6.85	6.89	0.04	0.04
1958	24.25	24.25	—	0.02	0.02	—	0.64	−0.66	−0.66	23.59	23.59	22.10	−1.49	−1.49
1959	20.16	20.16	—	0.20	0.20	—	0.88	−1.08	−1.08	19.08	19.08	15.70	−3.38	−3.38
1960	2.78	3.71	—	0.31	0.06	—	0.72	−1.03	−0.78	1.75	2.93	4.42	2.67	1.49
1961	10.06	10.34	—	0.09	0.03	—	0.58	−0.67	−0.61	9.39	9.73	7.83	−1.56	−1.90
1962	8.29	8.30	—	0.00	0.00	—	−0.85	0.85	0.85	9.14	9.15	7.46	−1.68	−1.69
1963	10.00	10.00	—	0.00	0.00	—	−1.02	1.02	1.02	11.02	11.02	8.50	−2.52	−2.52
1964	22.40	22.40	—	0.00	0.00	—	−1.44	1.44	1.44	23.84	23.84	19.30	−4.54	−4.54
1965	3.00	3.01	—	0.00	0.00	—	0.46	−0.46	−0.46	2.54	2.55	5.25	2.71	2.71
1966	19.48	19.59	—	0.41	0.14	—	0.79	−1.20	−0.93	18.27	18.66	16.10	−2.17	−2.56
1967	23.02	23.06	—	0.12	0.07	—	0.73	−0.85	−0.80	22.16	22.26	19.90	−2.26	−2.36
1968	15.42	15.49	—	0.09	0.22	—	−0.09	0.00	−0.13	15.42	15.37	13.80	−1.62	−1.57
1969	7.91	8.00	—	0.07	0.00	—	0.25	−0.32	−0.25	7.60	7.75	6.78	−0.82	−0.97
1970	11.03	11.18	—	0.29	0.16	—	1.47	−1.76	−1.63	9.26	9.55	13.10	3.84	3.55
1971	12.05	12.27	—	0.35	0.21	—	0.66	−1.01	−0.87	11.03	11.39	9.94	−1.09	−1.45
1972	6.64	6.73	—	0.31	0.22	—	0.64	−0.95	−0.86	5.69	5.87	5.44	−0.25	−0.43
1973	11.91	12.50	—	0.39	0.18	—	1.05	−1.44	−1.23	10.47	11.27	12.80	2.33	1.53
1974	7.69	7.89	—	0.20	0.09	0.01	−0.16	−0.05	0.06	7.64	7.95	5.31	−2.33	−2.64
1975	13.59	13.89	—	0.21	0.20	0.01	2.03	−2.25	−2.24	11.35	11.65	12.20	0.85	0.55
1976	13.51	13.74	—	0.24	0.15	0.02	1.20	−1.46	−1.37	12.04	12.37	9.75	−2.29	−2.62
1977	12.92	13.74	—	0.51	0.29	0.06	0.74	−1.31	−1.09	11.61	12.65	11.30	−0.31	−1.35
1978	12.60	13.18	—	0.53	0.20	0.26	0.03	−0.83	−0.49	11.77	12.68	11.50	−0.27	−1.18
1979	9.21	9.36	—	0.35	0.54	0.10	0.17	−0.62	−0.80	8.59	8.55	9.08	0.49	0.53
1980	6.03	6.10	—	0.24	0.27	0.17	0.16	−0.57	−0.60	5.46	5.50	4.16	−1.30	−1.34

续表

年份	三门峡+区1-4 (1)	三门峡+区1-4@ (2)	区5(高村—孙口)							三门峡+区1-5 (10)	三门峡+区1-5@ (11)	孙口实测 (12)	偏差1(引1) (13)	偏差2(引2) (14)
			加入 (3)	引出1 (4)	引出2 (5)	淤背引 (6)	断面法冲淤量 (7)	区5合 (8)	区5合@ (9)					
1981	15.64	15.81	—	0.51	0.32	0.12	1.34	−1.96	−1.77	13.68	14.04	11.60	−2.08	−2.44
1982	6.28	6.48	—	0.23	0.21	0.08	0.77	−1.09	−1.06	5.19	5.42	5.63	0.44	0.21
1983	10.82	10.88	—	0.27	0.17	0.11	−0.73	0.35	0.45	11.17	11.33	9.80	−1.37	−1.53
1984	11.22	11.28	—	0.23	0.12	0.10	0.05	−0.37	−0.26	10.85	11.01	8.66	−2.19	−2.35
1985	9.19	9.20	—	0.18	0.11	0.05	−0.31	0.08	0.15	9.28	9.35	7.17	−2.11	−2.18
1986	1.65	2.23	—	0.14	0.14	0.04	0.61	−0.80	−0.80	0.85	1.43	2.56	1.71	1.13
1987	1.85	1.96	—	0.14	0.11	0.04	−0.02	−0.17	−0.13	1.69	1.84	1.52	−0.17	−0.32
1988	9.17	9.42	—	0.60	0.19	0.03	0.60	−1.22	−0.81	7.94	8.60	9.21	1.27	0.61
1989	8.27	8.38	—	0.35	0.20	0.03	0.21	−0.59	−0.44	7.68	7.94	7.65	−0.03	−0.29
1990	6.32	6.55	—	0.18	0.16	0.04	−0.46	0.24	0.27	6.56	6.82	5.32	−1.24	−1.50
1991	4.07	4.13	—	0.14	0.12	0.03	0.06	−0.24	−0.21	3.83	3.92	3.35	−0.48	−0.57
1992	4.63	4.70	—	0.18	0.14	0.03	0.09	−0.31	−0.27	4.32	4.44	6.39	2.07	1.95
1993	7.39	7.43	—	0.10	0.10	0.05	0.40	−0.55	−0.55	6.84	6.88	5.15	−1.69	−1.73
1994	8.59	8.67	—	0.09	0.04	0.03	−0.11	−0.01	0.04	8.59	8.71	8.01	−0.58	−0.70
1995	7.25	7.34	—	0.12	0.06	0.03	0.45	−0.60	−0.54	6.65	6.80	6.66	0.01	−0.14
1996	6.18	6.25	—	0.13	0.09	0.02	1.33	−1.48	−1.44	4.70	4.81	5.00	0.30	0.19
1997	3.12	3.12	—	0.17	0.17	0.03	0.54	−0.74	−0.74	2.38	2.38	1.49	−0.89	−0.89
1952~1960	130.41	131.34	—	0.53	0.28	0.00	7.29	−7.83	−7.58	122.58	123.77	116.98	−5.60	−6.79
1961~1964	50.75	51.03	—	0.09	0.03	0.00	−2.73	2.64	2.70	53.39	53.73	43.09	−10.30	−10.64
1965~1973	110.45	111.83	—	2.04	1.21	0.00	5.96	−8.00	−7.17	102.44	104.66	103.11	0.67	−1.55
1974~1985	128.71	131.54	—	3.69	2.65	1.09	5.30	−10.08	−9.04	118.63	122.49	106.16	−12.47	−16.33
1986~1997	68.48	70.19	—	2.35	1.51	0.40	3.71	−6.45	−5.61	62.03	64.58	62.31	0.28	−2.27
合计	488.80	495.93		8.71	5.68	1.49	19.53	−29.72	−26.70	459.08	469.23	431.65	−27.43	−37.58

附录 2-6-6 艾山站较三门峡站实测悬沙量系统偏差计算　　　　　（单位：亿 t）

| 年份 | 三门峡+区 1-5 (1) | 三门峡+区 1-5@ (2) | 区 6(孙口—艾山) | | | | | | | 三门峡+区 1-6 (10) | 三门峡+区 1-6@ (11) | 艾山实测 (12) | 偏差 1 (引 1) (13) | 偏差 2 (引 2) (14) |
			分洪引 (3)	引出 1 (4)	引出 2 (5)	淤背引 (6)	断面法冲淤量 (7)	区 6 合 (8)	区 6 合 @ (9)					
1952	8.20	8.20	—	—	—	—	0.09	−0.09	−0.09	8.11	8.11	7.96	−0.15	−0.15
1953	11.87	11.87	—	—	—	—	0.38	−0.38	−0.38	11.49	11.49	12.40	0.91	0.91
1954	24.33	24.33	0.26	—	—	—	0.38	−0.63	−0.63	23.70	23.70	19.10	−4.60	−4.60
1955	11.55	11.55	—	·	—	—	−0.05	0.05	0.05	11.60	11.60	13.90	2.30	2.30
1956	15.36	15.36	—	—	—	—	−0.03	0.03	0.03	15.39	15.39	14.00	−1.39	−1.39
1957	6.85	6.85	0.51	0.00	0.00	—	0.02	−0.53	−0.53	6.33	6.33	6.67	0.34	0.34
1958	23.59	23.59	1.61	0.00	0.00	—	0.34	−1.96	−1.96	21.63	21.63	21.10	−0.53	−0.53
1959	19.08	19.08	—	0.56	0.56	—	0.21	−0.77	−0.77	18.31	18.31	14.70	−3.61	−3.61
1960	1.75	2.93	0.86	0.47	0.09	—	0.39	−1.72	−1.34	0.03	1.59	2.94	2.91	1.35
1961	9.39	9.73	—	0.18	0.06	—	−0.38	0.20	0.32	9.59	10.05	8.17	−1.42	−1.88
1962	9.14	9.15	—	0.00	0.00	—	0.08	−0.08	−0.08	9.06	9.07	7.40	−1.66	−1.67
1963	11.02	11.02	—	0.00	0.00	—	−0.34	0.34	0.34	11.36	11.36	8.72	−2.64	−2.64
1964	23.84	23.84	—	0.00	0.00	—	−0.12	0.12	0.12	23.96	23.96	19.30	−4.66	−4.66
1965	2.54	2.55	—	0.00	0.00	—	0.01	−0.01	−0.01	2.53	2.54	5.32	2.79	2.79
1966	18.27	18.66	—	0.10	0.04	—	−0.03	−0.07	−0.01	18.20	18.65	16.60	−1.60	−2.05
1967	22.16	22.26	—	0.09	0.06	—	0.24	−0.33	−0.30	21.83	21.96	21.60	−0.23	−0.36
1968	15.42	15.37	—	0.06	0.12	—	0.22	−0.28	−0.34	15.15	15.03	14.60	−0.55	−0.43
1969	7.60	7.75	—	0.01	0.00	—	0.17	−0.18	−0.17	7.41	7.58	6.57	−0.84	−1.01
1970	9.26	9.55	—	0.17	0.08	—	0.41	−0.59	−0.49	8.68	9.05	12.50	3.82	3.45
1971	11.03	11.39	—	0.15	0.09	—	0.13	−0.28	−0.22	10.76	11.17	10.00	−0.76	−1.17
1972	5.69	5.87	—	0.19	0.14	—	0.17	−0.36	−0.31	5.32	5.56	5.18	−0.14	−0.38
1973	10.47	11.27	—	0.26	0.12	—	0.06	−0.31	−0.18	10.15	11.10	12.30	2.15	1.20
1974	7.64	7.95	—	0.17	0.08	0.01	−0.10	−0.08	0.01	7.56	7.96	5.37	−2.19	−2.59
1975	11.35	11.65	—	0.11	0.12	0.00	0.26	−0.38	−0.38	10.97	11.26	12.90	1.93	1.64
1976	12.04	12.37	—	0.19	0.06	0.01	0.11	−0.31	−0.18	11.73	12.20	9.65	−2.08	−2.55
1977	11.61	12.65	—	0.36	0.21	0.03	0.25	−0.64	−0.48	10.97	12.17	10.70	−0.27	−1.47

| 年份 | 三门峡+区1-5 (1) | 三门峡+区1-5@ (2) | 区6(孙口—艾山) | | | | | | | 三门峡+区1-6 (10) | 三门峡+区1-6@ (11) | 艾山实测 (12) | 偏差1 (引1) (13) | 偏差2 (引2) (14) |
			分洪引 (3)	引出1 (4)	引出2 (5)	淤背引 (6)	断面法冲淤量 (7)	区6合 (8)	区6合@ (9)					
1978	11.77	12.68	—	0.47	0.17	0.11	0.02	−0.60	−0.30	11.17	12.39	10.60	−0.57	−1.79
1979	8.59	8.55	—	0.27	0.41	0.04	0.03	−0.34	−0.49	8.25	8.07	8.17	−0.08	0.10
1980	5.46	5.50	—	0.15	0.17	0.07	0.21	−0.43	−0.45	5.03	5.05	3.95	−1.08	−1.10
1981	13.68	14.04	—	0.28	0.15	0.05	0.03	−0.35	−0.23	13.33	13.81	12.00	−1.33	−1.81
1982	5.19	5.42	0.05	0.40	0.17	0.03	−0.03	−0.46	−0.23	4.74	5.19	5.76	1.02	0.57
1983	11.17	11.33	—	0.29	0.16	0.04	−0.09	−0.24	−0.12	10.92	11.21	10.30	−0.62	−0.91
1984	10.85	11.01	—	0.22	0.10	0.04	0.04	−0.30	−0.18	10.55	10.83	9.56	−0.99	−1.27
1985	9.28	9.35	—	0.17	0.10	0.02	−0.04	−0.15	−0.08	9.12	9.27	8.15	−0.97	−1.12
1986	0.85	1.43	—	0.15	0.15	0.02	0.19	−0.35	−0.35	0.50	1.08	2.63	2.13	1.55
1987	1.69	1.84	—	0.12	0.09	0.02	0.10	−0.23	−0.20	1.46	1.63	1.47	0.01	−0.16
1988	7.94	8.60	—	0.55	0.18	0.01	−0.04	−0.52	−0.15	7.42	8.46	9.50	2.08	1.04
1989	7.68	7.94	—	0.43	0.24	0.01	0.12	−0.56	−0.37	7.12	7.57	7.50	0.38	−0.07
1990	6.56	6.82	—	0.21	0.17	0.02	0.01	−0.23	−0.20	6.33	6.63	5.32	−1.01	−1.31
1991	3.83	3.92	—	0.09	0.07	0.01	0.10	−0.20	−0.18	3.63	3.74	3.45	−0.18	−0.29
1992	4.32	4.44	—	0.30	0.24	0.01	0.23	−0.55	−0.49	3.77	3.95	6.56	2.79	2.61
1993	6.84	6.88	—	0.20	0.14	0.02	−0.06	−0.16	−0.10	6.68	6.78	5.37	−1.31	−1.41
1994	8.59	8.71	—	0.06	0.08	0.01	0.05	−0.12	−0.14	8.47	8.57	8.67	0.20	0.10
1995	6.65	6.80	—	0.09	0.11	0.01	0.11	−0.21	−0.22	6.44	6.58	6.64	0.20	0.06
1996	4.70	4.81	—	0.05	0.16	0.01	−0.10	0.04	−0.07	4.74	4.75	4.98	0.24	0.23
1997	2.38	2.38	—	0.12	0.12	0.01	0.17	−0.30	−0.30	2.08	2.08	1.09	−0.99	−0.99
1952~1960	122.58	123.77	3.23	1.04	0.66	0.00	1.72	−6.00	−5.62	116.58	118.15	112.77	−3.81	−5.38
1961~1964	53.39	53.73	0.00	0.18	0.06	0.00	−0.76	0.58	0.70	53.97	54.44	43.59	−10.38	−10.85
1965~1973	102.44	104.66	0.00	1.03	0.64	0.00	1.38	−2.41	−2.02	100.03	102.64	104.67	4.64	2.03
1974~1985	118.63	122.49	0.05	3.08	1.89	0.46	0.70	−4.29	−3.10	114.34	119.39	107.11	−7.23	−12.28
1986~1997	62.03	64.58	0.00	2.35	1.73	0.17	0.87	−3.39	−2.76	58.65	61.81	63.18	4.53	1.37
合计	459.08	469.23	3.28	7.68	4.98	0.62	3.91	−15.50	−12.80	443.58	456.43	431.32	−12.26	−25.11

附录 2-6-7 泺口站较三门峡站实测悬沙量系统偏差计算 （单位：亿 t）

年份	三门峡+区1-6 (1)	三门峡+区1-6@ (2)	区7(艾山—泺口) 分洪引 (3)	引出1 (4)	引出2 (5)	淤背引 (6)	断面法冲淤量 (7)	区7合 (8)	区7合@ (9)	三门峡+区1-7 (10)	三门峡+区1-7@ (11)	泺口实测 (12)	偏差1 (引1) (13)	偏差2 (引2) (14)
1952	8.11	8.11	—	—	—	—	−0.16	0.16	0.16	8.26	8.26	6.93	−1.33	−1.33
1953	11.49	11.49	—	—	—	—	0.01	−0.01	−0.01	11.49	11.49	11.80	0.31	0.31
1954	23.70	23.70	—	—	—	—	0.09	−0.09	−0.09	23.61	23.61	18.80	−4.81	−4.81
1955	11.60	11.60	—	—	—	—	−0.23	0.23	0.23	11.83	11.83	13.70	1.87	1.87
1956	15.39	15.39	—	—	—	—	0.15	−0.15	−0.15	15.24	15.24	11.70	−3.54	−3.54
1957	6.33	6.33	—	—	—	—	−0.37	0.37	0.37	6.69	6.69	5.93	−0.76	−0.76
1958	21.63	21.63	—	0.03	0.03	—	−0.15	0.13	0.13	21.76	21.76	21.50	−0.26	−0.26
1959	18.31	18.31	—	0.03	0.03	—	0.19	−0.22	−0.22	18.08	18.08	14.70	−3.38	−3.38
1960	0.03	1.59	—	0.00	0.00	—	0.23	−0.23	−0.23	−0.20	1.36	2.82	3.02	1.46
1961	9.59	10.05	—	0.00	0.00	—	−0.55	0.55	0.55	10.14	10.60	8.06	−2.08	−2.54
1962	9.06	9.07	—	0.00	0.00	—	−0.43	0.43	0.43	9.49	9.50	7.20	−2.29	−2.30
1963	11.36	11.36	—	0.00	0.00	—	−0.79	0.79	0.79	12.15	12.15	9.13	−3.02	−3.02
1964	23.96	23.96	—	0.00	0.00	—	0.16	−0.16	−0.16	23.80	23.80	18.80	−5.00	−5.00
1965	2.53	2.54	—	0.00	0.00	—	0.65	−0.65	−0.65	1.88	1.89	5.03	3.15	3.15
1966	18.20	18.65	—	0.07	0.03	—	0.09	−0.16	−0.12	18.04	18.53	16.30	−1.74	−2.23
1967	21.83	21.96	—	0.03	0.02	—	−0.03	0.00	0.01	21.83	21.97	21.30	−0.53	−0.67
1968	15.15	15.03	—	0.06	0.06	—	0.05	−0.11	−0.11	15.04	14.92	14.20	−0.84	−0.72
1969	7.41	7.58	—	0.02	0.00	—	0.54	−0.56	−0.54	6.85	7.04	6.20	−0.65	−0.84
1970	8.68	9.05	—	0.09	0.05	—	0.26	−0.34	−0.30	8.33	8.75	11.70	3.37	2.95
1971	10.76	11.17	—	0.08	0.05	—	0.31	−0.39	−0.36	10.37	10.82	9.52	−0.85	−1.30
1972	5.32	5.56	—	0.22	0.13	—	0.32	−0.54	−0.45	4.79	5.10	4.47	−0.32	−0.63
1973	10.15	11.10	—	0.54	0.15	—	0.21	−0.75	−0.35	9.41	10.74	11.50	2.09	0.76
1974	7.56	7.96	—	0.30	0.13	0.01	0.00	−0.31	−0.14	7.25	7.82	5.02	−2.23	−2.80
1975	10.97	11.26	—	0.29	0.21	0.00	−0.10	−0.19	−0.11	10.77	11.15	12.60	1.83	1.45
1976	11.73	12.20	—	0.27	0.11	0.01	0.40	−0.68	−0.52	11.05	11.67	9.22	−1.83	−2.45

| 年份 | 三门峡+区1-6 (1) | 三门峡+区1-6@ (2) | 区7(艾山—洛口) | | | | | | | 三门峡+区1-7 (10) | 三门峡+区1-7@ (11) | 泺口实测 (12) | 偏差1(引1) (13) | 偏差2(引2) (14) |
			加入 (3)	引出1 (4)	引出2 (5)	淤背引 (6)	断面法冲淤量 (7)	区7合 (8)	区7合@ (9)					
1977	10.97	12.17	—	0.69	0.24	0.03	0.33	−1.04	−0.60	9.93	11.57	10.30	0.37	−1.27
1978	11.17	12.39	—	0.51	0.16	0.13	0.08	−0.72	−0.37	10.45	12.02	10.50	0.05	−1.52
1979	8.25	8.07	—	0.39	0.39	0.05	0.05	−0.49	−0.49	7.76	7.58	8.48	0.72	0.90
1980	5.03	5.05	—	0.26	0.19	0.08	0.22	−0.56	−0.49	4.47	4.56	3.71	−0.76	−0.85
1981	13.33	13.81	—	0.62	0.26	0.06	−0.11	−0.56	−0.21	12.76	13.60	11.00	−1.76	−2.60
1982	4.74	5.19	—	0.36	0.21	0.04	−0.07	−0.33	−0.18	4.41	5.00	5.15	0.74	0.15
1983	10.92	11.21	—	0.40	0.22	0.05	−0.23	−0.22	−0.04	10.70	11.17	9.52	−1.18	−1.65
1984	10.55	10.83	—	0.28	0.10	0.05	0.02	−0.35	−0.17	10.20	10.66	8.85	−1.35	−1.81
1985	9.12	9.27	—	0.26	0.11	0.03	−0.27	−0.02	0.13	9.10	9.40	7.29	−1.81	−2.11
1986	0.50	1.08	—	0.30	0.15	0.02	0.52	−0.84	−0.69	−0.34	0.39	2.03	2.37	1.64
1987	1.46	1.63	—	0.22	0.11	0.02	0.13	−0.38	−0.26	1.08	1.37	1.16	0.08	−0.21
1988	7.42	8.46	—	0.90	0.18	0.01	−0.22	−0.70	0.03	6.72	8.48	8.61	1.89	0.13
1989	7.12	7.57	—	0.75	0.40	0.01	0.33	−1.10	−0.75	6.02	6.82	6.56	0.54	−0.26
1990	6.33	6.63	—	0.30	0.17	0.16	0.16	−0.49	−0.35	5.84	6.28	4.88	−0.96	−1.40
1991	3.63	3.74	—	0.29	0.21	0.02	0.17	−0.47	−0.39	3.16	3.35	2.95	−0.21	−0.40
1992	3.77	3.95	—	0.40	0.28	0.02	0.10	−0.51	−0.39	3.26	3.55	5.28	2.02	1.73
1993	6.68	6.78	—	0.35	0.22	0.02	0.16	−0.54	−0.40	6.15	6.38	4.42	−1.73	−1.96
1994	8.47	8.57	—	0.20	0.15	0.02	0.12	−0.33	−0.29	8.13	8.28	6.83	−1.30	−1.45
1995	6.44	6.58	—	0.15	0.12	0.01	0.14	−0.30	−0.27	6.14	6.30	5.84	−0.30	−0.46
1996	4.74	4.75	—	0.09	0.10	0.01	−0.29	0.19	0.18	4.94	4.92	4.01	−0.93	−0.91
1997	2.08	2.08	—	0.22	0.22	0.01	0.35	−0.58	−0.58	1.51	1.51	0.52	−0.99	−0.99
1952~1960	116.6	118.1	—	0.06	0.06	0.00	−0.23	0.17	0.17	116.75	118.32	107.88	−8.87	−10.44
1961~1964	53.97	54.44	—	0.00	0.00	0.00	−1.61	1.61	1.61	55.58	56.04	43.19	−12.39	−12.85
1965~1973	100.0	102.6	—	1.12	0.49	0.00	2.38	−3.50	−2.87	96.53	99.77	100.22	3.69	0.45
1974~1985	114.3	119.4	—	4.62	2.34	0.53	0.32	−5.46	−3.18	108.88	116.21	101.64	−7.24	−14.57
1986~1997	58.65	61.81	—	4.16	2.30	0.19	1.68	−6.04	−4.18	52.61	57.64	53.09	0.48	−4.55
合计	443.58	456.43		9.96	5.19	0.72	2.54	−13.22	−8.45	430.35	447.98	406.02	−24.34	−41.96

附录 2-6-8 利津站较三门峡站实测悬沙量系统偏差计算　　（单位：亿 t）

年份	三门峡+区1-7 (1)	三门峡+区1-7@ (2)	区8(洙口—利津)							三门峡+区1-8 (10)	三门峡+区1-8@ (11)	利津实测 (12)	偏差1(引1) (13)	偏差2(引2) (14)
			分洪引 (3)	引出1 (4)	引出2 (5)	淤背引 (6)	断面法冲淤量 (7)	区8合 (8)	区8合@ (9)					
1952	8.26	8.26	—	—	—	—	0.26	−0.26	−0.26	8.00	8.00	7.79	−0.21	−0.21
1953	11.49	11.49	—	—	—	—	0.21	−0.21	−0.21	11.27	11.27	11.70	0.43	0.43
1954	23.61	23.61	—	—	—	—	−0.31	0.31	0.31	23.92	23.92	19.80	−4.12	−4.12
1955	11.83	11.83	—	0.38	0.38	—	−0.43	0.05	0.05	11.88	11.88	14.40	2.52	2.52
1956	15.24	15.24	—	0.00	0.00	—	−0.06	0.06	0.06	15.29	15.29	14.00	−1.29	−1.29
1957	6.69	6.69	—	0.05	0.05	—	−0.28	0.23	0.23	6.92	6.92	6.43	−0.49	−0.49
1958	21.76	21.76	—	0.49	0.49	—	0.17	−0.66	−0.66	21.10	21.10	21.00	−0.10	−0.10
1959	18.08	18.08	—	0.69	0.69	—	0.75	−1.44	−1.44	16.64	16.64	14.30	−2.34	−2.34
1960	−0.20	1.36	—	0.39	0.08	—	0.66	−1.06	−0.74	−1.26	0.62	2.42	3.68	1.80
1961	10.14	10.60	—	0.13	0.04	—	0.05	−0.18	−0.09	9.95	10.51	8.99	−0.96	−1.52
1962	9.49	9.50	—	0.00	0.00	—	−1.48	1.48	1.48	10.98	10.98	7.73	−3.25	−3.25
1963	12.15	12.15	—	0.00	0.00	—	−0.84	0.84	0.84	12.99	12.99	9.60	−3.39	−3.39
1964	23.80	23.80	—	0.00	0.00	—	−1.95	1.95	1.95	25.75	25.75	20.30	−5.45	−5.45
1965	1.88	1.89	—	0.00	0.00	—	1.82	−1.82	−1.82	0.06	0.06	4.34	4.28	4.28
1966	18.04	18.53	—	0.41	0.16	—	0.33	−0.74	−0.49	17.30	18.04	15.60	−1.70	−2.44
1967	21.83	21.97	—	0.20	0.12	—	−0.12	−0.08	0.00	21.74	21.97	20.90	−0.84	−1.07
1968	15.04	14.92	—	0.28	0.30	—	−0.26	−0.02	−0.04	15.01	14.88	13.20	−1.81	−1.68
1969	6.85	7.04	—	0.11	0.00	—	1.08	−1.19	−1.08	5.67	5.96	5.81	0.14	−0.15
1970	8.33	8.75	—	0.32	0.18	—	0.33	−0.65	−0.52	7.68	8.24	10.90	3.22	2.66
1971	10.37	10.82	—	0.32	0.21	—	0.44	−0.76	−0.65	9.61	10.17	9.19	−0.42	−0.98
1972	4.79	5.10	—	0.33	0.22	—	0.76	−1.09	−0.98	3.70	4.12	4.08	0.38	−0.04
1973	9.41	10.74	—	0.64	0.15	—	0.12	−0.76	−0.27	8.64	10.47	12.00	3.36	1.53
1974	7.25	7.82	—	0.23	0.09	0.02	0.14	−0.39	−0.25	6.87	7.57	5.04	−1.83	−2.53
1975	10.77	11.15	—	0.28	0.19	0.01	0.66	−0.95	−0.86	9.82	10.29	12.60	2.78	2.31
1976	11.05	11.67	—	0.32	0.12	0.03	0.48	−0.83	−0.63	10.22	11.04	8.98	−1.24	−2.06
1977	9.93	11.57	—	0.84	0.27	0.08	0.76	−1.68	−1.10	8.25	10.47	9.49	1.24	−0.98

| 年份 | 三门峡+区 1-7 (1) | 三门峡+区 1-7@ (2) | 区 8(泺口—利津) | | | | | | | 三门峡+区 1-8 (10) | 三门峡+区 1-8@ (11) | 利津实测 (12) | 偏差 1 (引 1) (13) | 偏差 2 (引 2) (14) |
			分洪引 (3)	引出 1 (4)	引出 2 (5)	淤背引 (6)	断面法冲淤量 (7)	区 8 合 (8)	区 8 合 @ (9)					
1978	10.45	12.02	—	0.66	0.18	0.35	0.03	−1.03	−0.56	9.42	11.46	10.20	0.78	−1.26
1979	7.76	7.58	—	0.74	0.64	0.13	0.10	−0.96	−0.87	6.80	6.71	7.33	0.53	0.62
1980	4.47	4.56	—	0.38	0.24	0.23	0.41	−1.01	−0.88	3.46	3.68	3.08	−0.38	−0.60
1981	12.76	13.60	—	0.55	0.20	0.16	−0.45	−0.25	0.09	12.51	13.69	11.50	−1.01	−2.19
1982	4.41	5.00	—	0.48	0.24	0.11	−0.33	−0.26	−0.02	4.15	4.98	5.42	1.27	0.44
1983	10.70	11.17	—	0.40	0.19	0.14	−0.29	−0.25	−0.04	10.45	11.13	10.20	−0.25	−0.93
1984	10.20	10.66	—	0.48	0.15	0.13	−0.08	−0.53	−0.20	9.67	10.46	9.34	−0.33	−1.12
1985	9.10	9.40	—	0.37	0.14	0.07	−0.53	0.09	0.32	9.20	9.72	7.56	−1.64	−2.16
1986	−0.34	0.39	—	0.33	0.16	0.06	1.15	−1.53	−1.37	−1.87	−0.98	1.69	3.56	2.67
1987	1.08	1.37	—	0.20	0.09	0.05	0.16	−0.42	−0.31	0.66	1.06	0.96	0.30	−0.10
1988	6.72	8.48	—	1.09	0.19	0.04	−0.10	−1.02	−0.13	5.70	8.36	8.12	2.42	−0.24
1989	6.02	6.82	—	1.16	0.56	0.04	0.39	−1.59	−0.99	4.43	5.83	5.99	1.56	0.16
1990	5.84	6.28	—	0.48	0.24	0.05	0.24	−0.76	−0.53	5.08	5.75	4.69	−0.39	−1.06
1991	3.16	3.35	—	0.42	0.28	0.04	0.26	−0.72	−0.58	2.44	2.76	2.49	0.05	−0.27
1992	3.26	3.55	—	0.55	0.39	0.04	0.03	−0.62	−0.46	2.64	3.09	4.72	2.08	1.63
1993	6.15	6.38	—	0.35	0.27	0.06	0.45	−0.86	−0.78	5.29	5.59	4.21	−1.08	−1.38
1994	8.13	8.28	—	0.34	0.22	0.05	0.36	−0.75	−0.63	7.39	7.65	7.08	−0.31	−0.57
1995	6.14	6.30	—	0.27	0.17	0.04	0.09	−0.40	−0.30	5.75	6.00	5.69	−0.06	−0.31
1996	4.94	4.92	—	0.29	0.16	0.03	0.46	−0.78	−0.65	4.16	4.28	4.38	0.22	0.10
1997	1.51	1.51	—	0.24	0.24	0.03	0.43	−0.71	−0.71	0.80	0.80	0.16	−0.64	−0.64
1952 ~ 1960	116.75	118.32	—	2.01	1.70	0.00	0.98	−2.99	−2.67	113.77	115.64	111.84	−1.93	−3.80
1961 ~ 1964	55.58	56.04	—	0.13	0.04	0.00	−4.23	4.09	4.19	59.67	60.23	46.62	−13.05	−13.61
1965 ~ 1973	96.53	99.77	—	2.61	1.34	0.00	4.50	−7.11	−5.85	89.42	93.92	96.02	6.60	2.10
1974 ~ 1985	108.88	116.21	—	5.73	2.67	1.45	0.88	−8.06	−5.00	100.82	111.21	100.74	−0.08	−10.47
1986 ~ 1997	52.61	57.64	—	5.71	2.99	0.52	3.92	−10.15	−7.43	42.46	50.20	50.18	7.72	−0.02
合计	430.35	447.98		16.18	8.74	1.97	6.06	−24.21	−16.77	406.14	431.21	405.40	−0.74	−25.80

附录 2-7-1　小浪底—花园口沙量平衡法与断面法冲淤量对照　　　　(单位：亿 t)

| 年份 | 小浪底实测 (1) | 区 2(小浪底—花园口) | | | | 花园口实测 (6) | 沙平衡冲淤量 | | 断面法冲淤量 (9) | 综合误差 | |
		加入 (2)	引出 1 (3)	引出 2 (4)	淤背引 (5)		(引 1) (7)	(引 2) (8)		ΔE_1 (10)	ΔE_2 (11)
1952	7.93	0.16	—	—	—	8.15	−0.06	−0.06	0.48	0.54	0.54
1953	18.00	0.61	—	—	—	15.30	3.31	3.31	2.16	−1.15	−1.15
1954	25.10	0.92	—	—	—	24.20	1.82	1.82	1.33	−0.49	−0.49
1955	15.50	0.42	—	—	—	12.80	3.12	3.12	0.11	−3.01	−3.01
1956	17.20	0.68	—	—	—	15.50	2.38	2.38	1.48	−0.90	−0.90
1957	10.00	0.52	0.18	0.18	—	9.21	1.12	1.12	0.80	−0.33	−0.33
1958	29.80	1.25	0.89	0.89	—	28.50	1.66	1.66	1.08	−0.59	−0.59
1959	26.70	0.09	2.16	2.16	—	21.00	3.63	3.63	2.12	−1.51	−1.51
1960	7.27	0.14	1.19	1.00	—	5.94	0.28	0.47	0.24	−0.04	−0.23
1961	1.46	0.23	0.44	0.27	—	4.43	−3.18	−3.01	−4.37	−1.19	−1.37
1962	3.65	0.32	0.02	0.02	—	4.87	−0.92	−0.92	−1.54	−0.63	−0.63
1963	6.42	0.41	0.00	0.00	—	7.97	−1.14	−1.14	−1.62	−0.48	−0.48
1964	15.10	0.62	0.00	0.00	—	16.40	−0.68	−0.69	−2.42	−1.74	−1.73
1965	7.42	0.14	0.04	0.04	—	6.81	0.71	0.72	1.81	1.10	1.10
1966	20.00	0.25	0.28	0.26	—	19.10	0.87	0.89	−0.11	−0.98	−1.00
1967	22.70	0.17	0.11	0.12	—	20.50	2.26	2.26	−1.00	−3.26	−3.26
1968	15.70	0.16	0.07	0.02	—	15.10	0.69	0.74	−0.26	−0.95	−1.00
1969	13.40	0.14	0.23	0.15	—	10.20	3.11	3.19	2.70	−0.41	−0.49
1970	21.60	0.15	0.24	0.19	—	17.80	3.72	3.77	2.98	−0.74	−0.79
1971	15.50	0.21	0.32	0.16	—	13.00	2.39	2.56	1.98	−0.41	−0.57
1972	6.67	0.04	0.14	0.09	—	6.04	0.53	0.58	−0.48	−1.02	−1.06
1973	17.50	0.11	0.35	0.12	—	15.80	1.46	1.69	0.52	−0.93	−1.17
1974	6.64	0.06	0.18	0.07	0.00	6.31	0.20	0.31	−0.72	−0.92	−1.04
1975	14.80	0.15	0.23	0.12	0.00	15.20	−0.48	−0.37	−1.89	−1.41	−1.52
1976	10.90	0.16	0.17	0.11	0.00	9.81	1.08	1.14	−1.67	−2.74	−2.81
1977	20.20	0.09	0.18	0.11	0.01	17.50	2.61	2.68	−1.04	−3.65	−3.72
1978	14.60	0.11	0.36	0.21	0.02	12.40	1.94	2.09	0.21	−1.73	−1.88

年份	小浪底实测 (1)	区 2(小浪底—花园口)				花园口实测 (6)	沙平衡冲淤量		断面法冲淤量 (9)	综合误差	
		加入 (2)	引出 1 (3)	引出 2 (4)	淤背引 (5)		(引 1) (7)	(引 2) (8)		ΔE_1 (10)	ΔE_2 (11)
1979	10.80	0.09	0.24	0.15	0.03	9.75	0.87	0.96	1.70	0.83	0.75
1980	6.53	0.06	0.26	0.17	0.01	5.51	0.82	0.91	0.45	−0.37	−0.46
1981	13.30	0.04	0.34	0.27	0.02	12.80	0.18	0.25	−1.43	−1.60	−1.68
1982	5.93	0.44	0.12	0.09	0.01	6.26	−0.02	0.01	0.12	0.15	0.12
1983	8.98	0.17	0.08	0.07	0.01	8.82	0.23	0.24	−0.21	−0.45	−0.46
1984	9.24	0.16	0.10	0.11	0.01	8.73	0.56	0.55	−0.05	−0.61	−0.61
1985	8.63	0.10	0.09	0.08	0.01	7.94	0.69	0.69	−0.35	−1.04	−1.05
1986	3.54	0.01	0.67	0.10	0.01	3.34	−0.46	0.10	0.76	1.22	0.66
1987	2.80	0.06	0.15	0.11	0.01	2.48	0.22	0.26	0.17	−0.05	−0.09
1988	15.60	0.12	0.15	0.17	0.01	12.80	2.76	2.74	2.40	−0.37	−0.34
1989	8.20	0.04	0.16	0.11	0.01	8.77	−0.69	−0.64	−0.86	−0.17	−0.22
1990	7.28	0.02	0.16	0.06	0.01	6.61	0.52	0.62	−0.18	−0.70	−0.80
1991	4.89	0.00	0.15	0.13	0.01	4.56	0.17	0.20	0.26	0.09	0.07
1992	11.40	0.01	0.16	0.14	0.02	9.93	1.30	1.32	1.30	0.00	−0.02
1993	5.58	0.01	0.08	0.07	0.01	5.68	−0.18	−0.17	−0.37	−0.19	−0.20
1994	11.20	0.01	0.18	0.15	0.01	10.60	0.42	0.44	1.05	0.63	0.60
1995	8.12	0.01	0.21	0.18	0.01	7.47	0.44	0.47	0.52	0.08	0.05
1996	11.00	0.10	0.18	0.15	0.01	9.53	1.38	1.41	1.33	−0.05	−0.08
1997	3.96	0.00	0.17	0.17	0.01	3.72	0.06	0.06	−0.11	−0.17	−0.17
1952～1960	157.50	4.78	4.42	4.23	0.00	140.60	17.26	17.45	9.79	−7.47	−7.66
1961～1964	26.63	1.58	0.47	0.29	0.00	33.67	−5.93	−5.75	−9.95	−4.03	−4.20
1965～1973	140.49	1.38	1.78	1.13	0.00	124.35	15.73	16.39	8.14	−7.59	−8.25
1974～1985	130.55	1.62	2.35	1.56	0.12	121.03	8.67	9.46	−4.88	−13.55	−14.34
1986～1997	93.57	0.40	2.41	1.54	0.13	85.49	5.94	6.81	6.26	0.32	−0.55
合计	548.74	9.75	11.42	8.75	0.25	505.14	41.67	44.35	9.35	−32.32	−35.00

附录 2-7-2　花园口—夹河滩沙量平衡法与断面法冲淤量对照　　　(单位：亿 t)

| 年份 | 花园口实测(1) | 区 3(花园口—夹河滩) | | | | 夹河滩实测(6) | 沙平衡冲淤量 | | 断面法冲淤量(9) | 综合误差 | |
		加入(2)	引出 1(3)	引出 2(4)	淤背引(5)		(引 1)(7)	(引 2)(8)		ΔE_1(10)	ΔE_2(11)
1952	8.15	—	—	—	—	7.96	0.19	0.19	0.18	−0.01	−0.01
1953	15.30	—	—	—	—	12.40	2.90	2.90	1.57	−1.33	−1.33
1954	24.20	—	—	—	—	23.10	1.10	1.10	0.23	−0.88	−0.88
1955	12.80	—	—	—	—	13.60	−0.80	−0.80	0.31	1.11	1.11
1956	15.50	—	—	—	—	15.00	0.50	0.50	−0.20	−0.70	−0.70
1957	9.21	—	—	—	—	9.08	0.13	0.13	1.09	0.96	0.96
1958	28.50	—	0.23	0.23	—	28.30	−0.03	−0.03	0.90	0.93	0.93
1959	21.00	—	1.96	1.96	—	20.20	−1.16	−1.16	−0.44	0.72	0.72
1960	5.94	—	0.72	0.33	—	5.75	−0.53	−0.14	1.01	1.53	1.15
1961	4.43	—	0.17	0.10	—	6.19	−1.93	−1.86	−3.12	−1.18	−1.26
1962	4.87	—	0.00	0.00	—	5.50	−0.63	−0.63	−1.28	−0.65	−0.65
1963	7.97	—	0.00	0.00	—	7.96	0.01	0.01	−0.29	−0.30	−0.30
1964	16.40	—	0.00	0.00	—	17.00	−0.60	−0.60	−3.28	−2.68	−2.68
1965	6.81	—	0.00	0.00	—	5.90	0.91	0.91	2.46	1.55	1.55
1966	19.10	—	0.15	0.11	—	17.70	1.25	1.29	0.98	−0.27	−0.31
1967	20.50	—	0.16	0.13	—	21.90	−1.56	−1.53	0.21	1.77	1.74
1968	15.10	—	0.10	0.08	—	14.80	0.20	0.22	0.15	−0.05	−0.07
1969	10.20	—	0.26	0.24	—	8.51	1.43	1.45	2.37	0.94	0.92
1970	17.80	—	0.44	0.37	—	15.70	1.66	1.73	3.43	1.78	1.71
1971	13.00	—	0.31	0.21	—	12.10	0.59	0.69	0.97	0.38	0.28
1972	6.04	—	0.25	0.19	—	6.18	−0.39	−0.33	−0.17	0.22	0.16
1973	15.80	—	0.53	0.26	—	15.40	−0.13	0.14	1.54	1.67	1.40
1974	6.31	—	0.35	0.26	0.01	5.61	0.35	0.43	−0.59	−0.94	−1.02
1975	15.20	—	0.56	0.42	0.00	14.50	0.13	0.28	−0.61	−0.74	−0.88
1976	9.81	—	0.35	0.25	0.00	10.60	−1.14	−1.05	−1.28	−0.14	−0.23
1977	17.50	—	0.90	0.41	0.02	14.90	1.69	2.18	4.71	3.03	2.53
1978	12.40	—	0.70	0.44	0.05	11.60	0.04	0.31	−0.04	−0.09	−0.35
1979	9.75	—	0.44	0.37	0.07	9.72	−0.48	−0.42	0.18	0.67	0.60
1980	5.51	—	0.35	0.34	0.03	5.09	0.04	0.05	−0.48	−0.52	−0.53

年份	花园口实测 (1)	区 3(花园口—夹河滩)				夹河滩实测 (6)	沙平衡冲淤量		断面法冲淤量 (9)	综合误差	
		加入 (2)	引出 1 (3)	引出 2 (4)	淤背引 (5)		(引 1) (7)	(引 2) (8)		ΔE_1 (10)	ΔE_2 (11)
1981	12.80	—	0.42	0.33	0.04	12.60	−0.26	−0.17	−0.14	0.13	0.03
1982	6.26	—	0.14	0.07	0.03	6.16	−0.07	0.01	−0.29	−0.22	−0.29
1983	8.82	—	0.16	0.14	0.03	8.82	−0.18	−0.16	−1.59	−1.41	−1.43
1984	8.73	—	0.17	0.14	0.03	8.15	0.38	0.41	−0.25	−0.62	−0.66
1985	7.94	—	0.18	0.18	0.03	7.47	0.26	0.26	−0.43	−0.69	−0.69
1986	3.34	—	0.13	0.12	0.03	2.92	0.26	0.28	0.43	0.17	0.15
1987	2.48	—	0.15	0.09	0.02	1.95	0.36	0.42	0.40	0.05	−0.01
1988	12.80	—	0.41	0.27	0.02	10.80	1.57	1.70	1.86	0.30	0.16
1989	8.77	—	0.17	0.13	0.02	7.96	0.63	0.66	0.44	−0.19	−0.22
1990	6.61	—	0.20	0.10	0.02	5.96	0.44	0.53	0.34	−0.09	−0.18
1991	4.56	—	0.16	0.13	0.03	3.82	0.56	0.59	0.26	−0.29	−0.33
1992	9.93	—	0.20	0.13	0.05	7.95	1.73	1.80	3.88	2.15	2.08
1993	5.68	—	0.10	0.07	0.04	5.35	0.19	0.22	−1.07	−1.26	−1.29
1994	10.60	—	0.18	0.12	0.04	9.43	0.95	1.01	2.05	1.10	1.04
1995	7.47	—	0.21	0.14	0.04	6.91	0.31	0.38	0.17	−0.14	−0.21
1996	9.53	—	0.18	0.11	0.02	7.91	1.42	1.48	1.56	0.14	0.08
1997	3.72	—	0.17	0.17	0.04	2.78	0.73	0.73	0.05	−0.68	−0.68
1952~1960	140.60		2.90	2.52	0.00	135.39	2.31	2.69	4.66	2.35	1.96
1961~1964	33.67		0.18	0.10	0.00	36.65	−3.16	−3.08	−7.96	−4.81	−4.89
1965~1973	124.35		2.20	1.59	0.00	118.19	3.96	4.57	11.94	7.98	7.38
1974~1985	121.03		4.71	3.33	0.35	115.22	0.75	2.13	−0.79	−1.53	−2.92
1986~1997	85.49		2.24	1.58	0.38	73.74	9.13	9.79	10.38	1.25	0.59
合计	505.14		12.23	9.12	0.73	479.19	12.99	16.10	18.23	5.24	2.13

附录 2-7-3　夹河滩—高村沙量平衡法与断面法冲淤量对照　　　　（单位：亿 t）

年份	夹河滩实测(1)	区 4(夹河滩—高村)				高村实测(6)	沙平衡冲淤量		断面法冲淤量(9)	综合误差	
		加入(2)	引出 1(3)	引出 2(4)	淤背引(5)		(引 1)(7)	(引 2)(8)		ΔE_1(10)	ΔE_2(11)
1952	7.96	—	—	—	—	7.13	0.83	0.83	-0.19	-1.02	-1.02
1953	12.40	—	—	—	—	12.60	-0.20	-0.20	0.46	0.66	0.66
1954	23.10	—	0.01	0.01	—	20.00	3.09	3.09	-0.32	-3.41	-3.41
1955	13.60	—	0.01	0.01	—	13.20	0.40	0.40	1.13	0.74	0.74
1956	15.00	—	0.01	0.01	—	14.30	0.69	0.69	0.90	0.21	0.21
1957	9.08	—	0.00	0.00	—	9.24	-0.16	-0.16	1.52	1.69	1.69
1958	28.30	—	0.38	0.38	—	25.60	2.33	2.33	3.81	1.48	1.48
1959	20.20	—	1.26	1.26	—	17.50	1.44	1.44	1.40	-0.04	-0.04
1960	5.75	—	0.67	0.31	—	4.65	0.44	0.79	1.08	0.65	0.29
1961	6.19	—	0.04	0.02	—	7.72	-1.57	-1.55	-1.80	-0.23	-0.25
1962	5.50	—	0.00	0.00	—	6.66	-1.16	-1.16	-1.57	-0.41	-0.41
1963	7.96	—	0.00	0.00	—	8.32	-0.36	-0.36	-0.85	-0.49	-0.49
1964	17.00	—	0.00	0.00	—	17.50	-0.50	-0.50	-1.11	-0.61	-0.61
1965	5.90	—	0.00	0.00	—	5.48	0.42	0.42	0.82	0.40	0.40
1966	17.70	—	0.11	0.06	—	17.20	0.39	0.44	0.54	0.15	0.10
1967	21.90	—	0.07	0.05	—	21.40	0.43	0.45	0.14	-0.29	-0.31
1968	14.80	—	0.03	0.02	—	14.30	0.48	0.48	0.32	-0.16	-0.16
1969	8.51	—	0.05	0.06	—	7.34	1.12	1.11	0.29	-0.83	-0.82
1970	15.70	—	0.33	0.30	—	13.80	1.57	1.60	2.85	1.28	1.24
1971	12.10	—	0.12	0.17	—	11.20	0.78	0.73	0.29	-0.49	-0.44
1972	6.18	0.01	0.25	0.27	—	5.88	0.06	0.04	0.63	0.56	0.59
1973	15.40	0.02	0.36	0.27	—	13.30	1.75	1.85	2.71	0.96	0.86
1974	5.61	0.01	0.08	0.07	0.01	5.78	-0.24	-0.24	-0.35	-0.11	-0.11
1975	14.50	0.02	0.35	0.30	0.00	14.20	-0.04	0.01	1.75	1.79	1.74
1976	10.60	0.01	0.26	0.18	0.00	10.60	-0.26	-0.18	-0.23	0.02	-0.06
1977	14.90	0.01	0.54	0.29	0.01	12.90	1.46	1.71	2.75	1.29	1.04
1978	11.60	0.02	0.54	0.38	0.04	11.50	-0.45	-0.29	0.33	0.78	0.62

续表

年份	夹河滩实测 (1)	区4(夹河滩—高村)				高村实测 (6)	沙平衡冲淤量		断面法冲淤量 (9)	综合误差	
		加入 (2)	引出1 (3)	引出2 (4)	淤背引 (5)		(引1) (7)	(引2) (8)		ΔE_1 (10)	ΔE_2 (11)
1979	9.72	0.01	0.21	0.21	0.05	9.45	0.02	0.02	−0.37	−0.40	−0.39
1980	5.09	0.02	0.14	0.17	0.02	4.44	0.51	0.48	0.35	−0.15	−0.12
1981	12.60	0.02	0.31	0.31	0.03	12.00	0.27	0.28	−0.96	−1.24	−1.24
1982	6.16	0.01	0.17	0.08	0.02	6.31	−0.33	−0.24	−0.18	0.15	0.07
1983	8.82	0.00	0.18	0.15	0.02	9.46	−0.83	−0.80	0.10	0.94	0.90
1984	8.15	0.01	0.15	0.12	0.02	8.51	−0.53	−0.50	−0.87	−0.35	−0.37
1985	7.47	0.01	0.11	0.11	0.02	7.61	−0.26	−0.27	0.14	0.41	0.41
1986	2.92	0.01	0.07	0.07	0.02	2.88	−0.05	−0.04	0.28	0.33	0.32
1987	1.95	0.01	0.09	0.08	0.02	1.69	0.16	0.17	0.11	−0.05	−0.06
1988	10.80	0.02	0.42	0.27	0.02	10.10	0.29	0.43	1.26	0.97	0.83
1989	7.96	0.01	0.20	0.18	0.01	7.20	0.56	0.58	−0.23	−0.79	−0.82
1990	5.96	0.02	0.16	0.11	0.01	5.33	0.48	0.52	0.37	−0.11	−0.15
1991	3.82		0.13	0.12	0.02	3.29	0.38	0.39	−0.03	−0.41	−0.42
1992	7.95		0.15	0.16	0.04	6.58	1.19	1.17	0.86	−0.33	−0.31
1993	5.35		0.07	0.07	0.03	4.89	0.37	0.36	−0.02	−0.39	−0.39
1994	9.43		0.15	0.15	0.03	8.01	1.24	1.24	0.20	−1.04	−1.04
1995	6.91		0.18	0.20	0.03	5.85	0.85	0.83	−0.18	−1.03	−1.01
1996	7.91		0.14	0.16	0.02	5.30	2.45	2.43	1.95	−0.50	−0.48
1997	2.78		0.19	0.19	0.03	2.07	0.49	0.49	0.79	0.30	0.30
1952~1960	135.39		2.32	1.96	0.00	124.22	8.85	9.21	9.79	0.94	0.58
1961~1964	36.65		0.04	0.02	0.00	40.20	−3.59	−3.57	−5.34	−1.75	−1.77
1965~1973	118.19		1.31	1.19	0.00	109.90	7.01	7.13	8.58	1.57	1.45
1974~1985	115.22		3.04	2.38	0.24	112.76	−0.67	−0.02	2.46	3.14	2.48
1986~1997	73.74		1.95	1.78	0.26	63.19	8.40	8.58	5.35	−3.05	−3.22
合计	479.19		8.66	7.33	0.51	450.27	19.99	21.32	20.85	0.86	−0.47

附录 2-7-4　高村—孙口沙量平衡法与断面法冲淤量对照　　　　　（单位：亿 t）

| 年份 | 高村实测 (1) | 区 5(高村—孙口) | | | | 孙口实测 (6) | 沙平衡冲淤量 | | 断面法冲淤量 (9) | 综合误差 | |
		加入 (2)	引出 1 (3)	引出 2 (4)	淤背引 (5)		(引 1) (7)	(引 2) (8)		ΔE_1 (10)	ΔE_2 (11)
1952	7.13	—	—	—	—	7.87	−0.74	−0.74	−0.03	0.71	0.71
1953	12.60	—	—	—	—	12.20	0.40	0.40	2.72	2.32	2.32
1954	20.00	—	—	—	—	20.70	−0.70	−0.70	1.82	2.52	2.52
1955	13.20	—	—	—	—	13.60	−0.40	−0.40	0.24	0.64	0.64
1956	14.30	—	—	—	—	13.50	0.80	0.80	−0.10	−0.90	−0.90
1957	9.24	—	—	—	—	6.89	2.35	2.35	0.40	−1.95	−1.95
1958	25.60	—	0.02	0.02	—	22.10	3.48	3.48	0.64	−2.84	−2.84
1959	17.50	—	0.20	0.20	—	15.70	1.60	1.60	0.88	−0.72	−0.72
1960	4.65	—	0.31	0.06	—	4.42	−0.08	0.17	0.72	0.80	0.55
1961	7.72	—	0.09	0.03	—	7.83	−0.20	−0.14	0.58	0.78	0.72
1962	6.66	—	0.00	0.00	—	7.46	−0.80	−0.80	−0.85	−0.05	−0.05
1963	8.32	—	0.00	0.00	—	8.50	−0.18	−0.18	−1.02	−0.84	−0.84
1964	17.50	—	0.00	0.00	—	19.30	−1.80	−1.80	−1.44	0.36	0.36
1965	5.48	—	0.00	0.00	—	5.25	0.23	0.23	0.46	0.23	0.23
1966	17.20	—	0.41	0.14	—	16.10	0.69	0.96	0.79	0.10	−0.17
1967	21.40	—	0.12	0.07	—	19.90	1.38	1.43	0.73	−0.65	−0.70
1968	14.30	—	0.09	0.22	—	13.80	0.41	0.28	−0.09	−0.50	−0.37
1969	7.34	—	0.07	0.00	—	6.78	0.49	0.56	0.25	−0.24	−0.31
1970	13.80	—	0.29	0.16	—	13.10	0.41	0.54	1.47	1.06	0.93
1971	11.20	—	0.35	0.21	—	9.94	0.91	1.05	0.66	−0.25	−0.39
1972	5.88	—	0.31	0.22	—	5.44	0.13	0.22	0.64	0.51	0.42
1973	13.30	—	0.39	0.18	—	12.80	0.11	0.32	1.05	0.94	0.73
1974	5.78	—	0.20	0.09	0.01	5.31	0.26	0.37	−0.16	−0.42	−0.53
1975	14.20	—	0.21	0.20	0.01	12.20	1.78	1.79	2.03	0.25	0.24
1976	10.60	—	0.24	0.15	0.02	9.75	0.59	0.68	1.20	0.61	0.52
1977	12.90	—	0.51	0.29	0.06	11.30	1.03	1.25	0.74	−0.29	−0.51

年份	高村实测 (1)	区5(高村—孙口)				孙口实测 (6)	沙平衡冲淤量		断面法冲淤量 (9)	综合误差	
		加入 (2)	引出1 (3)	引出2 (4)	淤背引 (5)		(引1) (7)	(引2) (8)		ΔE_1 (10)	ΔE_2 (11)
1978	11.50	—	0.53	0.20	0.26	11.50	−0.80	−0.46	0.03	0.83	0.49
1979	9.45	—	0.35	0.54	0.10	9.08	−0.08	−0.26	0.17	0.25	0.43
1980	4.44	—	0.24	0.27	0.17	4.16	−0.13	−0.16	0.16	0.29	0.32
1981	12.00	—	0.51	0.32	0.12	11.60	−0.22	−0.03	1.34	1.56	1.37
1982	6.31	—	0.23	0.21	0.08	5.63	0.37	0.39	0.77	0.41	0.38
1983	9.46	—	0.27	0.17	0.11	9.80	−0.72	−0.62	−0.73	−0.01	−0.11
1984	8.51	—	0.23	0.12	0.10	8.66	−0.47	−0.36	0.05	0.52	0.41
1985	7.61	—	0.18	0.11	0.05	7.17	0.21	0.28	−0.31	−0.52	−0.59
1986	2.88	—	0.14	0.14	0.04	2.56	0.14	0.14	0.61	0.48	0.48
1987	1.69	—	0.14	0.11	0.04	1.52	−0.01	0.02	−0.02	0.00	−0.04
1988	10.10	—	0.60	0.19	0.03	9.21	0.26	0.67	0.60	0.33	−0.08
1989	7.20	—	0.35	0.20	0.03	7.65	−0.83	−0.68	0.21	1.04	0.89
1990	5.33	—	0.18	0.16	0.04	5.32	−0.21	−0.18	−0.46	−0.25	−0.28
1991	3.29	—	0.14	0.12	0.03	3.35	−0.23	−0.21	0.06	0.30	0.27
1992	6.58	—	0.18	0.14	0.03	6.39	−0.02	0.02	0.09	0.12	0.08
1993	4.89	—	0.10	0.10	0.05	5.15	−0.41	−0.41	0.40	0.81	0.81
1994	8.01	—	0.09	0.04	0.03	8.01	−0.12	−0.07	−0.11	0.01	−0.04
1995	5.85	—	0.12	0.06	0.03	6.66	−0.96	−0.90	0.45	1.41	1.35
1996	5.30	—	0.13	0.09	0.02	5.00	0.15	0.19	1.33	1.18	1.14
1997	2.07	—	0.17	0.17	0.03	1.49	0.38	0.38	0.54	0.16	0.16
1952 ~ 1960	124.22		0.53	0.28	0.00	116.98	6.71	6.96	7.29	0.59	0.34
1961 ~ 1964	40.20		0.09	0.03	0.00	43.09	−2.98	−2.92	−2.73	0.25	0.19
1965 ~ 1973	109.90		2.04	1.21	0.00	103.11	4.75	5.58	5.96	1.21	0.38
1974 ~ 1985	112.76		3.69	2.65	1.09	106.16	1.82	2.85	5.30	3.48	2.44
1986 ~ 1997	63.19		2.35	1.51	0.40	62.31	−1.86	−1.02	3.71	5.57	4.73
合计	450.27		8.71	5.68	1.49	431.65	8.42	11.45	19.53	11.10	8.08

附录 2-7-5　孙口—艾山沙量平衡法与断面法冲淤量对照　　　　　　　　（单位：亿 t）

| 年份 | 孙口实测(1) | 区 6(孙口—艾山) | | | | 艾山实测(6) | 沙平衡冲淤量 | | 断面法冲淤量(9) | 综合误差 | |
		加入(2)	引出 1(3)	引出 2(4)	淤背引(5)		(引 1)(7)	(引 2)(8)		ΔE_1(10)	ΔE_2(11)
1952	7.87	—	—	—	—	7.96	−0.09	−0.09	0.09	0.18	0.18
1953	12.20	—	—	—	—	12.40	−0.20	−0.20	0.38	0.58	0.58
1954	20.70	0.26	—	—	—	19.10	1.34	1.34	0.38	−0.97	−0.97
1955	13.60	—	—	—	—	13.90	−0.30	−0.30	−0.05	0.25	0.25
1956	13.50	—	—	—	—	14.00	−0.50	−0.50	−0.03	0.47	0.47
1957	6.89	0.51	0.00	0.00	—	6.67	−0.29	−0.29	0.02	0.31	0.31
1958	22.10	1.61	0.00	0.00	—	21.10	−0.61	−0.61	0.34	0.96	0.96
1959	15.70	—	0.56	0.56	—	14.70	0.44	0.44	0.21	−0.23	−0.23
1960	4.42	0.86	0.47	0.09	—	2.94	0.15	0.53	0.39	0.24	−0.14
1961	7.83	—	0.18	0.06	—	8.17	−0.52	−0.40	−0.38	0.14	0.02
1962	7.46	—	0.00	0.00	—	7.40	0.06	0.06	0.08	0.02	0.02
1963	8.50	—	0.00	0.00	—	8.72	−0.22	−0.22	−0.34	−0.12	−0.12
1964	19.30	—	0.00	0.00	—	19.30	0.00	0.00	−0.12	−0.12	−0.12
1965	5.25	—	0.00	0.00	—	5.32	−0.07	−0.07	0.01	0.08	0.08
1966	16.10	—	0.10	0.04	—	16.60	−0.60	−0.54	−0.03	0.57	0.51
1967	19.90	—	0.09	0.06	—	21.60	−1.79	−1.76	0.24	2.03	2.00
1968	13.80	—	0.06	0.12	—	14.60	−0.86	−0.92	0.22	1.08	1.14
1969	6.78	—	0.01	0.00	—	6.57	0.20	0.21	0.17	−0.03	−0.04
1970	13.10	—	0.17	0.08	—	12.50	0.43	0.52	0.41	−0.01	−0.11
1971	9.94	—	0.15	0.09	—	10.00	−0.21	−0.15	0.13	0.34	0.28
1972	5.44	—	0.19	0.14	—	5.18	0.07	0.12	0.17	0.10	0.05
1973	12.80	—	0.26	0.12	—	12.30	0.24	0.38	0.06	−0.19	−0.32
1974	5.31	—	0.17	0.08	0.01	5.37	−0.24	−0.15	−0.10	0.14	0.05
1975	12.20	—	0.11	0.12	0.00	12.90	−0.82	−0.82	0.26	1.08	1.08
1976	9.75	—	0.19	0.06	0.01	9.65	−0.10	0.03	0.11	0.21	0.08
1977	11.30	—	0.36	0.21	0.03	10.70	0.21	0.37	0.25	0.04	−0.12
1978	11.50	—	0.47	0.17	0.11	10.60	0.32	0.62	0.02	−0.30	−0.60

年份	孙口实测 (1)	区6(孙口—艾山)				艾山实测 (6)	沙平衡冲淤量		断面法冲淤量 (9)	综合误差	
		加入 (2)	引出1 (3)	引出2 (4)	淤背引 (5)		(引1) (7)	(引2) (8)		ΔE_1 (10)	ΔE_2 (11)
1979	9.08	—	0.27	0.41	0.04	8.17	0.60	0.46	0.03	−0.57	−0.42
1980	4.16	—	0.15	0.17	0.07	3.95	−0.01	−0.03	0.21	0.22	0.24
1981	11.60	—	0.28	0.15	0.05	12.00	−0.72	−0.60	0.03	0.75	0.63
1982	5.63	0.05	0.40	0.17	0.03	5.76	−0.62	−0.39	−0.03	0.59	0.36
1983	9.80	—	0.29	0.16	0.04	10.30	−0.83	−0.71	−0.09	0.74	0.62
1984	8.66	—	0.22	0.10	0.04	9.56	−1.16	−1.04	0.04	1.20	1.08
1985	7.17	—	0.17	0.10	0.02	8.15	−1.17	−1.10	−0.04	1.13	1.06
1986	2.56	—	0.15	0.15	0.02	2.63	−0.23	−0.23	0.19	0.42	0.42
1987	1.52	—	0.12	0.09	0.02	1.47	−0.08	−0.05	0.10	0.18	0.15
1988	9.21	—	0.55	0.18	0.01	9.50	−0.86	−0.48	−0.04	0.81	0.44
1989	7.65	—	0.43	0.24	0.01	7.50	−0.29	−0.10	0.12	0.41	0.22
1990	5.32	—	0.21	0.17	0.02	5.32	−0.22	−0.18	0.01	0.23	0.20
1991	3.35	—	0.09	0.07	0.01	3.45	−0.20	−0.18	0.10	0.30	0.28
1992	6.39	—	0.30	0.24	0.01	6.56	−0.49	−0.43	0.23	0.72	0.66
1993	5.15	—	0.20	0.14	0.02	5.37	−0.44	−0.38	−0.06	0.38	0.32
1994	8.01	—	0.06	0.08	0.01	8.67	−0.73	−0.75	0.05	0.78	0.80
1995	6.66	—	0.09	0.11	0.01	6.64	−0.08	−0.10	0.11	0.19	0.20
1996	5.00	—	0.05	0.16	0.01	4.98	−0.04	−0.15	−0.10	−0.06	0.05
1997	1.49	—	0.12	0.12	0.01	1.09	0.27	0.27	0.17	−0.10	−0.10
1952~1960	116.98		1.04	0.66	0.00	112.77	−0.07	0.32	1.72	1.79	1.41
1961~1964	43.09		0.18	0.06	0.00	43.59	−0.68	−0.56	−0.76	−0.08	−0.20
1965~1973	103.11		1.03	0.64	0.00	104.67	−2.59	−2.20	1.38	3.97	3.58
1974~1985	106.16		3.08	1.89	0.46	107.11	−4.54	−3.35	0.70	5.24	4.05
1986~1997	62.31		2.35	1.73	0.17	63.18	−3.39	−2.76	0.87	4.26	3.63
合计	431.65		7.68	4.98	0.62	431.32	−11.26	−8.56	3.91	15.17	12.47

附录 2-7-6　艾山—泺口沙量平衡法与断面法冲淤量对照　　　　　　（单位：亿 t）

年份	艾山实测 (1)	区 7(艾山—泺口)				泺口实测 (6)	沙平衡冲淤量		断面法冲淤量 (9)	综合误差	
		加入 (2)	引出 1 (3)	引出 2 (4)	淤背引 (5)		(引 1) (7)	(引 2) (8)		ΔE_1 (10)	ΔE_2 (11)
1952	7.96	—	—	—	—	6.93	1.03	1.03	−0.16	−1.19	−1.19
1953	12.40	—	—	—	—	11.80	0.60	0.60	0.01	−0.59	−0.59
1954	19.10	—	—	—	—	18.80	0.30	0.30	0.09	−0.21	−0.21
1955	13.90	—	—	—	—	13.70	0.20	0.20	−0.23	−0.43	−0.43
1956	14.00	—	—	—	—	11.70	2.30	2.30	0.15	−2.15	−2.15
1957	6.67	—	—	—	—	5.93	0.74	0.74	−0.37	−1.11	−1.11
1958	21.10	—	0.03	0.03	—	21.50	−0.43	−0.43	−0.15	0.27	0.27
1959	14.70	—	0.03	0.03	—	14.70	−0.03	−0.03	0.19	0.22	0.22
1960	2.94	—	0.00	0.00	—	2.82	0.12	0.12	0.23	0.11	0.11
1961	8.17	—	0.00	0.00	—	8.06	0.11	0.11	−0.55	−0.66	−0.66
1962	7.40	—	0.00	0.00	—	7.20	0.20	0.20	−0.43	−0.63	−0.63
1963	8.72	—	0.00	0.00	—	9.13	−0.41	−0.41	−0.79	−0.38	−0.38
1964	19.30	—	0.00	0.00	—	18.80	0.50	0.50	0.16	−0.34	−0.34
1965	5.32	—	0.00	0.00	—	5.03	0.29	0.29	0.65	0.36	0.36
1966	16.60	—	0.07	0.03	—	16.30	0.23	0.27	0.09	−0.14	−0.18
1967	21.60	—	0.03	0.02	—	21.30	0.27	0.28	−0.03	−0.30	−0.31
1968	14.60	—	0.06	0.06	—	14.20	0.34	0.34	0.05	−0.29	−0.29
1969	6.57	—	0.02	0.00	—	6.20	0.35	0.37	0.54	0.19	0.17
1970	12.50	—	0.09	0.05	—	11.70	0.71	0.75	0.26	−0.46	−0.50
1971	10.00	—	0.08	0.05	—	9.52	0.40	0.43	0.31	−0.09	−0.12
1972	5.18	—	0.22	0.13	—	4.47	0.50	0.58	0.32	−0.17	−0.26
1973	12.30	—	0.54	0.15	—	11.50	0.26	0.65	0.21	−0.05	−0.45
1974	5.37	—	0.30	0.13	0.01	5.02	0.04	0.21	0.00	−0.04	−0.21
1975	12.90	—	0.29	0.21	0.00	12.60	0.01	0.09	−0.10	−0.11	−0.19
1976	9.65	—	0.27	0.11	0.01	9.22	0.15	0.31	0.40	0.25	0.09
1977	10.70	—	0.69	0.24	0.03	10.30	−0.32	0.13	0.33	0.64	0.20

年份	艾山实测 (1)	区7(艾山—泺口)				泺口实测 (6)	沙平衡冲淤量		断面法冲淤量 (9)	综合误差	
		加入 (2)	引出1 (3)	引出2 (4)	淤背引 (5)		(引1) (7)	(引2) (8)		ΔE_1 (10)	ΔE_2 (11)
1978	10.60	—	0.51	0.16	0.13	10.50	−0.54	−0.19	0.08	0.62	0.27
1979	8.17	—	0.39	0.39	0.05	8.48	−0.74	−0.74	0.05	0.80	0.80
1980	3.95	—	0.26	0.19	0.08	3.71	−0.10	−0.03	0.22	0.32	0.25
1981	12.00	—	0.62	0.26	0.06	11.00	0.33	0.68	−0.11	−0.44	−0.79
1982	5.76	—	0.36	0.21	0.04	5.15	0.21	0.36	−0.07	−0.28	−0.43
1983	10.30	—	0.40	0.22	0.05	9.52	0.33	0.51	−0.23	−0.56	−0.74
1984	9.56	—	0.28	0.10	0.05	8.85	0.38	0.56	0.02	−0.36	−0.54
1985	8.15	—	0.26	0.11	0.03	7.29	0.57	0.72	−0.27	−0.84	−0.99
1986	2.63	—	0.30	0.15	0.02	2.03	0.28	0.43	0.52	0.24	0.09
1987	1.47	—	0.22	0.11	0.02	1.16	0.07	0.18	0.13	0.07	−0.05
1988	9.50	—	0.90	0.18	0.01	8.61	−0.03	0.70	−0.22	−0.19	−0.92
1989	7.50	—	0.75	0.40	0.01	6.56	0.18	0.52	0.33	0.16	−0.19
1990	5.32	—	0.30	0.17	0.02	4.88	0.12	0.25	0.16	0.05	−0.09
1991	3.45	—	0.29	0.21	0.02	2.95	0.20	0.27	0.17	−0.03	−0.11
1992	6.56	—	0.40	0.28	0.02	5.28	0.86	0.99	0.10	−0.77	−0.89
1993	5.37	—	0.35	0.22	0.02	4.42	0.57	0.71	0.16	−0.41	−0.55
1994	8.67	—	0.20	0.15	0.02	6.83	1.63	1.67	0.12	−1.51	−1.55
1995	6.64	—	0.15	0.12	0.01	5.84	0.64	0.67	0.14	−0.50	−0.53
1996	4.98	—	0.09	0.10	0.01	4.01	0.87	0.86	−0.29	−1.16	−1.15
1997	1.09	—	0.22	0.22	0.01	0.52	0.34	0.34	0.35	0.01	0.01
1952~1960	112.77		0.06	0.06	0.00	107.88	4.83	4.83	−0.23	−5.06	−5.06
1961~1964	43.59		0.00	0.00	0.00	43.19	0.40	0.40	−1.61	−2.01	−2.01
1965~1973	104.67		1.12	0.49	0.00	100.22	3.33	3.96	2.38	−0.95	−1.58
1974~1985	107.11		4.62	2.34	0.53	101.64	0.32	2.60	0.32	−0.01	−2.29
1986~1997	63.18		4.16	2.30	0.19	53.09	5.74	7.59	1.68	−4.05	−5.91
合计	431.32		9.96	5.19	0.72	406.02	14.62	19.39	2.54	−12.08	−16.85

附录 2-7-7 泺口—利津沙量平衡法与断面法冲淤量对照 (单位：亿 t)

年份	泺口实测(1)	区 8(泺口—利津)				利津实测(6)	沙平衡冲淤量		断面法冲淤量(9)	综合误差	
		加入(2)	引出 1(3)	引出 2(4)	淤背引(5)		(引 1)(7)	(引 2)(8)		ΔE_1(10)	ΔE_2(11)
1952	6.93	—	—	—	—	7.79	−0.86	−0.86	0.26	1.12	1.12
1953	11.80	—	—	—	—	11.70	0.10	0.10	0.21	0.11	0.11
1954	18.80	—	—	—	—	19.80	−1.00	−1.00	−0.31	0.69	0.69
1955	13.70	—	0.38	0.38	—	14.40	−1.08	−1.08	−0.43	0.65	0.65
1956	11.70	—	0.00	0.00	—	14.00	−2.30	−2.30	−0.06	2.24	2.24
1957	5.93	—	0.05	0.05	—	6.43	−0.55	−0.55	−0.28	0.27	0.27
1958	21.50	—	0.49	0.49	—	21.00	0.01	0.01	0.17	0.16	0.16
1959	14.70	—	0.69	0.69	—	14.30	−0.29	−0.29	0.75	1.04	1.04
1960	2.82	—	0.39	0.08	—	2.42	0.01	0.32	0.66	0.66	0.34
1961	8.06	—	0.13	0.04	—	8.99	−1.06	−0.97	0.05	1.11	1.02
1962	7.20	—	0.00	0.00	—	7.73	−0.53	−0.53	−1.48	−0.95	−0.95
1963	9.13	—	0.00	0.00	—	9.60	−0.47	−0.47	−0.84	−0.37	−0.37
1964	18.80	—	0.00	0.00	—	20.30	−1.50	−1.50	−1.95	−0.45	−0.45
1965	5.03	—	0.00	0.00	—	4.34	0.69	0.69	1.82	1.13	1.13
1966	16.30	—	0.41	0.16	—	15.60	0.29	0.54	0.33	0.04	−0.21
1967	21.30	—	0.20	0.12	—	20.90	0.20	0.28	−0.12	−0.32	−0.40
1968	14.20	—	0.28	0.30	—	13.20	0.72	0.70	−0.26	−0.98	−0.96
1969	6.20	—	0.11	0.00	—	5.81	0.29	0.39	1.08	0.80	0.69
1970	11.70	—	0.32	0.18	—	10.90	0.48	0.62	0.33	−0.15	−0.28
1971	9.52	—	0.32	0.21	—	9.19	0.01	0.12	0.44	0.43	0.32
1972	4.47	—	0.33	0.22	—	4.08	0.06	0.17	0.76	0.70	0.59
1973	11.50	—	0.64	0.15	—	12.00	−1.14	−0.65	0.12	1.26	0.77
1974	5.02	—	0.23	0.09	0.02	5.04	−0.27	−0.13	0.14	0.41	0.27
1975	12.60	—	0.28	0.19	0.01	12.60	−0.29	−0.20	0.66	0.95	0.86
1976	9.22	—	0.32	0.12	0.03	8.98	−0.11	0.09	0.48	0.59	0.39
1977	10.30	—	0.84	0.27	0.08	9.49	−0.11	0.47	0.76	0.87	0.29
1978	10.50	—	0.66	0.18	0.35	10.20	−0.71	−0.23	0.03	0.73	0.26

年份	泺口实测 (1)	区 8(泺口—利津)				利津实测 (6)	沙平衡冲淤量		断面法冲淤量 (9)	综合误差	
		加入 (2)	引出 1 (3)	引出 2 (4)	淤背引 (5)		(引 1) (7)	(引 2) (8)		ΔE_1 (10)	ΔE_2 (11)
1979	8.48	—	0.74	0.64	0.13	7.33	0.28	0.38	0.10	−0.19	−0.28
1980	3.71	—	0.38	0.24	0.23	3.08	0.03	0.16	0.41	0.38	0.25
1981	11.00	—	0.55	0.20	0.16	11.50	−1.20	−0.86	−0.45	0.75	0.41
1982	5.15	—	0.48	0.24	0.11	5.42	−0.86	−0.62	−0.33	0.53	0.29
1983	9.52	—	0.40	0.19	0.14	10.20	−1.22	−1.01	−0.29	0.93	0.72
1984	8.85	—	0.48	0.15	0.13	9.34	−1.10	−0.77	−0.08	1.02	0.69
1985	7.29	—	0.37	0.14	0.07	7.56	−0.71	−0.48	−0.53	0.18	−0.05
1986	2.03	—	0.33	0.16	0.06	1.69	−0.04	0.12	1.15	1.19	1.03
1987	1.16	—	0.20	0.09	0.05	0.96	−0.06	0.05	0.16	0.22	0.11
1988	8.61	—	1.09	0.19	0.04	8.12	−0.64	0.26	−0.10	0.53	−0.36
1989	6.56	—	1.16	0.56	0.04	5.99	−0.63	−0.03	0.39	1.02	0.42
1990	4.88	—	0.48	0.24	0.05	4.69	−0.33	−0.10	0.24	0.57	0.34
1991	2.95	—	0.42	0.28	0.04	2.49	0.00	0.14	0.26	0.26	0.12
1992	5.28	—	0.55	0.39	0.04	4.72	−0.03	0.13	0.03	0.06	−0.10
1993	4.42	—	0.35	0.27	0.06	4.21	−0.20	−0.12	0.45	0.65	0.57
1994	6.83	—	0.34	0.22	0.05	7.08	−0.64	−0.52	0.36	1.00	0.88
1995	5.84	—	0.27	0.17	0.04	5.69	−0.16	−0.06	0.09	0.25	0.15
1996	4.01	—	0.29	0.16	0.03	4.38	−0.68	−0.56	0.46	1.15	1.02
1997	0.52	—	0.24	0.24	0.03	0.16	0.08	0.08	0.43	0.35	0.35
1952 ~ 1960	107.88		2.01	1.70	0.00	111.84	−5.97	−5.66	0.98	6.95	6.63
1961 ~ 1964	43.19		0.13	0.04	0.00	46.62	−3.56	−3.47	−4.23	−0.66	−0.76
1965 ~ 1973	100.22		2.61	1.34	0.00	96.02	1.59	2.86	4.50	2.91	1.65
1974 ~ 1985	101.64		5.73	2.67	1.45	100.74	−6.28	−3.21	0.88	7.16	4.10
1986 ~ 1997	53.09		5.71	2.99	0.52	50.18	−3.33	−0.61	3.92	7.24	4.53
合计	406.02		16.18	8.74	1.97	405.40	−17.54	−10.09	6.06	23.60	16.15

附录3 河道断面分析系统及其应用●

1 研究意义

河道冲淤数量和分布,是河道治理、开发利用和防洪等决策的主要依据。为了分析河道的冲淤演变并准确地计算河道的冲淤数量及其分布,需要研制一套河道断面分析系统,建立断面资料数据库,对历年实测大断面资料进行校核、补充、完善、并插补,为全断面资料以及分析各断面历年变化特点,划分出历年各断面主槽、滩地的横向特征值,用于计算不同时段、区段主槽、滩地横向冲淤分布。由于实测大断面资料处理、数据分析量巨大、计算方法复杂、计算量大,完全靠人工来完成分析计算任务是相当困难的。

利用计算机对各类数据进行存储、查询、校核、统计计算和制表,提高数据检索和分析计算的效率和准确性,有效存储河道冲淤量的计算结果,是分析和研究河床演变、河道冲淤变化的重要手段之一,因此研制开发河道断面分析系统是非常必要的,而且对河道断面测验成果的整理、计算具有良好的应用价值。

2 RGTOOLS 系统分析

2.1 环境分析

河道断面分析系统的开发均立足于微型计算机,鉴于中文 Windows95 操作系统在内存管理、多任务同时运行及对常规 640K 内存限制的突破等方面,都较 DOS 操作系统有着较大的优越性;同时许多应用软件都相继开发出 Windows 版本,因此本系统开发选用中文 Windows 为开发环境,采用 Visual Foxpro6.0、Visual Basic6.0、Visual C 6.0 等主要编程语言。

2.2 数据分析

河道断面分析系统管理对象是河道实测大断面资料有关的数据,涉及测验断面位置、测验次数、断面特征值、断面成果表等原始数据和分析数据,具有涉及面广、结构不同、类型复杂、数据量大、相互之间关系复杂等特征。从整体上可划分为以下四大部分:

(1)原始数据。原始测验资料及内容不同的特征数据的数据库结构见附表 3-1、附表 3-2、附表 3-3、附表 3-4。

附表 3-1 测验断面位置一览数据表结构

编号	字段名字	字段类型	字段意义及说明
1	测站代码	C(8)	测站惟一标识符,数字字母组成
2	测站名字	C(18)	测验断面地名
3	测站拼音名	C(10)	测验断面英文或拼音名
4	断面编号	C(8)	断面名序号
5	建站日期	D(8)	断面布设日期

● 梁国亭. 河道断面分析系统及其应用. 黄河水利科学研究院, 2000

续表

编号	字段名字	字段类型	字段意义及说明
6	河道长度	N(8)	距固定点的距离
7	深槽长度	N(8)	距固定点的距离
8	主槽长度	N(8)	距固定点的距离
9	滩地长度	N(8)	距固定点的距离
10	标准高程	N(8,2)	标准(主槽)面积的标准高程
11	左起点距	N(7)	断面左端点起点距
12	右起点距	N(7)	断面右端点起点距
13	左端点 X 坐标	N(9)	北京坐标系
14	左端点 Y 坐标	N(9)	北京坐标系
15	左端点特征	C(12)	断面桩点说明
16	右端点 X 坐标	N(9)	北京坐标系
17	右端点 Y 坐标	N(9)	北京坐标系
18	右端点特征	C(12)	断面桩点说明
19	测站备注	C(16)	断面主要特征说明
20	河流名字	C(12)	河流名字(惟一)

注：末端端点——表示该断面作为点考虑，河底高程采用标准高程；
　　借用下断面——表示该断面所有资料借用它下游相邻断面数据；
　　借用上断面——表示该断面所有资料借用它上游相邻断面数据。

附表 3-2　测验断面资料特征数据表结构

编号	字段名字	字段类型	字段意义及说明
1	测站代码	C(8)	测站惟一标识符,数字字母组成
2	测验日期	D(8)	测验断面数据的日期
3	测验编号	N(6)	测验测次编号(YYYYMM)
4	左水面位置	N(8)	第 1 流股左水面点起点距
5	左水面水位	N(8,2)	第 1 流股左水面点高程
6	右水面位置	N(8)	第 1 流股右水面点起点距
7	右水面水位	N(8,2)	第 1 流股右水面点高程
8	左水面位置 1	N(8)	第 2 流股左水面点起点距
9	左水面水位 1	N(8,2)	第 2 流股左水面点高程
10	右水面位置 1	N(8)	第 2 流股右水面点起点距
11	右水面水位 1	N(8,2)	第 2 流股右水面点高程
12	左水面位置 2	N(8)	第 3 流股左水面点起点距
13	左水面水位 2	N(8,2)	第 3 流股左水面点高程
14	右水面位置 2	N(8)	第 3 流股右水面点起点距
15	右水面水位 2	N(8,2)	第 3 流股右水面点高程
16	左水面位置 3	N(8)	第 4 流股左水面点起点距
17	左水面水位 3	N(8,2)	第 4 流股左水面点高程.
18	右水面位置 3	N(8)	第 4 流股右水面点起点距
19	右水面水位 3	N(8,2)	第 4 流股右水面点高程
20	左水面位置 4	N(8)	第 5 流股左水面点起点距
21	左水面水位 4	N(8,2)	第 5 流股左水面点高程

编号	字段名字	字段类型	字段意义及说明
22	右水面位置 4	N(8)	第 5 流股右水面点起点距
23	右水面水位 4	N(8,2)	第 5 流股右水面点高程
24	左大堤位置	N(8)	
25	左大堤高程	N(8,1)	
26	右大堤位置	N(8)	
27	右大堤高程	N(8,1)	
28	左高滩位置	N(8)	
29	左高滩高程	N(8,1)	
30	右高滩位置	N(8)	
31	右高滩高程	N(8,1)	
32	左生产堤位置	N(8)	
33	左生产堤高程	N(8,1)	
34	右生产堤位置	N(8)	
35	右生产堤高程	N(8,1)	
36	左滩地位置	N(8)	
37	左滩地高程	N(8,1)	
38	右滩地位置	N(8)	
39	右滩地高程	N(8,1)	
40	左深槽位置	N(8)	第 1 深槽左起点距
41	左深槽高程	N(8,1)	第 1 深槽左高程
42	右深槽位置	N(8)	第 1 深槽右起点距
43	右深槽高程	N(8,1)	第 1 深槽右高程
44	左深槽位置 1	N(8)	第 2 深槽左起点距
45	左深槽高程 1	N(8,1)	第 2 深槽左高程
46	右深槽位置 1	N(8)	第 2 深槽右起点距
47	右深槽高程 1	N(8,1)	第 2 深槽右高程
48	左深槽位置 2	N(8)	第 3 深槽左起点距
49	左深槽高程 2	N(8,1)	第 3 深槽左高程
50	右深槽位置 2	N(8)	第 3 深槽右起点距
51	右深槽高程 2	N(8,1)	第 3 深槽右高程
52	左深槽位置 3	N(8)	第 4 深槽左起点距
53	左深槽高程 3	N(8,1)	第 4 深槽左高程
54	右深槽位置 3	N(8)	第 4 深槽右起点距
55	右深槽高程 3	N(8,1)	第 4 深槽右高程
56	左深槽位置 4	N(8)	第 5 深槽左起点距
57	左深槽高程 4	N(8,1)	第 5 深槽左高程
58	右深槽位置 4	N(8)	第 5 深槽右起点距
59	右深槽高程 4	N(8,1)	第 5 深槽右高程
60	深泓点位置	N(8)	系统自动查找
61	深泓点高程	N(8,1)	系统自动查找
62	测验备注	C(20)	测深工具说明
63	代码日期	C(18)	软件自动产生,用于索引

附表 3-3　实测断面资料数据表结构

编号	字段名字	字段类型	字段意义及说明
1	测站代码	C(8)	测站惟一标识符,数字字母组成
2	测验日期	D(8)	测验断面数据的日期
3	起点距1	N(8)	
4	高程1	N(8,2)	
5	起点距2	N(8)	
6	高程2	N(8,2)	
7	起点距3	N(8)	
8	高程3	N(8,2)	
9	起点距4	N(8)	
10	高程4	N(8,2)	
11	起点距5	N(8)	
12	高程5	N(8,2)	
13	代码日期	C(18)	软件自动产生,用于索引

附表 3-4　测验断面在各级高程下河道长度数据表结构

编号	字段名字	字段类型	字段意义及说明
1	河流名字	C(12)	河流名字
2	测站代码	C(8)	断面惟一标识符,字母组成
3	测量日期	D(8)	测量断面间距日期
4	测量高程	N(10,3)	某一级高程
5	测量长度	N(12,3)	该级高程的河道长度
6	测量位置	C(12)	主槽或滩地或全断面
7	测量备注	C(40)	测验时说明

(2)特征数据。用户通过分析测验断面特征得到的一些数据,如深槽、深泓点、主槽及滩地的边界位置及其高程,列为实测大断面资料主要特征表。根据黄河下游河道特点划分的主要特征参见附图 3-1。

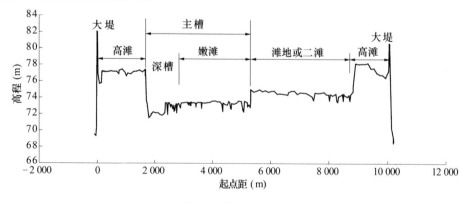

附图 3-1　典型断面划分主要特征位置示意图

(3)分析计算数据。用 Office97 中 Excel 作为输出界面，存放或编辑计算的断面面积、宽度、冲淤面积、河道不同时段、区段的冲淤量及不同高程下河道库容等数据，或者原始实测断面套绘图。

原始数据、分析数据的加载方式有两种，一是采用系统定义的数据库格式进行装载；二是将有关数据应用 Office97 中 Excel 软件录入，再通过本系统转换为系统格式文件装载。

2.3 数据之间的关系分析

附表 3-1～附表 3-4 为一个完整数据库资料，各个测验断面位置、历年实测大断面资料、断面特征值要素表、断面在各级高程下河道长度均包含在 CROSS_SECTION.DBC 文件内，其中附表 3-1 用于存放测验断面位置及其主要特性的表文件，只有建立了该表文件后，才能建立实测大断面资料的主要要素成果附表 3-2、实测大断面原始数据附表 3-3、断面在各级高程下河道长度数据附表 3-4，附表 3-1 数据表为附表 3-2、附表 3-3 及附表 4 的主控文件。

2.4 功能分析

根据大断面分析和计算的要求，RGTOOLS 系统功能主要包括以下几个方面：

(1)套绘实测大断面图，并且用 Excel 等 Windows 应用软件，将套绘断面图直接输出到打印机或绘图仪。

(2)同一断面不同测次的断面套绘图显示在屏幕上，用户可以任意定义一个或多个子断面(用鼠标移动或人工输入)左右边界位置坐标，并存储到数据库内。

(3)计算不同高程下主槽、深槽、滩地及全断面或用户定义的子断面的面积、宽度、水深、湿周和河床平均高程，以及相邻测次之间的冲淤面积。

(4)快速或慢速显示任意多个相邻测次大断面套绘图，用户随时可以跟踪检查数据是否有错误，或者测量数据是否合理，并可以直接修改数据，更新数据库。

(5)计算在不同高程下水库库容或河道任意断面间体积。

(6)计算不同测次、不同断面间主槽、深槽、滩地及全断面的冲淤量、冲淤面积，以及分级高程的面积、冲淤面积。

(7)将复杂的实测大断面资料概化为阶梯型大断面资料，用于河道泥沙数学模型计算。

(8)原始实测大断面数据、库容、冲淤量等原始数据和计算成果的报表。

3 RGTOOLS 系统设计

3.1 功能设计

按照结构化和模块化的原则，采用自顶向下、逐层分解的方法，将河道断面分析系统设计成由相对独立、功能单一的模块组成的系统。

河道断面分析系统主要功能有：

(1)输入编辑。对输入数据进行编辑，主要服务于原始数据和分析数据。

(2)输出文件生成。用不同语言将系统运行的计算结果自动生成为所需的 Excel 文件，只服务于输出计算结果的数据。

(3)显示系统。浏览系统原始数据库或生成的各种数据及图像。

(4)综合编辑。利用系统或 Excel 软件对数据库文件及其他类型文件进行多种操作，例如查询、统计、制表、打印等。

3.2 用户界面设计

为便于操作，开发了中文菜单，用户只需移动光标或键入快捷字符即可完成人机交互过程。

4 RGTOOLS 系统计算方法简介

4.1 断面水力参数计算

河道实测大断面可以用坐标$(x，y)$定义，x表示测点处的起点距，y表示测点处的高程，附图 3-2 为典型断面示意图(该实例断面测点数 n=8)。当实测大断面相邻两个测点组成线段与高程或水位 z 的水平线相交时，则可以用直线插补方法计算交点处坐标，然后再将水平线以上的测点坐标用交点处坐标代替，即转换为类似于上述的图形。

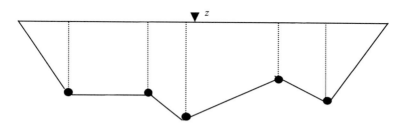

附图 3-2　典型实测断面示意图

为了方便介绍断面水力参数的计算方法，设计算高程或水位为 z，则在高程或水位 z以下的断面面积、湿周、水力半径等参数计算方法如下：

(1)断面面积(S)计算。计算公式为

$$S = \sum_{i=1}^{n} \frac{(z-y_i)+(z-y_{i+1})}{2}(x_{i+1}-x_i) \tag{1}$$

(2)湿周(P)计算。计算公式为

$$P = \sum_{i=1}^{n} \sqrt{(y_i-y_{i-1})^2+(x_{i+1}-x_i)^2} \tag{2}$$

(3)水力半径计算。断面平均水力半径 R_d 计算公式为

$$R_d = \frac{S}{P} \tag{3}$$

(4)河床平均高程(Z_b)计算。计算公式为

$$Z_b = Z - \frac{S}{x_n-x_1} \tag{4}$$

4.2 冲淤面积(ΔS)计算

设某一断面在高程 z 下通过前后两次实测断面资料计算得出的面积分别为 S_1、S_2，则计算冲淤面积公式为

$$\Delta S = S_1 - S_2 \tag{5}$$

4.3 水库库容或河道体积计算

计算水库或河道在不同高程下的库容或体积(V)，均采用下面的截锥公式

$$V = \frac{(S_1 + S_2 + \sqrt{S_1 S_2})}{3} L \tag{6}$$

式中：S_1、S_2、L分别为下断面面积、上断面面积和上下两个断面之间间距。

在某一高程(Z)下两个断面之间间距计算方法为：如果上下断面面积均大于零时，则取实际河道断面间距；如果下断面面积大于零，上断面面积为零时，则利用线性插值方法求出该高程水平线与上下两个断面深泓点之间线段的交点，然后计算交点处与下断面之间的间距，该间距用于库容或河道体积计算。

水库库容或河道体积计算示意图如附图 3-3 所示，Z_1，Z_2，…，Z_n分别为不同计算高程，并且$Z_i = Z_{i-1} + \Delta h$，$i = 2,3,\cdots,n$，Δh为系统默认分级高程间隔值，$Z_n > Z$，Z_1取上下两个断面深泓点最低高程的整数，设$S_{i,2}$、$S_{i,1}(i=1，2，\cdots，n)$分别为上下两个断面在高程Z_i下的断面面积。

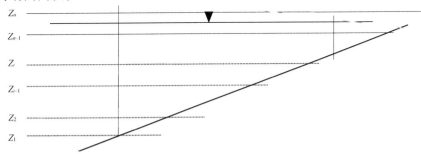

附图 3-3　计算水库库容平面示意图

水库库容或河道体积计算方法有分级面积法和面积法两种。具体计算方法如下：

(1)分级面积法。高程Z_i与Z_{i-1}之间水库库容或河道体积ΔV_i为

$$\Delta V_i = \begin{cases} \dfrac{S_{1,1} + S_{1,2} + \sqrt{S_{1,1} S_{1,2}}}{3} L \\ \dfrac{S_{i,1} - S_{i-1,1} + S_{i,2} - S_{i-1,2} + \sqrt{(S_{i,1} - S_{i-1,1})(S_{i,2} - S_{i-1,2})}}{3} L_i, \quad i > 1 \end{cases} \tag{7}$$

式中：L_i为高程Z_i时上下两个断面的间距。

在高程Z_i下的断面间库容V_i为：

$$V_i = \sum_{j=1}^{i} \Delta V_j \tag{8}$$

在高程Z下的断面间库容V采用线性直线内差法计算求得，即

$$V = V_{n-1} + \frac{V_n - V_{n-1}}{Z_n - Z_{n-1}} (Z - Z_{n-1}) \tag{9}$$

该方法适合于河道长度采用固定值和测量值两种选项。

(2)面积法。设$S_{Z,1}$、$S_{Z,2}$分别为上下两个断面在高程Z下的断面面积，则在高程Z下水库库容或河道体积V为

$$V = \frac{S_{Z,1} + S_{Z,2} + \sqrt{S_{Z,1}S_{Z,2}}}{3}L \tag{10}$$

L 为上下两个断面之间间距。该方法只适合于河道长度采用固定值选项，河道长度与高程无关。

4.4 断面间冲淤量(ΔV)计算

计算断面间冲淤量一般有三种，一是断面分级面积差法；二是断面面积差法；三是空间体积差法。

断面间冲淤量具体计算方法如下：

(1)断面分级面积差法。设 $S_{i,1,1}$、$S_{i,1,2}$ 分别为下断面在高程 Z_i 下前后两次实测大断面面积；$S_{i,2,1}$、$S_{i,2,2}$ 分别为上断面在高程 Z_i 下前后两次实测大断面面积(i=1，2，$\cdots$，n)

下断面在高程 Z_{i-1} 和 Z_i 下冲淤面积($\Delta S_{i,1}$)为

$$\Delta S_{i,1} = \begin{cases} (S_{i,1,1} - S_{i-1,1,1}) - (S_{i,1,2} - S_{i-1,1,2}), & i > 1 \\ S_{1,1,1} - S_{1,1,2}, & i = 1 \end{cases} \tag{11}$$

上断面在高程 Z_{i-1} 和 Z_i 下冲淤面积($\Delta S_{i,2}$)为

$$\Delta S_{i,2} = \begin{cases} (S_{i,2,1} - S_{i-1,2,1}) - (S_{i,2,2} - S_{i-1,2,2}), & i > 1 \\ S_{1,2,1} - S_{1,2,2}, & i = 1 \end{cases} \tag{12}$$

上下断面间在高程 Z_{i-1} 和 Z_i 之间的冲淤量($\mathrm{d}V_i$)，应用截锥公式进行计算，分为两种情况：

①若 $\Delta S_{i,1}\Delta S_{i,2} \geqslant 0$ 时，则

$$\mathrm{d}V_i = \frac{(\Delta S_{i,1} + \Delta S_{i,2} \pm \sqrt{\Delta S_{i,1}\Delta S_{i,2}})}{3}L_i \tag{13}$$

从冲淤量物理意义角度分析，若 $\Delta S_{i,1}$、$\Delta S_{i,2}$ 均为正数，$\pm\sqrt{\Delta S_{i,1}\Delta S_{i,2}}$ 取正值，表明全河段淤积；若 $\Delta S_{i,1}$、$\Delta S_{i,2}$ 均为负数，$\pm\sqrt{\Delta S_{i,1}\Delta S_{i,2}}$ 为负数，表明全河段冲刷。

②若 $\Delta S_{i,1}\Delta S_{i,2} < 0$ 时，即 $\Delta S_{i,1}$ 和 $\Delta S_{i,2}$ 符号相反，其反映的空间体积是两个顶头楔体，须图解出冲淤面积为零处分别距上下断面的间距，进行两个立体体积计算，然后将两个体积进行代数和求出冲淤量。为了简化计算，假定冲淤面积为零处距上下断面的间距与上下断面的冲淤面积绝对值成正比，分别计算出两个顶头楔体体积，然后将两个体积相加后，对公式进行变形计算和推导，求得上下两个断面间在高程 Z_{i-1}、Z_i 之间的冲淤量($\mathrm{d}V_i$)计算公式为

$$\mathrm{d}V_i = \frac{\Delta S_{i,1}|\Delta S_{i,1}| + \Delta S_{i,2}|\Delta S_{i,2}|}{3}L_i \tag{14}$$

上下两个断面间在高程 Z_i 下的冲淤体积(V_i)为

$$V_i = \sum_{j=1}^{i} \mathrm{d}V_j, \quad i=1,2,\cdots, \quad n \tag{15}$$

上下两个断面在高程 Z 下冲淤体积 V 采用线性直线内差法计算求得，即

$$V = V_{n-1} + \frac{V_n - V_{n-1}}{Z_n - Z_{n-1}}(Z - Z_{n-1}) \tag{16}$$

(2)面积差法。设 $S_{z,1,1}$、$S_{z,1,2}$ 分别为下断面在高程 Z 下前后两次实测大断面面积；$S_{z,2,1}$、$S_{z,2,2}$ 分别为上断面在高程 Z 下前后两次实测大断面面积，L 为上下断面之间间距。

下断面在高程 Z 下冲淤面积($\Delta S_{z,1}$)为

$$\Delta S_{z,1}=S_{z,1,1}-S_{z,1,2} \tag{17}$$

上断面在高程 Z 下冲淤面积($\Delta S_{z,2}$)为

$$\Delta S_{z,2}=S_{z,2,1}-S_{z,2,2} \tag{18}$$

上下断面间在高程 Z 下冲淤量(V)，应用截锥公式进行计算，分为以下两种情况：

①若 $\Delta S_{z,1}\Delta S_{z,2}\geqslant 0$ 时，则

$$V = \frac{(\Delta S_{z,1} + \Delta S_{z,2} \pm \sqrt{\Delta S_{z,1}\Delta S_{z,2}})}{3}L \tag{19}$$

从冲淤量物理意义角度分析，若 $\Delta S_{z,1}$ 和 $\Delta S_{z,2}$ 均为正数，$\pm\sqrt{\Delta S_{z,1}\Delta S_{z,2}}$ 取正值，表明全河段淤积；若 $\Delta S_{z,1}$ 和 $\Delta S_{z,2}$ 均为负数，$\pm\sqrt{\Delta S_{z,1}\Delta S_{z,2}}$ 取为负数，表明全河段冲刷。

②若 $\Delta S_{z,1}\Delta S_{z,2}<0$ 时，即 $\Delta S_{z,1}$ 和 $\Delta S_{z,2}$ 符号相反，根据上述分级面积法中介绍方法，求得上下两个断面间在高程 Z 下冲淤量(V)计算公式为

$$V = \frac{\Delta S_{z,1}\left|\Delta S_{z,1}\right| + \Delta S_{z,2}\left|\Delta S_{z,2}\right|}{3}L \tag{20}$$

(3)两次空间体积差法。设 V_1、V_2 为上下两个断面间前后两次实测大断面在高程 Z 下的体积(体积可以分别采用水库库容或河道体积中介绍方法进行计算)，高程 Z 应大于在这两次测验时间内出现的最高洪水位，则上下两个断面间冲淤体积(V)计算公式为

$$V=V_1-V_2 \tag{21}$$

5 系统运行环境及主要默认参数设置

5.1 系统运行环境

RGTOOLS 系统运行应满足以下几个方面的要求：

(1)586 以上微型计算机；

(2)中文 Windows95 操作系统或更高版本；

(3)中文 Office97 应用软件或更高版本；

(4)Visual Basic 6.0 程序库及 DLL 库(RGTOOLS 安装程序提供)；

(5)Visual C 6.0 运行程序库及 DLL 库(RGTOOLS 安装程序提供)；

(6)Visual Foxpro 6.0 运行程序库及 DLL 库(RGTOOLS 安装程序提供)。

5.2 系统主要默认参数设置

"系统默认图形选项"属于主菜单"图形"的一级子菜单，主要包括以下系统默认选项。

(1)常规选项。

①用户是否已将实测大断面划分为深槽、主槽和滩地：系统中实测大断面若未划分深槽、主槽和滩地，则该项不激活，可以提高系统计算库容、冲淤量等速度。

②套绘断面个数：每次最多允许套绘实测大断面个数。

③间隔断面个数：在已选测次中，按此间隔移动显示断面图。

④划分子断面数：最大允许用户自定义断面个数。

⑤水边记宽度：套绘断面图时，调整水边点标记的大小。

⑥屏幕保护分钟：允许每隔多少分钟对系统状态进行检测，一般取 0，表示不检测。

⑦最大坐标点数：最大允许断面测点个数。

⑧画线段的宽度：调整套绘断面时画线的粗细。

⑨追踪点的宽度：调整断面原始数据追踪点的大小。

⑩清理数据间隔：系统每隔多长时间对数据库中垃圾数据进行彻底删除。

(2)字体及颜色选项。

字体主要用于 Excel 图形设置，颜色用于系统图形区设置。

①图画标题：设置图形标题字体、颜色、型号、大小。

②坐标标题：设置坐标轴标题字体、型号、大小。

③坐标数字：设置坐标轴数字刻度字体、型号、大小。

④绘图比例：设置图例字体、型号、大小。

⑤鼠标背景：设置显示鼠标坐标区的背景颜色。

⑥图形背景：设置系统图形区背景颜色。

⑦画线线条：用户可定义前 30 个套绘断面图的颜色。

(3)X 坐标、Y 坐标选项。

①坐标轴最小值：允许用户输入数字或采用系统默认值(系统自动查找)。

②坐标轴最大值：允许用户输入数字或采用系统默认值(系统自动查找)。

③主要刻度单位：允许用户输入或由系统自动确定(用于坐标轴数字刻度线)。

④次要刻度单位：允许用户输入或由系统自动确定(用于坐标轴网格线)。

⑤坐标小数位数：坐标轴数字小数位数。

⑥主要网格宽度：用户输入网格的宽度(厘米)、用户可根据外设设备精度进行调整，用于 Excel 图形网格标准化。

⑦划分网格个数：每幅图形纵、横向划分网格个数，用于 Excel 图形网格标准化。

(4)其他选项。

①图形网格：固定选项表示图形纵横向网格个数与用户输入网格个数一致；不固定选项由系统自动确定纵横向网格个数。

②图形线段标记：用于 Excel 图形，若包括数据标记，应选择有，否则选无，大小选项用于调整数据标记大小。

③图例内容：用户可选其中任一项或多项组合作为图例说明(用于 Excel 图形)。

④数据文件格式：系统输出大断面数据时是否有水边点位置标记，即水边点高程是否用负数表示。

⑤套绘断面图形：套绘大断面图是否有水边点标记符号(仅在系统图形区内显示)。

⑥采用河道长度：固定值选项表示系统采用数据库附表 3-1 中河道长度(深槽、主槽、滩地)进行库容和冲淤量计算；测量值选项表示系统采用数据库附表 3-4 中的河道长度，测量时间采用测量河道长度日期选项值。

⑦测量河道长度日期：指定系统采用河道长度对应的测量日期，与测量值选项一起使用。

⑧计算库容高程间隔：计算水库库容时输入分级高程间隔值，若间隔值大于0时，表示用方法1计算水库库容或河道体积，否则用方法2计算水库库容或河道体积。

5.3 系统参数设置

(1)常规。

①一级标题列宽：用于设置电子表格文件一级标题列宽，0表示系统自动设置列宽。

②一级标题行高：用于设置电子表格文件一级标题行高，0表示系统自动设置行高。

③二级标题列宽：用于设置电子表格文件二级标题列宽，0表示系统自动设置列宽。

④二级标题行高：用于设置电子表格文件二级标题行高，0表示系统自动设置行高。

⑤三级标题列宽：用于设置电子表格文件三级标题列宽，0表示系统自动设置列宽。

⑥三级标题行高：用于设置电子表格文件三级标题行高，0表示系统自动设置行高。

⑦正文文字列宽：用于设置电子表格文件正文文字列宽，0表示系统自动设置列宽。

⑧正文文字行高：用于设置电子表格文件正文文字行高，0表示系统自动设置行高。

⑨起点距相邻最大值：系统读入实测大断面数据时，自动检查相邻测点起点距的差值是否超过该最大值。

⑩高程相邻最大值：系统读入实测大断面数据时，自动检查相邻两个测点高程的差值是否超过该最大值。

(2)字体。

①一级标题：用于设置电子表格文件(Excel)内一级标题字体。

②二级标题：用于设置电子表格文件(Excel)内二级标题字体。

③三级标题：用于设置电子表格文件(Excel)内三级标题字体。

④正文文字：用于设置电子表格文件(Excel)内正文文字字体。

6 系统主要技术参数、维护及数据格式

6.1 系统主要技术参数、维护和扩展

系统主要技术参数、维护和扩展主要包括以下方面：

(1)断面坐标点最大个数为350。

(2)显示或输出实测大断面图个数不超过128个。

(3)每一个断面允许出现水流股数不超过5个。

(4)划分深槽子断面个数不超过5个。

(5)虽然选择活动测站及活动测次不受限制，但是实际在运行过程中受Windows系统资料的限制。因此，应尽可能地少选活动测站和活动测次，避免出现系统资源不够，或运行速度大大降低。

(6)由于RGTOOLS系统属于数据库管理系统，随着数据大量地进入各个数据库内，数据记录不断增大，由此会造成系统查找、计算、更新数据的速度急剧降低。建议用户合理划分不同河段或不同时段，建立不同的数据库。用户应及时备份原始数据库，避免数据库丢失或更改。

(7)由于RGTOOLS系统采用混合编程及对象设计，逻辑关系、数据结构等因素都比较复杂，调用Windows各类资源库Visual Basic、Visual C、Visual FoxPro、Windows Office等应用软件程序库、运行库，因此用户在使用过程中可能遇到运行错误或无法运行

RGTOOLS 系统，建议用户在使用中记录错误发生的原因，及时将信息反馈给我们，以便我们进一步完善。

(8)在研制 RGTOOLS 系统过程中，设置了许多程序接口及扩展变量和数据结构。因此，通过用户使用及在生产部门推广应用，可以根据不同用户的要求，进一步扩展 RGTOOLS 系统的功能，使其功能更强大、操作更方便，以满足不同生产任务和科学研究的需要。

6.2 系统输入数据格式

(1)测站大断面资料按列存放格式。测站大断面资料按列存放文件类型为 Excel 文件，数据存放在电子表格中第 1 个工作单元内，按照附表 3-5 和附表 3-6 数据块定义，必须将每一个数据块按列连续存放在电子表格内。

附表 3-5 数据块(类型 1)定义

行 号	列号(单号)	列号(双号)
1	坐标点个数(n)	测验工具
2	测验日期	统测编号
3	左水位	右水位
4	第 1 个起点距	第 1 个高程
5	第 2 个起点距	第 2 个高程
…	…	…
3+I	第 I 个起点距	第 I 个高程
…	…	…
3+n	第 n 个起点距	第 n 个高程

附表 3-6 数据块(类型 2)定义

行 号	列号(单号)	列号(双号)
1	测站代码	测站代码
2	坐标点个数	测验工具
3	测验日期	统测编号
4	左水位	右水位
5	第 1 个起点距	第 1 个高程
6	第 2 个起点距	第 2 个高程
…	…	…
4+I	第 I 个起点距	第 I 个高程
…	…	…
4+n	第 n 个起点距	第 n 个高程

注：①测验工具：测深杆、测深锤、测深仪、测深杆锤、测深锤仪、测深杆仪、测深杆锤仪、河干。
②测验日期：YYYYMMDD 或 YYMMDD 或该单元为日期型数据。
③统测编号：YYYYNN。
④若该测点为水边点，则高程取负数。

(2)测站大断面资料按行存放格式。测站大断面资料按行存放文件类型为 Excel 文件，数据存放在电子表格中第 1 个工作单元内，按照附表 3-5 数据块定义，必须将每一个数据块按行连续存放在电子表格内。

(3)统测大断面资料按列存放格式。统测大断面资料按列存放文件类型为 Excel 文件，数据存放在电子表格中第 1 个工作单元内，按照附表 3-6 数据块定义，必须将每一个数据块按列连续存放在电子表格内。

(4)统测大断面资料按行存放格式。统测大断面资料按行存放文件类型为 Excel 文件，数据存放在电子表格中第 1 个工作单元内，按照附表 3-6 数据块定义，必须将每一个数据块按行连续存放在电子表格内。

7 RGTOOLS 系统主要操作步骤简介

RGTOOLS 系统设计思路是根据用户对实测大断面资料分析方法、特点及要求确定的，因此 RGTOOLS 系统主要操作步骤与用户实际工作方法是一致的，用户可以从以下几个方面进行考虑(操作步骤不完全与下面介绍一致，可以是下面多种组合)。

(1)设置系统默认值、页面设置、默认目录。用户根据实测大断面资料特点、工作要求、原始数据格式及输出成果要求，利用"系统图形默认选项"和"系统选项"对各个系统参数进行设置，利用"文件"→"电子表格(Excel)页面设置"命令对电子表文件页面进行设置。利用菜单"设置"→"默认工作目录"命令选择用户数据所在目录。

(2)河流信息表建立。利用菜单"文件"→"新建河流名字"命令，输入河流主要信息资料，其中河流代码是数字字符型，代码是惟一的。

(3)测站断面位置一览表。利用菜单"编辑"→"测站断面一览表"命令，用户可以输入或编辑测站断面信息表(见附表 3-1)；用户也可以用菜单"文件"→"导入"命令，将已有测站断面信息数据(其数据各列内容、类型与附表 3-1 中各列的内容，类型必须一致)直接快速装入数据库。

(4)实测大断面资料数据。用户首先根据实测大断面原始数据的格式，利用菜单"系统"→"数据转换"命令，将原始数据转换为电子表格文件(Excel)。目前，只有两类数据可以转换：一是测量原始数据文件，该文件内数据块定义见附表 3-7，每个数据块按行排列存放；二是 RGTOOLS(DOS 版)数据文件，该文件内数据块定义见附表 3-8，每个数据块按行排列存放，其他数据格式可根据用户要求增加数据转换功能。然后利用菜单"文件""读入实测大断面资料"将生成或用户输入的原始实测大断面电子表格数据读入到数据库内。

附表 3-7　数据块(类型 3)定义

行　　号	数据内容
1	断面拼音名
2	测验日期
3	测验水位　　测验水位
4	测验方法
5	断面测点个数(n)
6	第 1 个起点距　　第 1 个高程　　测点属性
7	第 2 个起点距　　第 2 个高程　　测点属性
…	…
$5+n$	第 n 个起点距　　第 n 个高程　　测点属性

附表 3-8　数据块(类型 4)定义

行　号	数据内容
1	断面测点个数(n)　测验工具
2	\测验日期
3	\测验水位　测验水位
6	第 1 个起点距　第 1 个高程
7	第 2 个起点距　第 2 个高程
…	…
3+I	第 I 个起点距　第 I 个高程
…	…
3+n	第 n 个起点距　第 n 个高程

注：①拼音名：必须与数据库附表 3-1 拼音名字一致。
②日期格式：YYYY 年 MM 月 DD 日、YYYY.MM.DD。
③测验方法：G00—测深杆，0C0—测深锤，00Y—测深仪，GC0—测深杆锤，0CY—测深锤仪，G0Y—测深杆仪，GCY—测深杆锤仪，UUU—河干。
④测点属性：水面以下测点，水面以上测点。
⑤测验工具：包括测深杆、测深锤、测深仪、测深杆锤、测深锤仪、测深杆仪、测深杆锤仪、河干。
⑥若该测点为水边点，则高程取负数。

(5)实测大断面特征数据。实测大断面特征数据表(附表 3-2)是系统在读入实测大断面数据时自动产生的，用户也可以利用"编辑"→"实测大断面特征数据"命令，输入或编辑大断面特征数据；若需要大批更新实测大断面特征数据，可利用"文件"→"导入"命令，将特征数据(数据各列内容、类型与附表 3-3 各列内容、类型相同)直接快速读入到数据库内。

(6)导入、导出数据。"导入"、"导出"命令均属于主菜单"文件"的一级子菜单；"导出"命令用于将数据库中各个数据表按照用户选择内容、条件快速将数据导出到其他类型的数据文件内。"导入"命令用于将外部其他数据类型文件(各列内容、类型数据库相应表中各列内容、类型一致)。

(7)数据库中数据编辑。用户利用菜单"编辑"可以对数据库中测验断面一览表、实测大断面特征数据、实测大断面成果表进行修改、删除等操作。用户也可以用菜单"浏览"对数据库表中任一个进行检索、查找、局部和全部浏览数据库内容。

(8)检查数据。用户为了对实测大断面数据进行检查，可以利用系统套绘图进行原始数据点跟踪检查，用户可利用菜单"检查"→"跟踪原始大断面数据"进行数据检查。若用户在输入原始数据时，采用第一、第二次录入数据进行校核时，用户可利用菜单"检查"→"自动校核录入数据"命令，对第一次和第二次录入数据进行自动校核，校核完毕后列出错误数据一览表。注意录入数据文件为电子表格文件(Excel)，第一次、第二次数据内容、类型及位置必须一一对应。

(9)设置默认测站、默认测次、活动测次及活动测站、河流名字。利用菜单"设置""实测大断面分析"可以分别对默认测站、默认测次、活动测次及活动测站、河流名字进行系统默认设置。

默认测站：用户拟对测验断面进行全面系统分析，如套绘图、计算断面水力要素等多项分析内容。

活动测次：用户可以选择拟分析和处理部分可全部测次的实测大断面数据。

默认测次：默认测次是从活动测次中选择一个测次，该测次对应断面特征数据作为所有活动测次相应断面的特征数据，如主槽、滩地等划分标准均按默认测次进行划分。

活动测站：用户可激活部分或全部测验断面作为计算水库库容或冲淤量的布设断面；用户也可以选择区段端点作为划分河段的标准。

河流名字：用户可选择部分或全部河流(支流)作为计算库容或冲淤量的范围。

(10)断面套绘图。利用菜单"图形"→"快速"或"慢速"命令套绘实测大断面图，并利用"图形转换到 Excel 工作表"命令将套绘图转换到 Excel 表中，也可以利用"新图形网格标准化"对刚生成的 Excel 图形进行网格标准化，用于图形正规输出。"旧图形网格标准化"命令是用于已有 Excel 图的图形网格标准化。

(11)实测大断面分析计算。在对系统各种默认值设置完毕或根据对实测大断面分析计算的要求设置各种默认值后，可以利用菜单"工具"→"实测大断面分析计算"进行各种分析计算，主要包括以下几方面：

①插补实测大断面资料。该功能是对默认测站已被套绘显示在屏幕上的实测大断面数据进行向前或向后插补，使其实测大断面左右两端点一致。

②摘录默认断面特征表。用户可根据屏幕上套绘图，选择某一个测次，移动鼠标位置在屏幕上直接摘录该测次相应的实测大断面特征数据。

③断面水力要素表。用户可选择固定断面、不同测次或默认测次、不同断面进行水力要素计算。固定断面、不同测次是对默认测站中已套绘到屏幕上的实测大断面进行水力要素计算；默认测次、不同断面是使用默认测次的实测大断面数据，对所有活动测站进行水力要素计算，其中标准高程是指附表 3-1 中标准高程作为计算高程。

④河道沿程面积表。计算所有活动测站、活动测次的冲淤面积表或标准面积表。

⑤沿程分级高程面积。该功能计算所有活动测站、活动测次在不同分级高程下的面积或累计面积表。

⑥河道冲淤体积。用户可以选择面积差法或体积差法计算活动测站、活动测次的河道冲淤量。

⑦水库库容曲线。计算水库在不同高程下的库容曲线。

参 考 文 献

[1] 熊贵枢, 孙桐先, 等. 黄河下游输沙及冲淤量测验资料误差分析. 见: 第二届国际河流泥沙会议论文集. 北京: 水利出版社, 1983

[2] 河流悬移质泥沙测验规范 GB 50159—92

[3] 钱宁, 万兆惠. 泥沙运动力学. 北京: 科学出版社, 1983

[4] 李松恒, 龙毓骞. 黄河下游输沙率修正方法和应用. 泥沙研究, 1994(3)

[5] 程龙渊. 黄河下游淤积物干容重观测与分析. 人民黄河, 2001 增刊

[6] 韩其为. 淤积物的初期干容重. 泥沙研究, 1981(1)

[7] 程龙渊, 等. 黄河下游河道冲淤量计算问题研究. 人民黄河, 1998(2)

[8] 张留柱, 等. 输沙量差法计算河道冲淤量的误差分析. 人民黄河, 2005(3)

[9] 龙毓骞, 等. 用全沙的观点研究黄河泥沙问题. 人民黄河, 2002(8)

[10] 李义天. 输沙量法和地形法计算螺山汉口河段淤积量比较. 泥沙研究, 2002(4)

[11] 程龙渊, 张留柱. 黄河下游断面法和沙量平衡法淤积量精度分析. 人民黄河, 2001 (增刊)